Alexandre Soljénitsyne

La Confiture d'abricots

et autres « récits en deux parties »

Traduits du russe
par Geneviève et José Johannet
Lucile Nivat
Nikita Struve

Fayard

Couverture : Hokus Pokus Créations

ISBN : 978-2-213-66843-7

LA CONFITURE D'ABRICOTS

ET AUTRES « RÉCITS EN DEUX PARTIES »

Les ouvrages publiés d'Alexandre Soljénitsyne
sont cités en fin de volume

LA CONFITURE D'ABRICOTS

traduit par Geneviève Johannet

I

… Je suis tout assoti mais si je déraille en écrivant lisez quand même jusqu'au bout, ça sera pas du creux. Vous êtes un écrivain célèbre, à ce qu'on m'a dit. On m'a apporté de la bibliothèque un livre avec vos articles. (Chez nous, au village, j'ai fait toutes les classes de l'école.) J'en ai lu seulement quelques-uns, tous j'ai pas eu le temps. Vous dites là-dedans que le fondement du bonheur de chacun est notre agriculture collective et que le paysan traîne-misère roule maintenant en vélo. Vous dites encore que l'héroïsme est en train de devenir chez nous un fait de la vie quotidienne et que c'est le travail dans la société communiste qui donne à la vie son but et son sens. À quoi je vous répondrai, moi, que cet héroïsme et ce travail-là, ça n'est que de la boue, de la crotte qu'on engraisse avec notre sueur à nous en faire crever. Je ne sais pas où vous avez vu tout ce que vous dites, vous parlez aussi beaucoup de l'étranger, que ça y va si mal et que vous avez tant de fois saisi sur vous des regards d'envie : ah, c'est un Russe ! Eh bien moi aussi je suis un Russe, je m'appelle Fédia, Fiodor Ivanytch si vous préférez, et je vais vous raconter ma vie.

De mémoire de famille nous avons toujours demeuré dans le village de Lébiaji Oussad, gouvernement de Koursk. Mais notre entendement de la vie, on nous l'a cassé net : on nous a qualifiés koulaks à cause du toit en tôle galvanisée, des quatre chevaux, des trois vaches et du beau jardin attenant à la maison. Il commençait, ce jardin, par un abricotier bien branchu qui amenait chaque année une masse d'abricots. Ce qu'on a pu grimper dessus avec mes petits frères ! On aimait les abricots par-dessus tous les fruits et jamais plus je n'en mangerai de pareils. Dans la petite logette bâtie dans la cour, où ma mère préparait le manger pendant l'été, elle faisait aussi de la confiture avec nos abricots, et mes frères et moi on se sucrait le museau avec l'écume. Mais quand les dékoulakiseurs ont cherché à nous faire dire où on avait du grain de caché, ils ont annoncé qu'autrement ils couperaient notre plus bel arbre… Et ils l'ont abattu.

Ensuite, toute notre famille et quelques autres avec, ils nous ont emmenés dans des chariots jusqu'à Belgorod et renfermés dans une église confisquée qui leur servait de prison. Les gens raflés dans de nombreux villages étaient entassés là, on avait pas la place de s'étendre par terre et pour manger c'était ce que l'un ou l'autre avait apporté de chez lui, on a eu aucune distribution. Le train pour nous évacuer a été mis à quai dans la gare à la tombée de la nuit, un grand pêle-mêle s'est produit à l'embarquement, l'escorte ne savait plus où donner de la tête, les lanternes valsaient. Alors mon père m'a dit : « Toi, au moins, file ! » Et j'ai réussi à me couler dans la foule. Tant qu'aux miens, ils sont partis dans la taïga, dans l'étouffe-vie : c'est tout ce que je sais d'eux.

Mais pour moi aussi c'est une grande misère qui a commencé : où aller ? Impossible de retourner au village, et la ville avait beau être assez conséquente, elle n'avait pas de place pour moi. Où me cacher ? Qui m'aurait abrité dans sa maison, pour s'attirer du malheur ? Alors, quoique déjà grand, j'ai trouvé restance chez les enfants des rues. Ils avaient leurs refuges : dans des maisons en ruine, dans des hangars, sous des plaques d'égout. La police ne s'occupait pas de ces va-nu-pieds, vu qu'elle ne savait où les mettre : comment les prendre tous en charge ? Ils étaient en haillons, crasseux, la peau noire. Ils allaient un peu de cour en cour demander l'aumône. Mais faisaient surtout des coups culottés : une petite meute fonçait sur un marché, renversait les étals, bousculait les marchandes, qui raflant des provisions, qui coupant l'attache d'un sac à main, qui arrachant un cabas déjà rempli – et hop ! ils étaient loin. Ou bien ils faisaient irruption dans une cantine et couraient entre les tables en crachant dans les assiettes. Les gens qui n'avaient pas eu le temps de mettre la leur à l'abri s'arrêtaient souvent de manger : les guenilleux n'attendaient que ça pour tout engloutir. Ils volaient aussi à la gare, et ils se chauffaient auprès des goudronneuses. Seulement j'étais trop grand et fort, je me détachais au milieu d'eux : déjà plus un enfant et moins dépenaillé. J'aurais pu m'établir caïd, demeurer à l'abri et les envoyer en chasse, mais j'ai le cœur sensible.

Si bien que ça n'a pas traîné : une équipe opérationnelle du Guépéou m'a pêché au milieu de la bande, moi tout seul, et conduit en prison. Au début je leur ai pas livré mon penser : un prisonnier comme tout le monde, j'étais, et je leur servais différentes salades. Mais ils ont fini par m'avoir en m'encageant serré et en me laissant dévivre : j'ai vu que je tiendrais pas jusqu'au bout, mentir c'est comme tout, faut savoir le faire – et j'ai reconnu que j'étais fils de koulak. Ils m'ont gardé jusqu'à l'hiver. Et, en fin de compte, ils ont renoncé à m'expédier à la suite des miens : d'ailleurs, où retrouver trace de ma famille dévastée ? Tous les papiers avaient dû se mélanger. Ils m'ont donc donné ordre de me rendre à Dergatchi, près de Kharkov, et de présenter aux autorités locales mon certificat de remise en liberté. Comment j'irais jusque-là sans un sou en poche, ils se sont pas posé la question, ils m'ont seulement fait signer un papier : pas un mot à personne de ce que j'avais enduré et entendu durant les mois passés à la prison du Guépéou, sous peine d'être remis à l'ombre sans instruction ni jugement.

Une fois dehors, c'est le vide dans ma tête : à quoi raccrocher ma triste existence ? Et comment faire le voyage ? À moins que je file à nouveau, et le plus loin possible ? Mais voilà que deux femmes, une vieille et une jeune, débouchent de la première rue transversale, comme si elles me guettaient au sortir, et s'approchent de moi : est-ce que je ne viens pas d'être relâché par le Guépéou ? Je réponds que oui. Dans ce cas, est-ce que je n'ai pas vu telle personne ? Je dis qu'il n'était pas dans ma cellule, mais que des cellules il y en a beaucoup d'autres, et bondées. Là-dessus, la belle-mère me demande si j'ai faim. Je réponds que je commence à savoir vivre avec. Alors elles m'emmènent chez elles. Un logement humide en sous-sol. La belle-mère souffle un mot à la bru qui ressort, tandis que la vieille met à cuire pour moi trois pommes de terre. J'essaie de refuser : « Ça doit être les dernières que vous avez. » Mais elle : « Pour un prisonnier, manger est la première des choses. » Et de poser encore devant moi sur la table une bouteille d'huile de chanvre. Alors, tout en lui demandant pardon, je me suis mis à dévorer comme un loup affamé. Elle disait : « Nous vivons pauvrement, mais nous ne sommes tout de même pas en prison. Nourrir quelqu'un comme toi, c'est Dieu qui l'ordonne. Peut-être que quelqu'un nourrira comme ça un jour notre prisonnier à nous. » À ce moment, la plus jeune est revenue et m'a tendu un billet d'un rouble, plus deux roubles en petite monnaie : pour payer mon voyage. Elle n'avait pas réussi à récolter davantage, qu'elle disait. Moi, je ne voulais pas prendre l'argent, mais la vieille me l'a quand même fourré dans la poche.

Seulement, quand j'ai vu à la gare les sandwichs du buffet, tout le dedans m'en a langui. Qu'on ait le malheur de commencer à manger, on ne peut plus s'arrêter. Et j'ai croqué l'argent – de toute façon, le billet coûtait plus cher. Je me suis faufilé dans le train, la nuit, sans que personne me demande rien, mais, quelques gares passées, j'ai été repéré. En place de billet j'ai présenté au contrôleur mon certificat du Guépéou. Ils se sont regardés avec le convoyeur du wagon, et le convoyeur m'a emmené dans son cagibi. « Tu as des poux ? – Est-ce que ça existe, je lui ai répondu, un prisonnier sans poux ? » Alors il m'a dit de me musser sous la banquette et de lui faire savoir à quelle gare il devrait me réveiller.

Dergatchi ne m'a rien laissé de bon dans le souvenir, je n'ai pas eu du tout à y vivre. Quand je me suis pointé au Soviet local, ils m'ont enregistré et, sans regarder que j'avais pas l'âge, ils m'ont dit d'aller immédiatement au bureau de recrutement de l'armée. Là, le docteur m'a inspecté jusqu'au bout des orteils et ensuite on m'a remis un livret de carton avec dessus un tampon de couleur grise : « A.T. ». Autrement dit : armée territoriale. Et on m'a envoyé à une autre adresse où un représentant du Service des constructions de l'ULV – l'usine de locomotives à vapeur de Kharkov – tenait bureau. Je lui ai dit que lors de la dékoulakisation on nous avait pris toute notre bonne vêture. Plus rien ne me tenait sur le corps : veston râpé, pantalon fait jadis à la maison, semelles des bottes toutes coupées au point que bientôt j'irais nu-pieds. Il a répondu que ça ne valait pas dispense. « Sur le front du travail on te fournira des vêtements de récupération, et des bottes également. »

Je me faisais encore l'idée que ça n'était pas pour durer : j'allais peut-être arriver à leur prouver mon âge, et alors mes souffrances seraient terminées. Mais eux me tenaient déjà sec et court, personne ne voulait m'écouter, allez où on vous dit, point final. Des baraquements avaient été construits pour les territoriaux près de l'ULV : comme murs, deux cloisons de planches avec de la sciure de bois entre les deux. Là où une planche est mal ajustée, là où un nœud du bois s'est évidé, la sciure coule à terre et le vent entre comme il veut. On avait des matelas bourrés de copeaux et de petits oreillers de paille. Chaque baraquement comptait pour une section. On était quatre mille concentrés là : pour eux, un régiment. Pas de bains publics dans tout le camp, pas de buanderie et aucun équipement fourni aux arrivants : tout de suite en rangs et en avant marche pour le travail. ULV, disaient les hommes, ça se lit « User, Laminer, Vider ». Il s'agissait de creuser des fouilles pour la construction de trois ateliers : ils devaient je ne sais pourquoi être presque complètement enterrés, une fois terminés on verrait que les toits. On évacuait la terre sur des bards portés chacun par deux hommes et qui avançaient comme des tapis roulants sur toute l'étendue du chantier : on entre dans la fouille à la queue leu leu, nez à nuque, nez à nuque qui se balance, et tandis qu'on marche, chaque piocheur jette sur le bard une pelletée de terre. Le temps qu'on arrive au bout de notre rangée, le bard était si chargé qu'on ne pouvait plus le porter. Mais on se cramponnait. Le terrassement se poursuivait vingt-quatre heures sur vingt-quatre pour éviter que la terre gèle pendant la nuit, et des fois on nous rallongeait le temps de travail. La vie était réglée à la militaire, avec réveil, extinction des feux, rassemblement pour partir au travail sonnés au clairon. Le réfectoire, prévu pour six cents personnes, servait d'abord les ouvriers libres, au nombre de mille, et ensuite les quatre mille territoriaux – total, le matin était passé quand on prenait le petit déjeuner, et le déjeuner se trouvait repoussé pratiquement jusqu'au soir. Il arrivait aussi ça : on amène notre groupe pour le déjeuner – ah, le précédent n'a pas encore fini. Alors on bat la semelle devant le réfectoire, quelquefois sous des bourrasques de neige, et pour avoir quoi ? une lavasse à peine tiède. Et quand il gèle dehors, à la rentrée dans le baraquement les poux s'activent, on se met tous à les écraser. Plus rien ne nous était à gré dans cette vie. Celui qui n'était pas endurci, il s'effondrait.

Et, en plus du travail, il fallait subir les instructeurs politiques qui nous cornaient aux oreilles. Qu'on fasse le dos rond dans notre misère, ils ne le supportaient pas. Tantôt le soir, tantôt le jour de repos ils débarquaient dans notre section et nous gonflaient la tête avec leur idéologie, pour qu'on prenne conscience et compréhension de la nature du travail productif sous le Plan quinquennal en quatre ans. Et, au-dessus de tous les instructeurs, il y avait le commissaire du camp, Mamaïev, avec un insigne « membre du Vtsik[1] » en forme de petit drapeau et les quatre barres de colonel sur ses pattes de col noires.

Il y avait dans notre régiment des fils de nepmans[2] : arrivés avec de grosses valises, chaudement vêtus, recevant des colis de chez eux. Il y avait de simples condamnés de droit commun, mais qu'on

1. Vtsik : Comité exécutif central de la Fédération de Russie. *(NdT.)*

2. Petits entrepreneurs privés qui prospérèrent pendant la brève période de libéralisation très limitée de la NEP (Nouvelle politique économique, 1921-1928) qui suivit la révolution et la guerre civile, d'où l'économie du pays était sortie exsangue. *(NdT.)*

avait privés du droit de vote[1]. Et aussi des gens du pays, qu'on laissait rentrer chez eux les jours de repos. Mais les plus nombreux c'étaient nous, les fils de koulaks, presque tous en haillons : ça partait sur nous en lambeaux, même si nos chefs faisaient mine de ne pas le voir. Mes deux coudes passaient à travers la chemise et le veston, et l'un de mes genoux à travers la jambe de pantalon, quant à mes bottes elles n'avaient plus de nez, on voyait pointer les bandes de chiffon qui me servaient de chaussettes. La misère. Je m'entortillais les pieds dans des morceaux de sacs déchirés, quand j'en trouvais sur le chantier, et j'entourais tout ça de fil de fer.

Dans cette vie de galère la furonculose m'a pris, mais le médecin du camp me badigeonnait ça à la teinture d'iode et me renvoyait au travail. J'ai commencé à perdre mes forces, ce que j'allais devenir ça me touchait plus, je sentais même plus rien : mon corps, on aurait dit celui d'un autre. La barbe me mangeait la face, je ne me rasais plus.

Et voilà qu'un soir le clairon sonne le rassemblement général. On se met tous en rangs dans le champ de neige derrière les baraquements. Alors on voit arriver le commissaire, revolver au côté, avec un certain nombre d'instructeurs politiques, plus un secrétaire porte-papier. Et le commissaire nous roule dessus une grande colère et nous remontre la situation en cours, vu laquelle à partir de maintenant plus de pitié pour les tire-au-flanc, ils pourront être jugés et passés par les armes. Ensuite il a parcouru les rangs en pointant le doigt sur l'un ou l'autre, et le secrétaire notait : telle section, telle compagnie. J'y ai eu droit : « Celui-ci également. » Le secrétaire m'a inscrit. Là-dessus, le rassemblement a été dispersé. Mais, le soir, le chef de section est arrivé dans notre baraquement : « Le commissaire t'a désigné en tant que simulateur pour travailler le jour de repos. Simulateur, je ne sais pas qui a été prétendre ça. J'ai bien dit à l'état-major que c'était faux, mais on ne m'a pas

---

1. Considérés comme « socialement proches » du pouvoir soviétique, les condamnés de droit commun n'étaient pas, en principe, privés du droit de vote. *(NdT.)*

écouté, personne ne peut revenir sur le commissaire. Alors écoute, travaille ta journée de demain et on te mettra en douce de repos après-demain. »

On était en février. Il a passé dans la nuit une grosse tourmente de neige, ensuite une secouée de pluie, et au matin il gelait. Je me suis enveloppé les pieds de guenilles et j'y suis allé. Les onze que nous étions, on nous a envoyés travailler au dépôt de bois. Il y avait là un tas de longues perches : on nous a dit de les transporter à un autre endroit, à environ quarante mètres de distance. « Si vous avez terminé avant l'heure, vous retournerez dans vos baraquements, mais si vous n'avez pas fini ce soir, vous travaillerez pendant la nuit. » Moi, je n'ai rien dit : au point où j'en étais, tout m'était complètement, complètement égal. Mais les autres – tous des fils à papa, des garçons de la ville bien nourris et bien vêtus – ont mis en avant que c'était jour de repos : en conséquence, ils ne travailleraient pas. Le chef de section (ça n'était pas le mien) est parti rapporter ça à l'état-major, qui était loin. Il n'y avait qu'un seul routin frayé dans la neige, c'est donc par là qu'il s'en est allé et par là aussi que devait arriver l'orage. En attendant, moi, j'avais la faim au ventre et le vent glacé me transperçait jusqu'aux moelles. Alors je leur ai dit : « Faites comme vous voulez, les gars, mais moi je vais travailler, sinon j'en ai pas pour longtemps à tomber gelé. » L'un d'eux, un déluré, a bondi vers moi : « T'es un provocateur, tu romps la solidarité ! » Moi : « Échangeons nos vêtements, veux-tu ? À ce moment-là je ne travaillerai pas. » Alors les autres : « Laisse-le travailler, va. Comme ça le chef verra de l'ouvrage fait quand il reviendra. » J'ai donc attrapé un pieu et j'ai commencé par dévirer les perches de la rangée du haut, qui étaient toutes soudées ensemble par le gel. Celles-là, je les ai accotées « en écluses » et j'ai commencé à faire dévaler les autres. Elles étaient couvertes de givre et roulaient bien. À travailler, j'ai même pris chaud.

Tout à coup, j'entends par-derrière des cris et des jurements terribles. C'est le commissaire qui arrive en traître par un autre côté : il fonce droit devant lui en pleine neige, suivi par le chef de section et quelques types de l'état-major. Les gars les attendaient à venir par le routin frayé et se sont laissé surprendre.

Le commissaire s'est mis à leur agiter son pistolet sous le nez et à les incendier en les bouffant des yeux : « Vous êtes tous arrêtés ! Salauds de bourgeois ! Au trou ! En conseil de guerre ! » Et on les a emmenés. Alors il m'a demandé : « Pourquoi es-tu si minable ? – Je suis un dékoulakisé, citoyen commissaire. » Il a pointé son gant de cuir noir sur mon genou à l'air : « Tu n'as donc pas de linge de corps ? – Si bien, citoyen commissaire, mais je n'ai pas de rechange. Et comme il n'y a pas de buanderie, mes affaires sont sales. À les porter tout le temps la peau me cuit, on dirait du caoutchouc ma chemise. Alors j'enfouis le tout dans la neige, sous le baraquement, pour que ça se désinfecte pendant la journée, et je le renfile pour dormir. – Et une couverture, tu en as une ? – Non, citoyen commissaire. – Bon, je t'accorde trois jours de repos. »

Après ça on m'a donné une couverture, deux changes de linge de corps, un pantalon ouatiné de deuxième main et des bottes neuves avec une semelle de bois impliable, pas facile de marcher avec sur du glissant.

Mais moi j'étais à bout, et furonculeux avec ça. Quelques jours plus tard je suis tombé évanoui en plein travail. J'ai repris mes sens à l'hôpital municipal. Le médecin m'a emmené avec lui dans le bureau du directeur : « Cet homme est tellement épuisé que si on n'améliore pas ses conditions de vie, je vous le garantis, il sera mort dans quinze jours. » À quoi le directeur a répondu : « Vous savez que nous n'avons pas de place pour des malades de ce type. »

Cependant on ne m'a pas encore porté sortant. Et je vous exprime ma situation : à qui écrire autrement ? Je n'ai point de famille ni aucun soutien de personne, et impossible, tout seul, de rien décrocher nulle part. On me tient en esclavage dans des conditions limites, et cette vie-là, j'en suis écœuré jusqu'à l'os. Ça vous coûterait peut-être pas trop de m'envoyer un colis de nourriture ? Je m'en remets à votre bon cœur...

II

Le professeur d'art cinématographique Vassili Kiprianovitch avait été prié par le célèbre Écrivain de lui donner une consultation sur les formes et les procédés propres au scénario de cinéma : l'Écrivain avait apparemment en tête un projet relevant de ce genre et désirait profiter d'une expérience déjà acquise. L'invitation était flatteuse et tandis qu'il s'y rendait, assis par une journée ensoleillée dans un train de la banlieue moscovite, le professeur se sentait d'excellente humeur. Il savait par quelles nouveautés dans l'art du scénario il étonnerait à coup sûr l'Écrivain, et cela l'intéressait de voir sa confortable datcha, habitable même en hiver. (Personnellement, il rêvait d'en avoir ne fût-ce qu'une petite et pour l'été seulement, mais il ne gagnait pas encore assez et chaque année, pour sauver sa famille de la touffeur moscovite, il était contraint de louer une maisonnette à quelquefois cent trente verstes de distance, à Taroussa par exemple, et d'y emporter par valises et paniers entiers, vu la disette générale, sucre, thé, biscuits, saucisse fumée et poitrine achetés chez Iélisseïev[1].)

Au fond de lui-même, Vassili Kiprianovitch ne respectait pas cet écrivain : du talent à en revendre, certes, une phrase charnue qui avait du poids – mais quel cynisme ! Outre ses romans, ses récits, ses pièces – une quinzaine, faibles du reste (sans compter des vaudevilles idiots traitant par exemple du rajeunissement des vieilles femmes délaissées) –, combien il produisait encore d'articles de journaux ! Et, dans chacun, le mensonge était là. Lorsqu'il parlait en public, ce qui n'était pas rare non plus, on était frappé par la fougue improvisatrice avec laquelle il vous servait, rehaussée de couleurs et bien charpentée, à sa manière hautement personnelle, la propagande imposée. On pouvait imaginer qu'il écrivait ses articles de la même

1. Iélisseïev : à peu près l'équivalent, pour un Moscovite, de ce qu'est aujourd'hui Fauchon pour un Parisien. *(NdT.)*

façon : un coup de fil du Comité central, et une demi-heure plus tard il dictait par téléphone un article passionné. Par exemple une lettre ouverte aux ouvriers américains : quel est ce mensonge qu'on dégoise sur l'URSS en prétendant que nous employons le travail forcé dans l'exploitation des forêts ? Ou bien ce rugissement de lion : « Libérez nos camarades noirs ! » (huit Noirs américains condamnés à mort pour des assassinats). À moins qu'il ne rêvât tout éveillé : nous ferons pousser des abricotiers à ciel ouvert à Leningrad et du froment d'Abyssinie dans les marais de Carélie. Toujours autorisé à se rendre en Europe, il écrivait sur Berlin et Paris toutes sortes de saletés, mais saupoudrées à chaque fois de détails convaincants, et il avait intitulé avec assurance « Orphée aux enfers » son entrée dans le Londres industriel. (Vassili Kiprianovitch aurait rêvé, lui, de recevoir un ordre de mission d'une semaine pour l'un de ces enfers.) Il était capable de publier un article sous le titre « J'appelle à la haine ! ». Et souvent il répondait aux questions des journaux avec une humilité évidemment feinte, disant qu'il n'embrassait toute la richesse des sujets de la littérature que depuis qu'il avait assimilé l'explication marxiste de l'Histoire, qui était pour lui de l'eau vive. Ou encore : nous autres écrivains, nous sommes dès à présent dépassés en savoir par la couche supérieure de l'intelligentsia ouvrière. Mais il se lançait aussi bien dans l'excès inverse : seul le sabotage des nuiseurs[1] a empêché jusqu'à présent notre littérature soviétique d'acquérir une stature mondiale, alors que les romanciers américains ne sont que des pickpockets de l'ancienne culture.

Cependant, à regarder les choses en face, qui aujourd'hui n'était pas vendu ? Toute l'idéologie et tout l'art étaient fondés là-dessus. Vassili Kiprianovitch employait lui-même dans ses cours ce genre d'expressions standard, car comment faire autrement ? Surtout, surtout quand on avait ne fût-ce qu'une petite tache dans sa biographie. Or l'Écrivain en avait une, et même une grosse, bien noire et

1. C'est dans toutes les branches de l'activité du pays que la marche triomphale vers le communisme était censée être freinée par le sabotage criminel des « nuiseurs ». *(NdT.)*

grasse, que tout le monde connaissait. Il s'était trompé pendant la Guerre civile : il avait émigré et publié là-bas des choses antisoviétiques ; mais il s'était repris à temps et avait ensuite travaillé énergiquement à mériter le droit de rentrer en URSS. Quant à Vassili Kiprianovitch, il portait la marque d'un petit fait presque effacé, mais qui constituait malgré tout une tache : il était originaire du Don[1]. Dans les questionnaires qu'il remplissait, il camouflait cela, bien qu'il n'eût jamais eu de lien avec le moindre Garde Blanc[2] et fût sincèrement libéral (comme son père l'avait été du temps des tsars, tout juge qu'il fût) ; mais le mot même de « Don » faisait peur. – On pouvait donc comprendre l'Écrivain, d'un point de vue politique. Oui, mais pas d'un point de vue esthétique : comment un homme de si grand talent pouvait-il manier ainsi le marteau-pilon ? Et avec un tel enthousiasme dans le style qu'on l'aurait dit emporté par une tempête de sincérité ?

La datcha de l'Écrivain était entourée d'une haute clôture de bois peinte en vert foncé, d'autant plus discrète au milieu des feuillages qu'on ne voyait pas encore la maison, construite tout au fond du terrain. Vassili Kiprianovitch sonna au portillon. Au bout d'un certain temps, un gardien vint ouvrir : pittoresque, tout à fait Ancien Régime avec sa splendide barbe blanchissante séparée en deux pointes – où trouver ce type d'homme actuellement ? –, et solide vieillard avec ça. Il était prévenu et fit suivre au visiteur une allée sablée qui longeait des plates-bandes fleuries ; on y voyait aussi des roses : rouges, blanches, jaunes. Un peu plus loin s'élevait un boqueteau serré de pins aux troncs de bronze et aux hautes frondaisons. Tout au fond, des sapins noirs dominaient un banc de jardin.

Un air imprégné de résine. Un silence absolu. Oui, il faisait bon vivre ici ! (On disait que l'Écrivain entretenait également à Tsarskoïé Sélo un vieil hôtel particulier tout tarabiscoté.)

---

1. Patrie de l'une des plus célèbres armées blanches (les Cosaques du général Krasnov), la région passait pour un repaire de contre-révolutionnaires. *(NdT.)*

2. Gardes Blancs : terme par lequel on désignait, en Union soviétique, tous les combattants des armées blanches. *(NdT.)*

Le maître de maison en personne était descendu du premier étage jusque dans l'entrée : très bienveillant et, dès ses premiers mots et ses premiers gestes, chaudement hospitalier, d'une généreuse hospitalité russe qui n'était pas feinte. Il n'était pas encore gros, mais très ramassé, large de silhouette, avec un grand visage et de grandes oreilles. À la boutonnière de son veston, l'insigne de membre du Tsik[1].

Cet homme qui avait maintenant franchi la cinquantaine – occasion d'un somptueux jubilé – était, on le voyait, rassasié de succès et de gloire, et la simplicité de ses manières avait quelque chose de seigneurial. Il conduisit son hôte au premier, dans un cabinet spacieux et clair où un poêle revêtu de grands carreaux blancs donnait sûrement beaucoup de chaleur : on devait être bien, là, en hiver, à regarder la forêt enneigée. Un grand bureau en chêne sans livres ni papiers amoncelés, mais garni d'un encrier puissant (il représentait le Kremlin : sans doute l'un des cadeaux du jubilé), et sur une tablette coulissante une machine à écrire ouverte avec une feuille insérée dedans. (Il expliqua qu'il tapait toujours directement à la machine, sans manuscrit préalable. Chose étrange : en dépit de sa silhouette massive, il avait une voix de ténor.)

Tous deux prirent place dans des fauteuils près d'un guéridon. Une grande porte vitrée laissait voir une terrasse. L'Écrivain fumait la pipe, un tabac parfumé de haute qualité. Ses cheveux plats, de couleur claire, n'étaient pas encore blancs, seulement à peine argentés sur les tempes, mais une large calvitie s'étendait jusqu'à l'occiput. Les sourcils pesaient un peu sur les yeux, tandis que le bas des joues et le menton, déjà ramollis, commençaient à s'affaisser.

La conversation fut très agréable et riche de contenu. L'Écrivain ne prenait pas de notes, mais il saisissait bien les choses et posait à bon escient des questions pertinentes.

Vassili Kiprianovitch exposa les différentes techniques de rédaction d'un scénario : le résumé avare, qui laisse pleine latitude au réalisateur ; la manière émotionnelle, dont le but principal est seulement

1. Tsik : Comité exécutif central de l'URSS. *(NdT.)*

de communiquer au réalisateur et au cameraman un certain état d'esprit ; et la manière visuelle détaillée, qui définit à l'avance les images à faire apparaître sur l'écran et même le procédé – panoramique ou changement de plan – par lequel on passera de l'une à l'autre. On voyait que l'Écrivain assimilait bien tout cela ; l'idée qu'un scénariste doit être constamment préoccupé du *geste* lui plut particulièrement.

« Oui ! acquiesça-t-il avec passion. C'est presque là l'essentiel. J'estime que le geste est toujours présent dans *chacune* de nos phrases, et parfois même dans tel ou tel mot. L'être humain n'arrête pas de gesticuler – en tout cas psychiquement, sinon physiquement. Et le geste est la première chose qu'exige de nous notre milieu social, quel qu'il soit. »

On approchait de cinq heures du soir, et l'Écrivain invita le professeur à descendre prendre le thé. Ils regagnèrent le rez-de-chaussée et traversèrent le salon : meubles d'antiquaire, canapé sculpté, fauteuils, miroir au cadre chantourné et des copies de *La Petite fille aux pêches* de Sérov[1] et du paysage de Monet où l'on voit une voile rose ; il y avait le même poêle revêtu de carreaux blancs qu'au premier étage : de toute évidence, on chauffait ici sans plaindre le bois. Et l'Écrivain ne put s'empêcher d'entraîner un instant son hôte dans les profondeurs de la maison pour lui faire naïvement admirer, à proximité de la salle à manger, cette remarquable nouveauté : un appareil électrique de réfrigération rapporté de Paris.

Là-dessus arriva – savait-il l'heure où l'on pouvait venir bavarder un moment ? – le critique Iéfim Martynovitch, qui habitait la datcha voisine. À côté de l'Écrivain racé, à la forte silhouette, sa petite taille lui donnait presque l'air d'un gnome, mais son air important ne le cédait en rien à celui du maître de maison.

Âgé d'une quarantaine d'années, il était plus jeune que Vassili Kiprianovitch lui-même, mais quelle carrière il avait faite ! Son nom grondait comme le tonnerre dans la littérature soviétique – ou plutôt avait grondé jusqu'à ces tout derniers temps : critique marxiste de

1. Voir glossaire des noms propres en fin de volume.

choc, il était connu pour ses éreintements forcenés de certains écrivains et son ardeur claironnante à en porter d'autres aux nues. Dans un cas comme dans l'autre, il exigeait de l'auteur des conclusions combatives dans l'esprit de la lutte des classes – et il les obtenait. Il était partout. Enseignant à l'Institut du Professorat rouge, dirigeant la section littéraire des Éditions d'État (c'est-à-dire qu'il dépendait de lui qu'un écrivain fût publié ou non) et gouvernant en même temps la maison d'édition Iskousstvo, collaborant enfin en qualité de rédacteur à deux revues littéraires, il concentrait purement et simplement entre ses mains toutes les rênes de la littérature, et l'avoir pour ennemi était dangereux. Il avait aussi sévi comme membre de la RAPP[1] et présidé à la mise à mort de l'école de Voronski et de celle de Péréverzev ; puis, la RAPP une fois dissoute – l'événement était tout récent –, il s'était reconverti à la vitesse de l'éclair dans la « consolidation des forces communistes sur le front littéraire ». Et le succès accompagnait si constamment chacune de ses entreprises qu'il s'était acheté dans le voisinage une datcha aussi belle, sans doute, que celle de l'Écrivain.

Vassili Kiprianovitch, qui avait bien sûr beaucoup entendu parler de lui, le voyait pour la première fois. – Un visage sans intellectualité, des yeux fureteurs, des cheveux tirant sur le roux. Malgré son complet de bonne qualité, quelqu'un qui le rencontrerait par hasard au milieu d'une société ne devinerait pas en lui un serviteur des Muses, mais penserait plutôt au directeur, heureux en affaires, d'un dépôt de produits manufacturés, ou, au plus, au chef-comptable d'un combinat. Cependant, attention : l'homme est à manier comme un rasoir bien aiguisé. Vassili Kiprianovitch est conscient que, si leurs chemins ne se sont pas croisés jusqu'ici, on ne saurait gager de l'avenir, et qu'il est bon pour lui que le critique l'ait trouvé aujourd'hui en visite chez l'Écrivain, et jouissant de ses bonnes grâces.

---

1. Association russe des écrivains prolétariens : 1928-1932. Le parti bolchevique s'est d'abord appuyé sur cette association pour liquider tous les autres groupements littéraires, avant de la dissoudre à son tour pour décréter la fondation de l'Union des Écrivains. *(NdT.)*

La femme de l'Écrivain était absente. Mais une bonne d'un certain âge, au visage de femme du peuple, avait dressé la table sous la véranda du rez-de-chaussée, face au chaud soleil déclinant. Tous trois prirent place dans de confortables fauteuils de rotin. Du pain blanc moelleux attendait, coupé en tranches, de recevoir beurre et fromage ; dans des coupes, deux sortes de gâteaux sablés et deux confitures : griottes et abricots.

Il n'y avait pas de vent. Là-haut, tout là-haut, les bonnets sombres qui couronnaient les longs troncs de bronze tordus étaient immobiles, immobile aussi chacune de leurs aiguilles. Et aucun bruit n'arrivait de nulle part.

Ce parfait isolement du monde était nourri de paix, d'un doux silence résineux.

Ils buvaient à petits coups le thé fraîchement infusé, d'une épaisse couleur brique, et leurs verres reposaient dans des supports ouvragés. Tout naturellement, la conversation aborda des sujets littéraires.

« Oui, soupira l'Écrivain, conscient de sa propre imperfection. Avec quelle force nous devrions écrire ! Avec quelle puissance ! Le peuple entier nous honore, le parti et le gouvernement ont l'œil sur nous, et nous sommes même l'objet de la haute attention du camarade Staline en personne… »

Ce dernier fragment n'était peut-être pas vraiment à sa place devant une table servie pour le thé ? Eh bien si : la mode commençait à s'instaurer de parler de la sorte jusque dans les réunions privées. Et la faveur particulière dont l'Écrivain jouissait auprès de Staline n'était un secret pour personne. Sans parler de ses étroites relations avec Gorki.

« … Créer un art d'importance mondiale, telle est la tâche de l'écrivain contemporain. Le monde attend de notre littérature des modèles *architectoniques*. »

Et ses mains – pas fortes, un peu dodues même, mais à l'agilité encore épargnée par les rhumatismes –, montraient que cette envergure ne lui faisait pas peur. (Il ne pouvait quand même pas être affamé ? Il engloutissait pourtant les tartines presque d'une seule bouchée, les unes derrière les autres. On racontait qu'il improvisait des cours entiers : sur le pâté « koulibiak », sur l'esturgeon nommé sterlet...)

En tout cas, le sujet étant ainsi posé, le Critique ne pouvait pas ne pas intervenir !

« Oui, on attend de nous un réalisme monumental. C'est là un type de littérature, un genre totalement nouveau. L'épopée de la société sans classes, la littérature du héros positif. »

Vassili Kiprianovitch sentait le doute l'envahir. Comment savoir, au fond ? Tout primitif que cela parût, peut-être la vérité était-elle là ? Ces termes rendaient certes à l'oreille un son barbare, mais il n'en était pas moins certain que jamais on ne reviendrait à la littérature d'avant. Oui, une époque totalement nouvelle venait d'ouvrir ses larges portes, et, selon toute vraisemblance, la chose était désormais irréversible.

Sous cette véranda, à cette table, dans la douce lumière tiède qui jouait avec la couleur des confitures, on avait vraiment l'impression d'un ordre établi pour des siècles. La vie du pays, actuellement à la traîne, allait peu à peu rattraper le modèle et se polir pour lui ressembler. Mais, dès à présent, aucune des brutalités du monde extérieur ne pouvait arriver jusqu'ici, aucun des grondements ni des grincements du Plan quinquennal – déjà achevé, du reste, au bout de quatre ans et trois mois.

Et puis, enfin, y avait-il quelque chose de mal dans cet élan pour créer dans l'art des formes épiques ?

« Tenez, prenez la tragédie d'*Anna Karénine*, lançait maintenant l'Écrivain d'un geste généreux. De nos jours, ce n'est plus que du vide, impossible de rien en tirer : la roue d'une locomotive ne saurait résoudre la contradiction entre passion amoureuse et réprobation publique. »

Mais le grand maître, justement, de la réprobation publique ne se montrait pas aujourd'hui le juge péremptoire et inexorable que peignaient ses anciens articles. Et puis, la manière large et convaincante de l'Écrivain lui faisait défaut. Il se contentait de soutenir une chose qui était vraiment, alors vraiment hors de doute : *Et l'acier fut trempé*[1], voilà le sommet de la nouvelle littérature, voilà l'époque nouvelle.

On voyait que l'Écrivain ne trouvait aucun plaisir à la compagnie du critique ; mais enfin bon, c'était son voisin, et puis il n'allait pas lui jeter la vérité en plein visage.

Sans engager la discussion sur *Et l'acier...*, il partit d'un autre côté en affirmant que toute innovation ne montrait pas nécessairement le chemin de l'avenir. Ainsi la RAPP, par exemple, qui donnait une telle impression de nouveauté, n'avait pas su être le haut-parleur des masses : elle en était restée séparée par un mur de dogmatisme.

Ah, touché ! Il venait d'atteindre – pour l'avoir bel et bien visée, semblait-il – une blessure toujours ouverte. Le critique se racornit d'un coup comme un champignon qu'on approche du feu. Quel courroux l'aurait soulevé un an auparavant ! Mais là, il ne fit que reculer à quatre pattes en protestant de sa voix un peu grinçante :

« La RAPP a quand même beaucoup donné à notre culture prolétarienne. Elle l'a dotée d'une épine dorsale inflexible.

– Absolument pas ! En aucune façon ! » Et, tandis que l'Écrivain balayait ainsi l'objection d'un revers de main, on le sentait prêt à pouffer de rire devant le changement de son interlocuteur. « Ce n'est pas un hasard si des soupçons se font jour actuellement sur la direction de la RAPP : des nuiseurs s'y seraient infiltrés. »

Oh, oh ! Eh bien...

« Et ils auraient cherché un moyen habile de salir notre littérature. Tenez, moi, par exemple, ils me traînaient dans la boue en prétendant que j'étais réactionnaire et bourgeois, et même totalement dénué de talent. Or le critique... »

---

1. Roman autobiographique de Nikolaï Ostrovski (1904-1936), authentique jeune prolétaire, combattant de l'Armée rouge, militant modèle du komsomol et du parti bolchevique. Son personnage central, Pavel Kortchaguine, allait être érigé en prototype du « héros positif » et devenir l'objet d'un véritable culte. La première partie du livre venait tout juste de paraître (revue *La Jeune Garde*, 1932). *(NdT.)*

Une pause. Ses yeux un peu exorbités fixés sur sa victime, il prenait son élan pour asséner un deuxième coup ? Non, il avait suffisamment d'humour. Il bifurqua, en y mettant même de l'inspiration :

« … Le critique doit être l' a m i de l'écrivain. Quand on écrit, il est important de savoir qu'on possède un tel ami. Et pas un Robespierre de la Convention des arts, qui fouille d'un regard proscripteur les replis secrets de votre cerveau dans le seul but de vous définir comme appartenant à telle classe, et qui se moque éperdument que vous écriviez avec une plume ou avec vos pieds. »

Robespierre, c'était une attaque frontale. Oui, un virage répugnant avait cassé la marche de l'Époque, et cet Écrivain, un *compagnon de route* suspect, s'était installé on ne savait comment dans une position plus sûre. Il jouissait à présent d'une mystérieuse indépendance.

Avec un battement de ses paupières dépourvues de cils, Iéfim Martynovitch se recroquevilla encore un peu plus. Voyons, n'était-il pas un *ami* ? Il était justement venu s'enquérir de ce que l'Écrivain avait en train, et de ses plans de travail.

Admirable générosité d'une riche nature ! L'Écrivain avait déjà oublié qu'on lui eût fait du mal. Il révéla qu'il retravaillait la seconde partie de sa trilogie sur la Guerre civile :

« Je ne montrais pas suffisamment le rôle organisateur du parti. Il faut que je crée et ajoute un caractère de bolchevik courageux et discipliné. Est-on le maître de son cœur ? Dans le mien, c'est vrai, la Russie a elle aussi sa place. Et c'est pour cela que je n'ai pas tout compris immédiatement, que je n'ai pas accepté tout de suite la Révolution d'Octobre. Une erreur cruelle. Et quelles années pénibles là-bas, à l'étranger ! »

Et l'aisance avec laquelle il disait tout cela de sa vibrante voix de ténor, dans un charmant élan de sincérité généreuse, rendait encore plus palpable la solidité de sa position au centre de la littérature soviétique. (Du reste, Gorki lui-même ne s'était-il pas cruellement trompé et n'avait-il pas émigré ?)

« Et qui peut oser parler d'un manque de liberté pour nos écrivains ? Lorsque j'écris, j'y vais à pleins bras comme le faucheur de Koltsov, je me lance à corps perdu. »

Et on le croyait. Ces paroles venaient du cœur. Ah, quel homme sympathique !

Sur sa tête noble, la calvitie avait un éclat honnête et convaincant.

La seule chose qu'on n'arrivait pas à saisir, c'était qu'il pût considérer la couche supérieure de l'intelligentsia ouvrière comme mieux informée que lui.

« Mais, en littérature, l'invention est parfois supérieure à la vérité. On peut mettre dans la bouche des personnages des paroles qu'ils n'ont jamais prononcées – et ce sera une révélation encore plus forte que la vérité nue, ce sera une fête de l'art ! Lorsque j'écris, je pénètre en imagination dans l'esprit du lecteur et je vois avec netteté *de quoi* il a besoin *exactement.* »

Il était lancé et, s'adressant presque au seul Vassili Kiprianovitch, avec sympathie :

« La l a n g u e d'une œuvre, mais c'est t o u t , purement et simplement ! Si Léon Tolstoï avait eu la pensée aussi claire que le camarade Staline, il ne se serait pas empêtré dans de longues phrases. Comment se rapprocher de la langue du peuple ? Tourguéniev lui-même écrit un français déguisé. Quant aux symbolistes, ils lorgnent ouvertement vers la structure française du langage. Je vous avoue qu'en dix-neuf cent dix-sept – encore bohème, coiffé pour épater le bourgeois, mais au fond timide –, j'ai connu une crise littéraire. Je voyais que je ne possédais pas vraiment le russe. Que je ne sentais pas le mode exact d'expression à choisir pour chaque phrase. Et vous savez ce qui m'a sorti de l'impasse ? La lecture des actes judiciaires du XVIIe et des siècles précédents. Pendant les interrogatoires et les séances de torture, les officiers de justice notaient avec exactitude et concision les paroles des accusés. Tandis que le malheureux recevait le knout, souffrait sur le chevalet ou qu'on promenait sur lui un faisceau de branches enflammées, ce qui s'échappait de sa poitrine était une langue absolument dépouillée, qui lui sortait des tripes. Et ça, c'est une nouveauté fumante ! Voici déjà mille ans que les Russes parlent cette langue-là, mais aucun écrivain ne l'a encore utilisée. Tenez » – et il faisait tomber à la petite cuiller dans une soucoupe de verre le jus épais de la confiture d'abricots –, « c'est cet ambre transparent, c'est cette couleur et cette lumière inattendues qu'il faudrait pouvoir retrouver dans la langue littéraire. »

Dans la coupe de cristal, chacun des abricots reposait lui aussi comme un concentré de soleil. La confiture de griottes avait bien, de son côté, sa teinte à elle, énigmatique, imperceptiblement distincte du bordeaux foncé – mais non, aucune comparaison avec les abricots.

« Et je vous dirai que même de nos jours, il émerge de temps à autre des profondeurs du public une lettre écrite dans une langue intacte. J'en ai reçu une dernièrement de l'un des bâtisseurs de l'usine de Kharkov. Quelle manière personnelle, mais qui en même temps s'impose, d'assembler les mots ! À faire pâlir d'envie un écrivain ! “Il nous a roulé dessus une grande colère…” “Elles me guettaient au sortir…” “J'ai trouvé restance…” Pas mal, hein ? Seule une oreille qui n'est pas encombrée de culture livresque peut vous suggérer ces choses-là. Et le vocabulaire est de la même veine, à s'en lécher les doigts : “je suis tout assoti”, “on m'a laissé dévivre”, “un routin frayé dans la neige”, “une secouée de pluie” … Ce ne sont pas des choses qu'on peut inventer, quand bien même on avalerait sa plume, comme disait Nékrassov. Lorsque quelqu'un vous fournit des tournures pareilles, il faut les recueillir à pleines mains…

– Vous répondez à ces gens-là ? s'enquit Vassili Kiprianovitch.

– À quoi bon répondre ? L'important n'est pas là. Ce qui compte, c'est la trouvaille linguistique. »

1994.

EGO

traduit par Geneviève Johannet

I

Avant même ses trente ans, avant la guerre de Quatorze, Pavel Vassiliévitch Ektov avait déjà ferme conscience et idée de devoir – d'être né pour ? – se consacrer exclusivement aux coopératives rurales, sans s'attaquer aux grands objectifs de bouleversement général. Pour se maintenir dans cette ligne, il lui fallut prendre part à de rudes débats et résister à la tentation, ainsi qu'aux reproches des démocrates révolutionnaires : se consacrer aux « petites tâches » est une attitude indigne, ce n'est pas seulement dilapider pernicieusement ses forces dans de menus travaux inutiles, c'est trahir l'ensemble de l'humanité pour le bien limité de son entourage direct, c'est une plate activité charitable à bon marché qui n'ouvre aucune perspective concluante. Puisqu'il existe une voie universelle de salut pour l'humanité, puisqu'il existe une clé pour assurer au peuple le bonheur idéal, que vaut en comparaison la petite aide individuelle apportée à une personne, le simple soulagement des misères du jour présent ?

De nombreux hommes de terrain étaient frappés de honte par ces reproches : ulcérés, ils tentaient de se justifier en affirmant que leur travail « concourait également » au bien-être de l'humanité en général. Ektov, lui, était de plus en plus convaincu qu'on n'avait nul besoin de se justifier pour apporter au paysan une aide quotidienne dans ses besoins courants essentiels, pour soulager la misère du peuple par tous les moyens possibles, pourvu qu'ils fussent efficaces – à la différence des sermons prononcés par les prêtres de campagne, qui détournaient les gens du réel, et du rabâchage imposé dans les écoles paroissiales. Les coopératives agricoles de crédit pouvaient se révéler une voie autrement sûre pour le grand bond de l'humanité vers son bonheur définitif.

Ektov connaissait toutes les formes de coopération, et toutes, il les aimait avec conviction. Il avait séjourné en Sibérie et y avait admiré la coopérative beurrière qui, sans posséder de grosses usines, avait réussi à nourrir toute l'Europe d'un beurre parfumé et délicieux. Mais chez lui, dans la province de Tambov, c'est une coopérative de prêts et d'épargne qu'il anima avec énergie durant un bon nombre d'années ; et il poursuivit cette activité pendant la guerre. (Tout en participant également au système du Zemgor[1] dont la politisation aiguë et le rôle de planque le dégoûtaient du reste un peu.) Durant toute l'année Dix-sept, au milieu des révolutions, il continua son travail, et c'est seulement en janvier Dix-huit, à la veille de la confiscation désormais inéluctable de toutes les caisses coopératives, qu'il insista pour que sa société de crédit rembourse en secret tous ses déposants.

La chose aurait certainement valu à Ektov une *place à l'ombre* si elle avait été connue exactement, mais les remuants bolcheviks ne savaient où donner de la tête. Il fut convoqué une fois au monastère Notre-Dame-de-Kazan, où siégeait la Tchéka[2], mais ne subit

1. Organisation des Zemstvos et de l'Union des Villes, créée en 1915 dans le cadre de l'effort de guerre, dissoute par les bolcheviks en 1919. *(NdT.)*

2. « Commission extraordinaire », police politique soviétique créée en décembre 1917, remplacée en 1922 par le Guépéou département du NKVD (Commissariat aux affaires intérieures), lui-même transformé en Oguépéou en 1923, puis successivement en NKGB, MGB, MVD et, pour finir, de 1954 à 1991, en KGB. Malgré ces avatars, les membres des « Organes » continuaient à s'appeler « tchékistes ». *(NdT.)*

qu'un interrogatoire rapide et se tira d'affaire. Il faut dire qu'on avait des soucis autrement graves. Un jour où on avait rassemblé sur la place principale de la ville, près du monastère, les recrues appartenant à cinq classes d'âge, un cavalier fougueux, aux mèches rebelles, surgit à côté d'eux sur un cheval gris et cria : « Camarades ! Qu'a donc promis Lénine ? Que nous ne ferions plus jamais la guerre ! Alors, rentrez tous chez vous ! On vient tout juste de sortir de la guerre, et il faudrait y retourner ? Allez, rentrez tous chez vous ! » Et ce fut comme une flamme qui passa sur ces garçons, foule grise et noire en vêtements paysans : ils se dispersèrent à toutes jambes, certains gagnant aussitôt les bois des alentours pour s'y cacher comme déserteurs, d'autres parcourant la ville en y semant l'émeute, – au point que les autorités s'enfuirent d'elles-mêmes. Elles revinrent un jour plus tard avec la cavalerie de Kikvidzé.

C'est dans le désarroi qu'Ektov vécut les années de la guerre civile : à voir ses concitoyens s'entr'égorger avec férocité et à sentir peser la semelle de fer de la dictature bolchevique, il ne trouvait plus de sens à la vie de la Russie ni à la sienne propre. Jamais le pays n'avait rien connu d'approchant. La vie humaine avait perdu son cours normal, elle n'était plus l'activité d'êtres doués de raison ; sous les bolcheviks elle était réduite, tapie dans l'ombre et défigurée, à se frayer en petits ruisselets des chemins détournés ou finement calculés. Cependant, Ektov, en démocrate convaincu, n'envisageait pas comme issue la victoire des Blancs et le retour des fouets cosaques. Et lorsqu'en août Dix-neuf la cavalerie de Mamontov occupa Tambov pendant deux jours, ces quarante-huit heures où la Tchéka s'était pourtant enfuie du monastère Notre-Dame-de-Kazan ne lui procurèrent pas de libération intérieure ni de satisfaction. (On voyait bien, du reste, que ce n'était qu'un raid de courte durée.) Il faut dire que toute l'intelligentsia de Tambov considérait que le régime des bolcheviks n'avait aucun avenir : ils allaient se maintenir un an, bon, deux ans, trois ans, puis ils s'effondreraient, et la Russie reviendrait à une vie qui serait, cette fois, démocratique. Quant à leurs excès actuels, ils n'étaient pas seulement le fruit d'une volonté mauvaise ou d'une compréhension bornée, ils venaient également des difficultés accumulées par trois années de conflit extérieur et de la guerre civile qui avait aussitôt suivi.

Entouré de toute une province céréalière, Tambov ne connut pas, durant ces années, de famine totale, mais chaque hiver y figeait une dangereuse misère qui contraignait les gens à consacrer toutes les forces de leur intelligence et de leur âme à se débrouiller pour survivre. Et le monde paysan à la bonne vie large qui entourait la ville commença à se désagréger au fur et à mesure que s'y enfonçaient impitoyablement, comme des coins, d'abord les détachements de barrage (qui dépouillaient les paysans de leur grain et autres produits lorsqu'ils les transportaient sur les routes), puis les détachements de réquisition alimentaire et ceux qui faisaient la chasse aux déserteurs. L'entrée d'un de ces détachements dans un village paralysé par la peur annonçait toujours inéluctablement l'exécution de quelques paysans, au moins un ou deux, à titre de leçon pour tous les autres. (On pouvait aussi, dans un chef-lieu de canton, tirer au hasard une rafale de mitrailleuse, à balles réelles, depuis le perron du siège de l'administration.) Et toujours, quel que fût le but de l'expédition, un grand pillage commençait. Le détachement de réquisition alimentaire prenait ses quartiers dans le village et exigeait d'abord d'être nourri lui-même : « Qu'on apporte ici un mouton ! qu'on apporte des oies ! des œufs, du beurre, du lait, du pain ! » (Et ensuite des serviettes, des draps, des bottes.) Et encore les gens auraient-ils été heureux de s'en tirer à si bon compte, mais après avoir mené grande vie pendant deux ou trois jours, les membres du détachement formaient avec des habitants du village chargés de leur grain, de leur viande, de leur beurre, de leur miel, de leurs pièces de toile, un lugubre convoi qu'ils emmenaient pour en faire don au pouvoir prolétarien – lequel n'avait jamais partagé avec les paysans ni son sel, ni son savon, ni son fer. (Dans certains magasins de campagne, on voyait soudain arriver des bas de soie ou des gants glacés, ou encore des lampes à pétrole sans brûleurs et sans combustible.) Et tous les greniers étaient si bien râclés qu'il n'était pas rare de voir les paysans rester sans rien à manger ni à semer. Ils appelaient ces hommes-là « les Noirs » *(tchornyïé)*, peut-être en pensant au diable *(tchort)*, peut-être parce que les non-Russes étaient nombreux dans leurs rangs. Toute la province de Tambov vivait dans la terreur du *goubprodkomissar* (commissaire au ravitaillement) Goldine, un forcené qui ne tenait pas plus le compte des vies humaines qu'il ne mesurait le malheur des gens ni les larmes des femmes, et devant qui tremblaient ses agents d'exécution eux-mêmes. Son collègue Alpérovitch, chargé du district de Borissoglebsk, n'était guère plus doux. (De quels noms dignes de lui se baptisait le nouveau pouvoir ! Il y avait encore le *natchpogoub* Weidner, et Ektov mit longtemps à comprendre ce que signifiait ce mot effrayant : chef du département politique de la province.)

Les premiers temps, les paysans n'arrivèrent pas à y croire. Enfin, que se passait-il ? Les soldats revenus du front de la Grande Guerre, des régiments de réserve et de captivité (où ils étaient fortement travaillés par la propagande bolchevique) avaient rapporté dans leurs villages la nouvelle que le pouvoir allait maintenant appartenir aux paysans et que la révolution avait été faite pour eux : car c'étaient eux les grands maîtres de la terre. Et voilà que les gens des villes envoyaient des moricauds maltraiter la paysannerie laborieuse ? Vous n'avez rien semé vous-mêmes – alors notre bien vous fait envie ? Lénine a pourtant dit : celui qui n'a ni labouré ni semé, qu'il ne mange pas !

Il y eut aussi ce bruit qui courut les campagnes : trahison ! on a mis au Kremlin quelqu'un d'autre qui se fait passer pour Lénine !

Le cœur de Pavel Vassiliévitch, uni depuis toujours aux malheurs des paysans, à leur conception de la vie et à leur sens pointilleux de l'économie (on va à l'église en bottes, on circule dans le village en chaussons de tille et on laboure pieds nus), saignait de douleur devant la ruine insensée qui s'abattait sur la campagne : les bolcheviks pillaient de fond en comble la province de Tambov (et chaque inspecteur ou instructeur à la manque qu'on envoyait là grattait encore tout ce qu'il pouvait). Le beau troupeau de plusieurs centaines de bêtes rentrant lentement dans le village, guetté ici et là par des enfants qui vont faire tourner les leurs vers l'étable familiale, tandis qu'un nuage de poussière transparente demeure suspendu dans les rayons du soleil couchant et que les chadoufs grincent, annonçant qu'on va abreuver les vaches avant de leur tirer un lait abondant – où voir maintenant ce tableau de paix et de satiété ? Et les fenêtres des isbas ne s'éclairaient plus à la tombée de la nuit : les lampes à pétrole restaient sans emploi, et des lumignons à la graisse de mouton fournissaient une clarté avare.

Cependant, la guerre civile approchait de sa fin et les paysans de Tambov avaient raté l'occasion de s'allier aux Blancs. Mais leur patience était à bout ; une force soulevait le peuple. À l'automne 1919, les paysans tuèrent le président du Comité exécutif du Soviet de la province, un nommé Tchitchkanov, pendant un de ses déplacements. La réponse du pouvoir fut une puissante expédition punitive (Hongrois, Lettons, Finnois, Chinois : qui n'y avait-il pas dans le détachement !) et une nouvelle vague d'exécutions.

Durant cet hiver dévasté, la colère paysanne continua à grandir, à s'accumuler. Au printemps, dès la neige fondue, Pavel Vassilitch se mit en route, dans une télègue empruntée, à la recherche de ravitaillement : parti de Karavaïnovo, il gagna le coin familier où la Panda « humide » et la Panda « sèche » se rejoignent pour se jeter ensuite dans la Vorona. Il connaissait là les villages de Grouchevka, Gvozdiovka, Treskino, Kourgan, Kalouguino : Grouchevka et ses riches prairies commençant juste derrière les maisons, qui l'emplissaient en juin de l'odeur du paturin, du brome et du trèfle ; Treskino et son étrange église – un cube à trois étages –, tandis qu'à Nikitino la chapelle des propriétaires avait un revêtement en carreaux de faïence bleu et marron, avec un toit de bois façonné en écailles ; Kourgan et son tumulus remontant à l'époque tatare ; et Kalouguino, recourbé en forme de sabre, avec ses maisons cosaques disséminées sans aucun ordre dans le ravin dénudé de la Panda « sèche ». Alors que le long de la sinueuse Panda « humide », les prairies inondables étaient couvertes d'une herbe épaisse, les cailles lançaient leur cri, et enfants, pêcheurs, oies et canards s'ébattaient à leur aise ; l'eau n'arrivait pas aux enfants plus haut que la taille, mais c'est pourtant de la rivière que les vaches remontaient pour la traite de la mi-journée. Il y avait une grande forêt qui commençait au sortir de Grouchevka et de Gvozdiovka ; et, près de Nikitino, tout couvert de jardins, un certain nombre de ravins boisés.

Les paysans accueillaient cette année-là le printemps avec une grande anxiété, et bon nombre d'entre eux se refusaient même à semer : n'était-ce pas peine perdue, puisque tout leur serait enlevé ? mais, d'un autre côté, comment rester sans subsistance ?

Ils se rassemblaient dans les bois et les ravins. Et se demandaient comment se défendre.

Mais il n'est pas facile à des paysans qui appartiennent à des villages différents de s'entendre, de s'unir, de se décider, – pas facile de choisir le moment où on sautera le pas pour s'engager dans une vraie guerre.

En attendant, les détachements de réquisition alimentaire de Goldine continuaient à s'abattre sur les villages pour les piller, et à faire eux-mêmes ripaille là où ils s'arrêtaient. (Il leur arrivait d'exiger qu'on mît à leur disposition, pour la nuit, un contingent de femmes : le village obtempérait, car que faire d'autre ? ça valait quand même mieux qu'une vague d'exécutions.) Tandis que les détachements de chasse aux déserteurs continuaient à fusiller pour l'exemple les garçons qu'ils capturaient. (Trois classes étaient appelées d'un coup : de dix-huit à vingt ans. Mais ceux qui adhéraient au parti bolchevique échappaient au sort commun.)

Et ça éclata tout seul, en août Dix-neuf, au village de Kamenka, district de Tambov : les paysans massacrèrent le détachement de réquisition alimentaire et prirent ses armes. Dans les mêmes jours, à Treskino, comme le détachement alimentaire avait réuni les cadres actifs près du siège administratif du canton, une troupe de paysans portant fourches, pelles et haches envahit soudain la rue. Le détachement ouvrit le feu, mais la vague déferlante tailla en pièces une vingtaine de ses membres, et quelques femmes de communistes en surplus. (Ils tuèrent également un petit garçon qui était dans la foule à regarder. Il avait reconnu l'un des insurgés : « Oncle Pétia, tu m'as reconnu ? » – et l'autre le tua pour ne pas être dénoncé ensuite par le petit.) Quant à ceux de Grouchevka, exaspérés par les réquisitions, ils firent tomber à terre un membre du détachement et lui scièrent le cou comme on scie un rondin.

Il n'est pas facile, oh non, de faire bouger les paysans russes, mais quand cette pâte fermente et monte, rien ne peut plus la contenir dans les limites de la raison. Partie de Kniajé-Bogoroditskoïé, toujours dans le district de Tambov, une troupe en chaussons de tille s'en alla, dans un saint élan vers la justice, « prendre Tambov » avec des haches, des bidents à tirer les pots du four, et des fourches : ainsi marchaient les *fourcheux* au temps des Tatars. Saluée par les cloches des villages qu'elle traversait et grossissant en route, elle progressa vers le chef-lieu jusqu'au village de Kouzmina Gat, où des mitrailleurs embusqués fauchèrent les malheureux comme des quilles et dispersèrent les survivants.

Alors, comme un incendie qui court sur les toits de chaume, l'insurrection souleva d'un coup tout le district, en se communiquant aussi à ceux de Kirsanov et de Borissoglebsk : partout les communistes locaux furent massacrés (les femmes aussi s'y employèrent : avec leurs faucilles), les sièges des Soviets mis à sac, les sovkhozes et les communes dissous. Ceux des communistes et des cadres actifs qui en réchappèrent se réfugièrent à Tambov.

Les communistes envahisseurs, on comprenait d'où ils venaient. Mais d'où sortait donc le contingent local ? Diverses histoires arrivées dans le pays éclairèrent Ektov qui connaissait du reste déjà certains de ces hommes-là. Lors des premières élections soviétiques de responsables cantonaux et municipaux, les paysans ne se rendaient pas encore compte des pouvoirs illimités qui allaient leur être confiés, ils s'imaginaient que c'était négligeable : l'ère de la liberté était venue pour tous et l'important, ce n'étaient pas les élections, c'était de s'approprier la terre des seigneurs. Et puis, quel paysan sérieux aurait délaissé son exploitation pour remplir on ne savait quelle fonction élective ? Les hommes qui s'étaient engagés là-dedans n'étaient donc paysans que par la naissance, non par le travail : c'étaient les excités, les je-m'enfoutistes, les bons à rien, la gueusaille, et aussi ceux qui traînaient depuis leur adolescence comme manœuvres autour des villes et sur les chantiers où ils avaient lapé des slogans révolutionnaires, et encore tous les déserteurs de Dix-sept qui avaient quitté en hâte le front pour revenir piller. Les communistes, les cadres actifs, le pouvoir, c'était eux.

De par son éducation et par tradition humaniste, Pavel Vassiliévitch avait toujours été opposé de toute son âme aux effusions de sang, quelles qu'elles soient. Mais maintenant, surtout depuis la sainte expédition populaire arrêtée à Kouzmina Gat, le rapport entre le bon droit impuissant et la violence implacable s'était manifesté avec une telle évidence qu'il fallait bien voir la vérité : il ne restait plus aux paysans qu'à prendre les armes. (Or fusils, cartouches, sabres, grenades étaient encore nombreux, rapportés du front de la Grande Guerre ou abandonnés ici et là après la percée de Mamontov : cachés chez les uns, enterrés chez les autres.)

Et pour le populiste, pour l'ami du peuple qu'il était, Ektov ne vit pas non plus d'autre solution que de les rejoindre et de faire la même chose. Certes, à présent que la guerre civile était terminée, que pouvait espérer un soulèvement paysan ? Mais il allait manquer aux insurgés, sans aucun doute, une direction cohérente et éclairée. Lui n'avait rien d'un militaire, il n'était qu'un spécialiste des coopératives, mais possédant de l'instruction et du discernement : il leur serait utile.

Oui, mais il y avait sa femme. – Paulina, mon cœur inséparable ! Et mes yeux de bleuet, ma petite Marina de cinq ans ! Comment vous abandonner ? livrées à quelles épreuves, à quels dangers, ou même simplement seules devant la faim ? – Là est le point où nous frémissons. Ce qui fait notre bonheur suprême fait aussi notre faiblesse.

Transpercée par l'angoisse, mais se dominant comme elle pouvait, Paulina le laissa partir : Tu as raison. Oui… tu as raison… Va les rejoindre.

Et elle resta avec sa fille dans l'appartement de Tambov, munie d'une toute petite provision de nourriture et de bois pour l'hiver ; mais elle gagnerait bien aussi quelque argent : elle était institutrice.

Pavel Vassilitch quitta, lui, la ville et partit à la recherche du centre supposé de l'insurrection.

Il le trouva sous une forme ambulante, celle d'une poignée d'hommes groupée autour d'Alexandre Stépanovitch Antonov. Issu de la petite bourgeoisie de Kirsanov, S.-R. « expropriateur » en 1905 (ne pas fermer les yeux : mi-politique et mi-truand ?), revenu en 1917 d'un exil en Sibérie, il avait commandé la milice de Kirsanov jusqu'au coup d'État bolchevique ; après, il s'était constitué un arsenal en désarmant les convois tchécoslovaques qui passaient par Kirsanov, et dès l'été 1919, accompagné d'une petite troupe, il interrompait déjà par des raids, ici et là, les réunions des cellules communistes locales – alors que le parti S.-R. n'arrivait pas à se décider à s'opposer aux bolcheviks, de peur d'aider ainsi les Blancs. Durant tout l'hiver 1919-1920, la Tchéka de la province l'avait traqué sans parvenir à le capturer. Antonov n'avait même pas fait toutes ses classes à l'école primaire de sa ville natale, il n'avait aucune instruction – mais une folle bravoure, un caractère décidé et un esprit agile.

L'état-major d'Antonov, qui était à l'état naissant et ne méritait pas encore ce nom, ne comptait même pas un seul officier possédant l'expérience de ce type de travail. Il y avait là un homme au talent inné, Piotr Mikhaïlovitch Tokmakov, fils de paysans du village d'Inokovka-1 : sous-officier dans l'armée du tsar, il s'était hissé, sur le front de la Grande Guerre, jusqu'au grade d'aspirant, puis même de sous-lieutenant ; c'était un remarquable baroudeur, mais son bagage se réduisait à trois années d'école paroissiale. Il y avait encore un aspirant combatif et bouillonnant, débordant d'énergie, Térenti Tchernèga, ancien sous-officier lui aussi : il avait rejoint les bolcheviks en 1917 et les avait servis pendant deux ans jusque dans les rangs du TCHON[1], mais, après avoir vu tout ce qui se passait, il avait choisi le camp des paysans. Et il y avait enfin un sous-officier, un artilleur nommé Arséni Blagodariov[2], originaire du village de Kamenka où tout avait commencé : il était parmi les instigateurs de l'émeute. Tous trois devaient recevoir par

1. Sections spéciales. *(NdT.)*
2. On retrouve le personnage dans *La Roue rouge*. *(NdT.)*

la suite un régiment de partisans à commander, Tokmakov serait même plus tard à la tête d'une brigade comportant quatre régiments, – mais aucun d'entre eux n'était apte, même de façon approximative, au travail d'état-major. Quant à l'aide de camp d'Antonov, il n'avait rien d'un militaire : c'était un instituteur venu de Kalouguino, qui s'appelait Starykh.

Aussi Ektov se trouva-t-il, quand il se présenta à Antonov, le meilleur candidat aux fonctions de « chef d'état-major » : il suffisait d'être un homme avisé, un peu instruit et sachant lire une carte topographique. Antonov lui demanda son nom. Bizarrement, Ektov fut pris au dépourvu. Il avait déjà commencé : « Ek... » – lorsqu'il se ressaisit : il ne devait pas donner son vrai nom ! Et son gosier émit de lui-même :

« A... ga...

Antonov crut entendre :

– Egov ? »

Eh bien, ça faisait un pseudonyme, et pas mauvais. Il reprit donc distinctement :

« Ego. Va pour ce nom-là. »

Bon. C'était son affaire. Antonov ne chercha pas à en savoir plus.

Bientôt tous le connurent donc comme « Ego », toujours Pavel, mais Timofeïévitch. Et bientôt aussi (à son propre étonnement) tous lui reconnurent une autorité de « chef d'état-major ». Il ne faisait du reste qu'introduire un lien, une ébauche de coordination dans leurs actions communes, car Antonov lui-même et ses différents chefs d'unités conduisaient la plupart du temps leurs détachements sans rien demander à personne, comme le leur dictait leur impulsion personnelle ou l'imprévu des circonstances.

Le district de Tambov ne se prêtait pas tellement à la guerre de partisans : comme dans la plus grande partie de cette province, peu de forêt, une plaine, de petites collines – avec cependant une quantité de profonds ravins (les « yarougues ») où même la cavalerie échappait aux regards balayant la steppe. Et un réseau de chemins vicinaux bien damés sur la double trace du passage des chariots, mais la cavalerie prenait aussi bien à travers champs.

Quelle cavalerie c'était là ! Des étriers en ficelle, et la majorité des hommes assis sur un coussin en guise de selle (en marche, des bribes de duvet s'échappent de sous leur séant...). Certains habillés en soldats, d'autres en paysans (la chapka barrée d'un ruban rouge : ils sont pour la révolution, eux aussi sont des Rouges ! et quand ils ne s'appellent pas par leurs sobriquets de paysans, entre eux c'est « camarade »). Toujours montés, en revanche, sur des chevaux frais, car ils les échangent sans difficulté auprès des paysans (non sans laisser derrière eux quelque rancœur : d'accord, ces gars sont *les nôtres*, mais le cheval aussi, c'était *le mien...)*. Ils ont rassemblé une collection hétéroclite de vieux flingues de l'armée russe, d'armes de chasse à deux coups, de fusils à canon scié (plus faciles à cacher, et pas tellement moins précis quand on tire de près), de « gras » français et de « mannlicher » autrichiens rapportés de différentes guerres. Au début, cinq cartouches par fusil ; ensuite, ils en ont pris aux détachements de réquisition, aux soldats du TCHON, ils se sont même emparés de dépôts d'armes entiers et ont réalisé un jour, sous la conduite d'Antonov, cette opération audacieuse : prendre aux Rouges tout un train de munitions et, le butin chargé sur des télègues, le disperser en hâte dans les villages, le plus loin possible de la voie ferrée qu'ils n'auraient pas tenue une heure de plus.

N'empêche que, vu leur grand nombre, les insurgés manquent cruellement d'armes, même de sabres, et quand le tocsin sonne, il en est encore qui accourent depuis leurs villages avec des fourches. (Autre signal utilisé : dès qu'apparaît un détachement bolchevique, les ailes du moulin s'arrêtent – ou bien une estafette part au grand galop de l'autre bout du village pour prévenir les voisins.)

La joie du raid couronné de succès, et aussi de la retraite réussie, stimulait Ektov et l'emplissait d'étonnement : comment s'en tirait-on si bien ? et à partir de rien !

Ainsi vivaient-ils tandis que passaient les semaines, puis les mois : travaillant le jour comme paysans et, quand sonnait l'alerte ou simplement quand le soir venait, montant à cheval et partant en expédition. Les détachements ennemis se pourchassaient en sautant les ravines. Battus, les insurgés s'égaillaient comme une volée de moineaux et cachaient leurs armes – pas chez eux, dans les « yarougues ».

... Après le passage du combat, un mort gît à terre, la tête dans l'eau d'un ru. Le cheval reste planté tristement, des heures durant, près de son maître tué... Dans l'herbe, une hochequeue sautille...

Le refuge préféré de la cavalerie d'Antonov était une dépression située sur le cours de la Vorona. De vastes clairières y sont bordées par un anneau de chênes, d'ormes, de trembles et de saules qu'on dirait disposés selon un plan. Les cavaliers à bout de forces se laissaient tomber dans ces clairières tapissées de paturin et d'oseille sauvage, et les chevaux y broutaient en se déplaçant à pas lents. On y accédait par des demi-routes abandonnées, et plus loin commençait une jungle impénétrable, un enchevêtrement serré de petits arbres et de broussailles, avec une herbe très haute où glissaient des vipères de près d'un mètre cinquante de long, au dos frappé de noir. (L'un des endroits les plus inaccessibles s'appelle : « le Marais aux serpents ».)

En septembre, il y eut également un soulèvement à Pakhotny Ougol, largement au nord de Tambov, en allant vers Morchansk. Des communistes y avaient monté l'année précédente une « commune exemplaire » ; revenus maintenant à la raison, ils grossissaient les rangs des rebelles d'un groupe isolé mais fort.

Le nombre des insurgés croissait tellement que, s'enhardissant, ils lancèrent par le sud, au début d'octobre, une attaque contre Kamenka : ils voulaient la délivrer de la garnison rouge qui s'y était installée. Mais celle-ci répondit par des coups de canon et par une contre-attaque où l'infanterie se joignit à la cavalerie. Les insurgés mirent pied à terre et, pour la première fois qui fut aussi la dernière, ils creusèrent des tranchées comme ils en avaient pris l'habitude à la guerre. Mais ce fut une erreur : ils ne résistèrent pas à quarante-huit heures de combat régulier et, abandonnant leurs tranchées, ils se replièrent sur Tougoloukovo, un village riche en chevaux – que de nombreux paysans quittèrent alors, chacun monté sur un cheval et en emmenant un autre, pour suivre les *partisards*.

La région insurgée était dangereusement incluse dans le triangle de voies ferrées Tambov-Balachov-Rtichtchévo, dont les stations importantes possédaient des garnisons permanentes. Ces voies ferrées, il fallait saisir toutes les occasions de les détériorer. Plusieurs fois, des raids furent entrepris pour en démanteler des tronçons et on tordit les rails en y attelant des chevaux.

Précisons cependant que les cheminots, en particulier les téléphonistes et les télégraphistes, penchaient massivement du côté des insurgés et que certains lambinaient pour transmettre les décisions des Rouges, perdaient le texte, le déformaient ou même le communiquaient aux partisans, – si bien que les bolcheviks ne pouvaient pas utiliser en toute sûreté leurs lignes de communication. Les agents du nœud ferroviaire de Rtichtchévo allèrent jusqu'à élire une délégation de soutien qui devait prendre contact avec les insurgés, mais les tchékistes réussirent à arrêter à temps les délégués, et l'état d'urgence fut instauré dans toute la ville.

Les effectifs des insurgés ne cessaient de croître et des *régiments* de quinze cents ou deux mille hommes se constituaient l'un après l'autre ; leur nombre était en train de dépasser dix et ils étaient maintenant pourvus de drapeaux et de mitrailleuses, type Maxim ou Lewis. Aux postes de commandement, d'anciens sous-officiers et soldats de première classe qui avaient fait la guerre contre l'Allemagne, ainsi que de simples paysans sortant de derrière leur charrue. Et ils s'en tiraient bien.

En novembre, Antonov marcha sur Tambov avec le gros de ses forces, ce qui mit sens dessus dessous les autorités locales (on scia des chênes centenaires pour barrer les routes et, dans la ville même, on installa des mitrailleuses dans les clochers). Ektov n'arrivait pas à y croire : allait-il vraiment pénétrer dans la ville, fût-ce pour une petite heure, fondre sur sa famille et l'arracher de là ?... (Il la conduirait à Serdobsk où Paulina avait une cousine germaine : elle se dissimulerait chez elle.)

Non. À vingt verstes de Tambov, à Podoskleï-Rojdestvenskoïé, les insurgés durent battre en retraite à l'issue d'un combat de grande envergure.

Une nouvelle Vendée ? Avec pourtant cette différence notable : notre clergé orthodoxe, qui n'est pas de ce monde, ne se fondait pas avec les rebelles, il n'était pas leur inspirateur, comme l'avait été le combatif clergé catholique ; les prêtres restaient prudemment confinés dans leurs paroisses, dans leurs logis, tout en sachant que si les Rouges arrivaient, ils étaient capables, malgré cela, de leur mettre la cervelle en bouillie. (Ainsi, à Kamenka, le pope Mikhaïl Moltchanov fut-il tué sans aucune raison d'une balle dans la tête sur les marches de sa maison.)

Une Vendée ? Pas sans contrainte, parfois. Un soldat de l'Armée rouge venait en permission dans son village, et là les gens détruisaient ses papiers : que lui restait-il à faire ? rejoindre les partisans, c'était la seule solution. Quant à leur fausser ensuite compagnie, à supposer qu'il en eût envie, c'était absolument exclu : son entourage ne l'aurait pas laissé vivre au village avec sa famille. Ou encore : si une femme avait eu la langue trop longue et laissé échapper devant les Rouges des indications sur les déplacements des insurgés, on la fouettait, déculottée, devant tout le monde, sur la place de l'église.

Une menace était maintenant suspendue de tous les côtés au-dessus des paisibles paysans de Tambov : ils savaient que s'ils faisaient quelque chose de travers, soit les Rouges, soit les partisans viendraient le leur faire payer. Ils redoutaient toujours d'en dire trop, ne fût-ce que devant certains de leurs voisins. Celui qui, une fois seulement, s'était armé d'une fourche pour effectuer avec les autres une petite descente à une dizaine de verstes et avait été capturé, peu importait qu'on l'eût ensuite relâché : il restait coupable à vie au regard des autorités.

On frappe à la porte : « Qui est là ? – Des amis. » Alors, à tout hasard, pour ne pas tomber dans un piège : « Tous des amis, démons que vous êtes, mais ça n'est plus une vie que vous nous faites mener ! »

Les Rouges interrogeaient une femme pour savoir où était son fils. Elle le renia : « Je n'ai pas de fils ! » Mais, ensuite, il fut capturé et se nomma : fils d'Unetelle. On le fusilla pour mensonge.

Pavel Vassilitch se sentit plus d'une fois dans la peau de ces paysans. La famille ! Joie de l'homme depuis toujours, et depuis toujours son point vulnérable ! Qui a un anneau de fer à la place du cœur pour ne pas frémir en pensant que ses proches peuvent être déchiquetés par des griffes diaboliques ?

Il arrivait d'ailleurs également des choses comme celle-ci. Un détachement de réquisition est mis à mal dans un village, et deux de ses membres – un Chinois et un Finnois – se cachent derrière la maison d'un vieux grand-père. Le Chinois est repéré et buté sur place, mais le grand-père prend le Finnois en pitié : risquant sa propre tête, il le dissimule dans une gerbe, puis, la nuit venue, lui rend la liberté. Et l'autre file retrouver sa garnison, à Tchokino. (Pour participer à l'expédition suivante ?...)

Une Vendée ? Les S.-R. de la province de Tambov furent d'abord hésitants : on ne pouvait quand même pas soutenir une insurrection dirigée contre la révolution ? et puis ils avaient raté le moment d'en prendre la tête, personne ne les suivrait maintenant. Mais, d'un autre côté : à présent que la guerre civile était terminée, comment ne pas exploiter la poussée populaire contre les communistes ? Ils rejoignirent donc les « soviets de la paysannerie laborieuse » qui venaient de se constituer, afin de rédiger leurs tracts et de faire passer tout le soulèvement pour l'œuvre du parti S.-R.

Cependant, les insurgés possédaient déjà leurs propres slogans : « À bas les Soviets ! » (ce qui n'était pas du tout S.-R. : les S.-R. étaient pour les Soviets) ; « Non aux réquisitions ! » ; « Vive les déserteurs de l'Armée rouge ! »

Comme Ektov disposait d'une machine à écrire prise au siège d'un Comité exécutif de soviet, il composait lui-même des proclamations qu'il dactylographiait avec ardeur : « Soldats mobilisés dans l'Armée rouge ! Nous ne sommes pas des bandits ! Nous sommes des paysans comme vous. Mais on nous a contraints à abandonner notre paisible labeur et on nous a jetés contre nos frères. Et vos familles à vous, ne sont-elles pas dans la même situation que les nôtres ? Tout a été tué par les Soviets ; à chaque pas les communistes, transformés en bêtes féroces, arrachent aux gens leurs dernières poignées de grain et les fusillent sans raison. Ils fracassent nos têtes comme des pots de terre, ils brisent nos os – et c'est là-dessus qu'ils prétendent construire un monde nouveau ? Secouez le joug communiste et rentrez chez vous avec vos armes ! Vive l'Assemblée constituante ! Vive les soviets de la paysannerie laborieuse ! »

Et les insurgés eux-mêmes – ceux qui en étaient capables – s'appliquaient à tracer des mots sur les feuilles de papier qui leur tombaient entre les mains : « Suffit ! Assez écouté les communistes, ces effrontés qui parasitent le peuple travailleur ! » – « Nous sommes venus vous crier que le pouvoir des brutes et des pillards n'a pas droit à l'existence ! » Et, pour les indécis : « Paysans ! On vous prend votre blé, votre bétail, et vous continuez à dormir ? »

Les communistes répondaient par un fort tirage de tracts imprimés pleins de leur fatras habituel sur la lutte des classes, ou de dessins satiriques : Antonov avec une chapka et un poignard ensanglantés, portant sur la poitrine, en guise de décorations, l'effigie de Wrangel et celle de Kérenski. « Nous, Antonov Premier, Incendiaire et Dévastateur de Tambov, Souverain autocrate de tous les voleurs et de tous les bandits... »

Cette cuisine-là était faite par le chef de l'agit-prop de la province, un certain Eidman, qu'on n'avait jamais entendu s'exprimer auparavant à Tambov. Et les signatures qui figuraient le plus souvent au bas des décisions redoutables étaient celles des secrétaires du Comité provincial du parti, Pinson, Mechtchériakov, Raïvid, Meyer ; celle du président du Comité exécutif : tantôt Zagouzov, tantôt Schlichter ; celle du président de la Tchéka de la province, Traskovitch, ou du chef de la Section politique, Galouzo – toutes personnes que l'on n'avait jamais vues non plus à Tambov et qui venaient d'y débarquer. Les organismes dirigeants de la province en comptaient encore d'autres, qui ne signaient pas les décrets redoutables mais participaient aux décisions communes : Smolenski,

Zarine, Nemtsov, Lopato et même des femmes : Kollégaïéva, Chestakova... De tous ces gens-là non plus Ektov n'avait jamais entendu parler auparavant ; il n'y en avait qu'un qui fût réellement du pays, un bolchevik forcené nommé Vassiliev et connu de tous, qui avait fait le voyou dans la ville durant toute l'année Dix-sept, sifflant et tapant des pieds jusque dans les très dignes réunions de la bibliothèque Narychkine. Tous les autres étaient totalement inconnus d'Ektov, et pourtant cette espèce de meute n'était-elle pas issue de la même intelligentsia oppositionnelle que lui-même ? S'il les avait rencontrés quelques années auparavant, avant la révolution, ne leur aurait-il pas serré la main ?...

Mais il n'y avait pas que la propagande : les bolcheviks faisaient venir des renforts. Les espions d'Antonov établirent qu'un régiment à destination spéciale de la Vetchéka était arrivé de Moscou, rejoint par un escadron envoyé par la Tchéka de Toula, deux cent cinquante sabres venus de Kazan et une centaine de Saratov. À cela s'ajoutait un « détachement communiste » arrivé de Kozlov, et deux autres, mobilisés sur place. Et il y avait encore un « détachement automobile de combat » portant le nom de Sverdlov, plus un bataillon ferroviaire distinct du reste. (Des missions de reconnaissance risquées étaient effectuées par une paysanne de confiance qui portait un cruchon de lait, et par un moujik tout aussi sûr qui entrait en ville avec un chariot de bois de chauffage. Pavel Vassilitch fit transmettre un jour à Paulina, par une femme de ce type, un petit message oral, et il apprit en réponse que toutes deux étaient saines et sauves, que la Tchéka n'avait pas découvert leur identité et qu'elles vivaient chichement, mais avaient bon espoir...)

Rassurés sur le sort de la ville de Tambov elle-même, les chefs rouges se mirent à répartir régulièrement l'ensemble de leurs forces dans les trois districts insurgés, en particulier celui de Tambov : ils les occupaient en suivant un plan précis. (Dans un gros bourg de dix mille habitants, ils prirent quatre-vingts otages et firent savoir à la population que si les armes à feu ne leur étaient pas livrées avant le lendemain midi, les quatre-vingts hommes seraient fusillés. La menace était trop disproportionnée, les gens ne la prirent pas au sérieux, personne n'apporta rien. Et le lendemain à midi les quatre-vingts hommes furent fusillés sur la place publique !)

On vit aussi apparaître dans le ciel des avions bolcheviques (certains peints en rouge, pour l'épate) ; ils observaient, et parfois aussi lâchaient des bombes, ce qui effrayait fort les paysans.

En automne, pour échapper au harcèlement, Antonov emmena le gros de ses forces tantôt dans la province de Saratov, tantôt dans celle de Penza. (Les habitants de la première entreprirent de se venger des échanges et réquisitions de chevaux : ils se mirent eux-mêmes à faire la chasse aux insurgés de Tambov et à leur régler leur compte. Tel est le sort des soulèvements paysans...)

Ego participait en même temps que l'état-major général à ces expéditions, habitué maintenant à vivre à cheval, en vagabond, sans maison, dans le froid et les alarmes, l'ennemi aux trousses. Était-il devenu un militaire ? Non, il avait du mal à s'y faire, rien ne l'avait préparé à cette vie-là. Mais il devait l'endurer. Il partageait la douleur des paysans – et cela remplissait son âme : il était à sa place. (Resté à Tambov, il aurait tremblé de peur dans son trou de rat, en se méprisant.)

En attendant, l'insurrection ne s'éteignait pas ! Bien qu'en s'enfonçant dans l'automne et en abordant l'hiver les partisans eussent beaucoup plus de mal à se cacher et à bivouaquer, le nombre de leurs régiments augmentait. Les prélèvements opérés par les détachements rouges et le pillage pur et simple auquel ils se livraient lorsqu'ils partageaient sur place, sous les yeux des paysans, ce qu'ils leur avaient pris, et rouaient de coups les vieillards ou même brûlaient le village de fond en comble, comme ils le firent à Afanassievka, à Babino, chassant dans la neige, à l'orée de l'hiver, les très vieux comme les tout petits – tout cela donnait au mouvement une nouvelle impulsion. (Pourtant, il fallait bien que les insurgés, eux aussi, trouvent de quoi se nourrir. Ils commencèrent par rançonner les familles des militants soviétiques, puis celles des soldats de l'Armée rouge ; et comme cela ne suffisait pas, ils se mirent à passer de porte en porte chez les paysans. Certains donnaient avec compréhension mais, ailleurs, la rancune montait.)

Le milieu de l'hiver trouva constituées deux armées de partisans, chacune regroupant dix régiments, la première commandée par Tokmakov, la seconde par Antonov lui-même. Les états-majors de ces armées comptaient maintenant de vrais militaires qui introduisaient un peu de rigueur. Dans l'uniforme, d'abord : les simples soldats durent porter une ganse rouge sur la manche gauche, au-dessus du coude ; on y ajoutait, comme insignes de commandement, un ruban, des triangles cousus la pointe en bas ou la pointe en haut, et, à partir de commandant de brigade, des losanges. À tout poste de commandement, on était élu par l'assemblée du régiment (qui élisait également les comités politiques, ainsi que le tribunal de l'unité). Des ordres furent émis : interdiction formelle de procéder dans les villages à des confiscations de vêtements ou autres objets et à des perquisitions ayant pour but la recherche de denrées alimentaires ; ne pas autoriser les partisans à échanger trop souvent leurs chevaux contre ceux des paysans : qu'ils ne le fassent que sur décision de l'infirmier et que chacun prenne mieux soin de sa monture. Et non seulement, comme dans une véritable armée, les partisans eurent droit à des permissions à tour de rôle, mais une milice contrôla dans les villages les titres de permission.

Durant cet hiver, la haine mutuelle s'exacerba encore dans les deux camps. Les détachements rouges fusillaient sur un simple soupçon comme sur une certitude, tiraient sans enquête ni jugement. On vit apparaître, dans les commandos de représailles, un type d'hommes tellement habitués au sang que leur bras se levait comme pour chasser une mouche et que leur revolver tirait tout seul. Les partisans, eux, économisaient leurs cartouches : ils taillaient plutôt en pièces leurs prisonniers ou leur fracassaient la tête avec un objet lourd ; quant aux commissaires, ils les pendaient.

Et telle était, dans l'un et l'autre camp, la rage de vengeance, qu'avant de tuer l'ennemi capturé on lui crevait les yeux.

Les enfants des villages pillés s'en allaient avec leurs luges prélever de la viande sur les carcasses des chevaux morts. Il y eut cet hiver-là une grande quantité de loups, hardis comme jamais. Et les chiens eux aussi mangeaient les cadavres qui parsemaient la steppe et les ravins ; ils déterraient ceux qui n'étaient pas enfouis assez profond.

Une session volante de la Tchéka provinciale – ses membres s'appelaient Ramochat, Rakouts et Charov – parcourait les villages occupés et faisait pleuvoir les sentences de mort ; quant aux hommes qui n'étaient pas pris sur le fait, mais seulement soupçonnés d'appartenir à l'insurrection, on se mit à les expédier dans des « camps de concentration ». En janvier, l'état-major d'Antonov eut connaissance d'une lettre secrète : la Tchéka de la province de Tambov se voyait attribuer par la direction centrale des camps de la République 5 000 places supplémentaires destinées à ses détenus. Emmenées dans les camps de concentration les plus proches, les femmes et les jeunes filles étaient à la merci de leurs gardiens : certaines entraînées dans la débauche, certaines violées, le bruit en courait partout.

Les villages dépérissaient. Le bourg de Kamenka lui-même, si riche jadis, ne comptait plus qu'une vingtaine de chevaux. Les gens mettaient à leurs chaussures des semelles de bois, les femmes restaient sans bas par les grands froids. Et des voix commençaient à s'élever : « Sous le tsar, on allait au marché et achetait ce qu'on voulait : des bottes, de l'indienne, des brioches. » La seule chose qui ne manquait pas, c'était le papier pour rouler les cigarettes, grâce aux bibliothèques des seigneurs et aux « coins rouges » de la propagande soviétique.

Ektov se désolait un jour, en compagnie d'un très vieux fermier chenu, de voir tout tomber en pourriture. La vie semblait ne pouvoir descendre plus bas : qu'en resterait-il, après ?

« Quelque chose, dit le grand-père à la tête d'argent. L'herbe qu'on fauche reste vivante, en dessous. »

Cependant, la voix des paysans de Tambov était quand même arrivée jusqu'au Kremlin ! À la mi-février, on se mit à annoncer l'arrêt des réquisitions alimentaires dans l'ensemble de la province.

Personne n'y crut.

Alors on imprima dans les journaux que Lénine, subitement, « avait reçu une délégation de paysans de Tambov ». (Était-ce vrai ?

L'état-major d'Antonov apprit plus tard qu'effectivement, un certain nombre de paysans détenus par la Tchéka de Tambov et terrorisés avaient été convoyés jusqu'au Kremlin.)

Il était clair que les bolcheviks voulaient mettre fin au soulèvement avant le printemps, afin que les semailles se fassent (et pour tout réquisitionner de nouveau à l'automne).

Mais la fureur des combats ne retombait pas. En mars, deux régiments d'insurgés fondirent sur Rasskazovo, un bourg ouvrier fortifié aux portes de Tambov, anéantirent la garnison et capturèrent un bataillon soviétique tout entier. Dont la moitié des effectifs rejoignit volontiers les rangs des *partisards*.

Pavel Vassilitch ne croyait pas, il n'espérait pas, à l'automne précédent, pouvoir se tirer de tant de péripéties et arriver vivant à la fin de l'hiver. Mais en fait si, il avait tenu le coup et le mois de mars le trouvait toujours là. Et il était même tellement bien reconnu pour un militaire qu'on l'avait attaché à l'état-major de la Première Armée comme commandant-adjoint du régiment à destination spéciale.

Il eut encore le temps de lire deux ordres donnés en mars aux commandos de représailles qui s'enfonçaient dans la sauvagerie : « On imposera à tous les habitants de chaque village le système de la caution solidaire en leur expliquant que si l'un d'entre eux vient à fournir aux bandits la moindre aide, ce sont t o u s les autres qui répondront de son acte » ; quant aux « bandits » eux-mêmes, il faut « les traquer et les exterminer comme des bêtes féroces ». Ensuite venait l'argument suprême : « Toute la population masculine valide entre 17 et 50 ans sera arrêtée et internée dans des camps de concentration ! » Et on s'adressait directement aux insurgés : « Souvenez-vous que les *listes* qui vous recensent sont déjà dans une très large proportion aux mains de la Tchéka. Présentez-vous volontairement avec vos armes – et vous serez pardonnés. »

Mais ni le laminoir chauffé au rouge ni la persuasion n'avaient plus de prise sur ces hommes harcelés qui couraient de bois en bois et de ravin en ravin, dans la neige et la glace. Et puis le printemps s'annonçait : là, ils seraient insaisissables !

Or, en ce mois de mars, justement, alors que l'hiver était derrière lui, Ektov attrapa un sérieux refroidissement, tomba malade et dut quitter son régiment pour rester couché au chaud dans un village.

Et, dès la deuxième nuit, il fut dénoncé aux tchékistes par une voisine.

Capturé.

Mais pas fusillé sur place, bien que son rôle à l'état-major de Tokmakov fût déjà connu.

Non : on l'emmena à Tambov.

La ville ressemblait à un camp militaire. Beaucoup de maisons aux issues condamnées. Des trottoirs encombrés de neige sale. (Sa petite maison donnait sur une rue latérale, il ne la vit pas.)

On lui fit traverser Tambov. Puis il dut monter dans un wagon grillagé, en direction de Moscou.

Mais pas pour rencontrer Lénine.

II

Il était dans la prison de la Vetchéka, place de la Loubianka, dans une cellule d'isolement en demi-sous-sol, avec une petite fenêtre carrée juste au niveau de la cour.

Depuis le début, il avait vu que l'épreuve la plus dure serait de *ne pas dire son nom*. Une épreuve suspendue au-dessus d'un sur deux de ses camarades paysans de Tambov, et avec la même alternative : si tu dis ton nom, tu es perdu ; si tu ne le dis pas, tu es perdu aussi, mais d'une autre façon.

Il s'inventa une biographie : celle d'un monteur de coopératives, comme lui, mais venu d'endroits qu'il connaissait en Sibérie, au-delà du Baïkal. Peut-être était-ce, dans les circonstances d'alors, difficile à vérifier.

On le conduisait aux interrogatoires trois étages plus haut, toujours dans le même bureau où on voyait deux vastes fenêtres d'une grande hauteur, de vieux meubles de prix remontant à la Société d'Assurance et, richement encadré, un minable portrait de Lénine en papier fixé au mur au-dessus de la tête de l'agent d'instruction. Mais ces agents étaient trois, qui se relayaient.

Le premier, un homme de type caucasien nommé Maragaïev, n'interrogeait que la nuit, empêchant le prisonnier de dormir. Il n'avait pas l'esprit inventif, mais il criait, se déchaînait, frappait au visage et au corps, et ses coups laissaient des meurtrissures.

Le second, Oboïanski, dont toute la personne délicate révélait le sang bleu, ne s'employait pas tant à interroger le prévenu qu'à installer en lui le désespoir, en faisant même semblant de se ranger avec sympathie de son côté : de toute façon *ils* l'emporteront comme ils l'ont déjà emporté partout, la province de Tambov reste la dernière ; nul ne peut *leur* résister ni en Russie ni dans le monde entier, c'est une force comme l'humanité n'en a pas encore connu ; et il serait plus raisonnable de se rendre à *eux* avant que leur bras ne s'abatte. Peut-être le sort qui attend le prévenu en sera-t-il adouci.

Quant au troisième, le gai et alerte Libine aux cheveux noirs et aux joues rebondies, jamais il ne toucha le prévenu même du bout d'un doigt, ni ne cria ; il parlait toujours avec une certitude victorieuse et pleine d'allant dont on voyait bien qu'elle n'était pas feinte. Et il s'efforçait de réveiller en Ektov sa conscience de démocrate : comment avait-il pu trahir le lumineux idéal de l'intelligentsia ? comment un démocrate pouvait-il s'opposer à la marche inexorable de l'Histoire, même si elle était entachée d'actes de cruauté ?

Des cruautés, Ektov aurait pu en raconter à son agent d'instruction plus que celui-ci n'en soupçonnait. Il aurait pu, mais n'osait pas. Et puis, il avait choisi une ligne de conduite différente et devait s'y tenir : il n'était qu'un démocrate, un populiste dont le cœur avait été touché par la déchirante misère paysanne, et aucun relent de Garde blanche ne rôdait autour de lui. (Ce qui était du reste la vérité.)

Libine faisait semblant d'aller à sa rencontre dans le même esprit de *libération* du peuple :

« L'héroïsme des soldats rouges et des communistes qui auront écrasé cette émeute de koulaks entrera par plus d'un épisode dans les futurs chrestomaties scolaires. La lutte contre les koulaks occupera une place d'honneur dans l'histoire soviétique. »

Discuter ? Une entreprise sans espoir. Et puis, à quoi bon ? L'essentiel était cette question : arriveraient-ils à savoir q u i il était ? Heureusement qu'on l'avait transféré à Moscou, il eût été plus facile de l'identifier à Tambov en le présentant à une série de témoins. Une seule chose lui pinçait le cœur d'un pressentiment : on l'avait photographié de face et de profil. Le cliché pouvait être tiré à plusieurs exemplaires et envoyé à Tambov, Kirsanov, Borissoglebsk. Mais, par ailleurs, il avait tellement changé en dix-huit mois de vie militaire – un visage austère et cruel à la peau brûlée par le vent – qu'il ne se reconnaissait pas lui-même dans les glaces des isbas (de qualité très médiocre, il est vrai).

Tant qu'ils n'avaient pas découvert *qui* il était, sa famille restait en sécurité. Lui-même, oh, ils pouvaient bien le tuer : ces mois de guerre impitoyable avaient depuis longtemps familiarisé Ektov avec l'idée de la mort, et il était déjà passé à un cheveu d'elle.

Ils auraient du reste pu le fusiller tout simplement juste après l'avoir capturé, il ne comprenait pas pourquoi ils avaient un tel besoin de l'identifier. Pourquoi ce transfert à Moscou ? Pourquoi tout ce temps passé à tenter de modifier ses convictions ?

Cependant les semaines s'écoulaient – dans la faim : maigre soupe, minuscule morceau de pain. Pas de linge de rechange, son corps le démangeait, il faisait la lessive qu'il pouvait, les rares jours de bain.

On le sortit de la cellule d'isolement pour le mettre d'abord avec un homme, puis avec un autre. Inévitables questions du voisin : et vous, qui êtes-vous ? comment vous êtes-vous trouvé embarqué dans l'insurrection ? qu'y avez-vous fait ? Impossible de répondre, mais impossible aussi de ne pas répondre du tout. Or les deux voisins étaient des types troubles, le cœur de Pavel Vassilitch reconnaissait l'ennemi. Il racontait quelque mensonge.

Avril passa, et ils n'avaient toujours rien découvert !

Mais on le photographia une seconde fois.

Les tenailles.

De nouveau la cellule d'isolement en demi-sous-sol.

Le mois de mai commença à s'égrener à son tour.

Les journées se traînaient, mais les nuits étaient encore plus éprouvantes : étendu dans le noir, l'homme s'affaiblit, sa capacité de résistance aussi. Il a l'impression qu'encore un peu et il ne pourra plus rassembler ses forces.

Oboïanski hochait la tête avec un sourire de victime :

« Nul ne pourra leur résister. C'est une tribu puissante et inconnue qui s'est réveillée et installée chez nous. Comprenez-le. »

Libine, lui, racontait avec animation les succès militaires des Rouges : combien d'unités on avait envoyées dans la province de Tambov et même – ce n'était pas trahir un secret que de le dire *en ce lieu* – lesquelles exactement. En outre, on avait réparti les élèves de plusieurs écoles militaires dans les villages pour renforcer l'occupation.

Mais le gros des forces d'Antonov, on l'avait déjà bel et bien écrasé ! C'était chose faite, et on finissait seulement de liquider des petits groupes isolés. Les bandits arrivaient d'eux-mêmes par troupeaux dans les états-majors rouges en apportant leurs fusils. Et ils aidaient à trouver et à désarmer les autres. Un de leurs régiments était passé en bloc du côté des Rouges.

« Lequel ? »

La question avait jailli toute seule de sa poitrine. Libine répondit avec empressement et précision :

« Le 14e, de la 5e brigade : régiment d'Arkhangelsk, de la brigade de Tokaï. »

Eh bien, ils s'y connaissaient !

Mais il fallait encore vérifier si c'était vrai.

Pour confirmer ses dires, Libine apporta à l'interrogatoire des journaux de Tambov.

Oui, à en juger par eux, c'était vrai : les bolcheviks avaient triomphé.

Et que pouvait-il arriver d'autre ? En s'engageant dans le soulèvement, Ektov avait déjà compris qu'il était sans espoir.

Ordre n° 130, lisait Libine : arrêter les familles des insurgés (intonation expressive sur le mot f a m i l l e s) et confisquer leurs biens ; les personnes seront regroupées dans des camps de concentration et reléguées ensuite dans des régions lointaines.

Ordre n° 171, continuait-il. Et il s'agissait encore des représailles contre les *familles*.

Tout cela, ils le feraient sans hésiter, Ektov le savait.

Et ces ordres, assurait Libine, avaient déjà porté grand fruit. Pour s'épargner à eux-mêmes de telles souffrances, les paysans venaient trouver les autorités pour leur dire qui se cachait et en quel endroit.

C'était bien possible. En prenant en otages les *familles*, les bolcheviks employaient un levier puissant.

Qui resterait inébranlable ? Qui n'aimait ses enfants plus que soi-même ?

« Ensuite, affirmait Libine, chaque village sera *nettoyé à fond*, les gens passeront t o u s entre nos mains l'un après l'autre, personne ne nous échappera. »

Certains paysans avaient connu Ektov jadis, dans les années de paix : ils pouvaient le dénoncer.

Mais il était pourtant là depuis plus de deux mois, mentant, racontant des fables – et on ne l'avait pas encore démasqué, n'est-ce pas ?...

Cela dura jusqu'au jour où Libine, enjoué et même plein de dispositions amicales pour son incorrigible démocrate amoureux du peuple – qu'il venait, au fait, de placer sous une lumière renforcée –, sourit de ses lèvres charnues et sensuelles :

« Eh bien, Pavel Vassilitch, nous n'avions pas fini de parler, la dernière fois, de... »

Tout s'effondra.

Le gouffre !

Déjà entraîné par la pente abrupte, il s'accrochc avec ce qu'il lui reste d'ongles à quelques espoirs qui saillent encore : ça ne veut pas encore dire qu'ils tiennent aussi sa famille ! Peut-être que Paulina a pris des précautions ? qu'elle a changé d'adresse ? qu'elle est partie s'installer ailleurs avec la petite ?...

Mais, après avoir savouré le désarroi et le silence pitoyable de son prévenu, Libine, dont les yeux noirs lancent des éclairs, donne encore un tour de plus au collier de fer qui lui enserre le cou :

« Paulina Mikhaïlovna non plus n'approuve pas votre entêtement. Elle connaît maintenant les faits et s'étonne que vous n'ayez pas rompu jusqu'à présent avec les bandits. »

Ektov resta quelques minutes abasourdi sur son tabouret. Ses pensées sautèrent d'abord dans tous les sens, puis leur tourbillon se ralentit et commença à se figer.

Libine ne le quittait pas des yeux. Mais en silence, sans le presser.

Cela, Paulina ne pouvait ni le penser, ni l'avoir dit.

Mais peut-être était-elle à bout de tourments ?

Ah, mais peut-être y avait-il là un moyen d'obtenir une entrevue ? Qu'on me permette de lui parler moi-même !

Libine : ça non. Ça, vous devez encore le mériter. En commençant par vous repentir.

Et ils continuèrent ainsi durant deux ou trois jours : Ektov insistant pour obtenir une entrevue, Libine exigeant d'abord un retournement total.

Mais Ektov ne pouvait pas fouler aux pieds ce qu'il avait vu de ses yeux et savait avec certitude. Et il ne pouvait pas non plus faire semblant.

Cependant, l'autre non plus ne cédait pas d'un pouce. (Ce qui prouvait précisément que Paulina ne pensait *absolument pas* comme il le disait ! Plus de doute à présent !)

Libine finit par interrompre le duel – et Ektov en perdit la respiration : Allez au diable et restez comme vous êtes avec votre populisme débile ! Mais si vous refusez de collaborer avec nous, je livrerai sous vos yeux votre Paulina aux magyars et au TCHON. La gamine, nous la mettrons dans un orphelinat. Et pour vous, ce sera une balle dans la nuque après le spectacle ; nous avons eu tort de ne pas vous l'envoyer avant.

Une étreinte glaciale dans la poitrine. Mais qu'y aurait-il d'impossible pour eux là-dedans ?

On a déjà vu plus d'une fois des choses pareilles.

C'est comme ça qu'ils se maintiennent.

Paulina !!

On laissa encore à Ektov un jour, deux jours pour *réfléchir*.

Mais peut-on *réfléchir* dans la chambre de torture où vous tiennent enfermé des menaces sans issue ? Les pensées tournoient, incohérentes comme des bribes de rêves.

Sacrifier sa femme et la petite Marina, leur passer sur le corps – comment le pourrait-il ??

De qui d'autre au monde – ou de quoi d'autre au monde – est-il plus directement responsable ?

Elles sont toute la plénitude de sa vie.

Les livrer de ses propres mains ? Qui donc en serait capable ?

Après, ils tueront Paulina. Et Marinka non plus ne sera pas épargnée. Il les connaît, ces gens-là.

Si encore il devait sauver ainsi des paysans ! Mais, à l'évidence, les insurgés ont perdu. Ils ont perdu de toute façon.

Et qu'est-ce que ça veut dire, à l'heure actuelle, *collaborer* ? Qu'est-ce que ça peut changer au bilan général de l'insurrection vaincue ?

Sacrifier ou non sa famille, telle est la seule question. Le reste n'est plus modifiable.

Comme il haïssait le visage basané de Libine qui triomphait insolemment, avec des éclairs rapaces dans les yeux !

Il y a pourtant aussi un certain apaisement à se rendre. Sans doute le sentiment qu'éprouve une femme quand elle cesse de se débattre. Soit ! La force est de votre côté. Je me livre à votre bon vouloir. Une sorte de mort qui soulage.

Vraiment, de quelle utilité pouvait-il être maintenant aux Rouges ?

Et il s'effondra. En posant cependant une condition : qu'on lui accorde une entrevue avec Paulina.

Libine prit acte de sa capitulation d'un air assuré. Mais, pour l'entrevue avec sa femme : seulement quand vous aurez rempli la mission prévue. À ce moment-là, tant que vous voudrez ; tenez, nous vous laisserons tout simplement rentrer dans votre famille.

Que pouvait-il faire d'autre ?

Quel inimaginable cœur de pierre faut-il pour piétiner ce qu'on a de plus proche ?

Et au nom de quoi l'aurait-il fait dans les circonstances présentes ?

Et puis, les mélodieuses incantations d'Oboïanski n'étaient pas non plus sans avoir laissé des traces dans son esprit. Oui, cette tribu était pleine de force ! De nouveaux Huns, mais, bizarre mélange, porteurs de l'idéologie socialiste...

Peut-être y avait-il effectivement quelque chose qu'ils ne comprenaient pas, lui et tous les intellectuels de vieille formation ? Les chemins de l'avenir, ce n'était vraiment pas simple à distinguer pour l'œil humain.

La mission se révéla consister en ceci : être attaché comme guide à la brigade de cavalerie du célèbre Grigori Kotovski, héros de la guerre civile. (Ils venaient de passer par le village insurgé de Pakhotny Ougol et y avaient fait sauter un demi-millier de têtes.) Nul besoin de s'inventer un masque, il restait le même Ego bien connu, membre de l'état-major d'Antonov. (Totalement écrasé, Antonov, son armée anéantie. Lui-même en fuite, caché actuellement quelque part. Mais on n'avait pas l'intention de s'en occuper.)

Bon, mais qu'aurait-il à faire ?

Ça se préciserait en chemin.

(Allons, il allait peut-être s'en tirer à bon compte ?)

La route ne fut pas longue de Tambov à Kobylinka, un village situé en bordure de l'un des territoires préférés des partisans.

Il la fit à cheval. (Les tchékistes aussi, tous en civil, collant à lui sans s'écarter d'un pas. Avec un demi-escadron de l'Armée rouge comme escorte.)

À nouveau le grand air. Le ciel au-dessus de la tête.

C'est déjà le début de juillet. Les tilleuls sont en fleur. S'en emplir les poumons, encore, encore.

Combien nos poètes et nos écrivains ont-ils été à le rappeler ? Comme le monde est beau, mais comme les hommes le rapetissent et l'empoisonnent avec leurs haines inépuisables ! Quand donc tout cela s'apaisera-t-il ? Quand donc les gens pourront-ils vivre dans la lumière et la raison, sans entraves ni mutilations ?... Les générations en rêvent l'une après l'autre.

Quelques verstes avant d'arriver à Kobylinka, ils furent rejoints par Kotovski en personne : grande silhouette puissante, crâne rasé et parfaite gueule de bagnard. Il avait avec lui un escadron, mais pas en uniforme de l'Armée rouge : ces cavaliers portaient des vêtements paysans, bien qu'ils eussent tous des bottes. Chapkas de mouton, hauts bonnets de fourrure. Certains – pas tous – arboraient les bandes rouges cosaques sur leurs jambes de pantalons. Des Cosaques fabriqués maison ?

Exactement. Et qui s'exerçaient à s'appeler entre eux « voisin » et non plus « camarade ».

Le plus gradé des tchékistes accompagnant Ektov lui expliqua à présent sa mission : une rencontre était prévue dans la nuit avec le représentant d'une bande de quatre cent cinquante à cinq cents sabres. Ego devait confirmer qu'ils étaient, eux, des Cosaques de l'armée insurgée du Kouban et du Don qui avaient traversé en force la province de Voronèje pour opérer leur jonction avec Antonov.

Quand vint la nuit, on donna à Ego un revolver déchargé pour qu'il le suspende à son côté, et on le fit monter sur le plus mauvais cheval, le plus chétif. (Quatre tchékistes déguisés l'entouraient de près, figurant la suite qu'il était censé avoir depuis que l'essentiel des forces d'Antonov avait été anéanti. Leurs chargeurs à eux étaient pleins : « Un mot, et on te tue. »)

Kotovski se rendit lui aussi, avec son escadron, au lieu de rendez-vous, une maison forestière située près d'une clairière. De l'autre côté ce fut, également escorté de plusieurs dizaines de cavaliers, Michka Matioukhine, frère d'Ivan Sergueïévitch Matioukhine qui commandait le détachement échappé au massacre. (Les insurgés de Tambov s'engageaient souvent dans le mouvement à plusieurs frères ; ainsi Alexandre Antonov avait-il lui-même constamment à ses côtés son cadet Mitka, un poète paysan. Ils avaient échappé ensemble à la capture.)

Les cavaliers restèrent dans la clairière. Les principaux personnages entrèrent, eux, dans l'isba du garde forestier où deux chandelles brûlaient sur la table. On distinguait faiblement les visages.

Micha Matioukhine n'avait jamais vu Ego, mais son frère Ivan, si.

« Il vérifiera. »

Ektov ne reconnaissait pas sa propre voix ; ce n'était pas lui qui servait aux paysans de tels mensonges ! Mais quand on s'est engagé sur un pont fragile, on ne s'arrête pas en chemin. Il désigna donc maintenant Kotovski :

« Et voici le commandement du détachement en question, le colonel Frolov. »

(Pour ne pas en faire trop, Kotovski ne s'était pas affublé d'épaulettes de colonel cosaque, bien que cela lui eût été facile.)

Matioukhine exigea qu'Ego aille avec lui trouver son frère, à quelques verstes de là, pour confirmer son identité.

Les tchékistes qui formaient sa suite ne bronchèrent pas, aucun flottement ne se produisit : ils avaient des chevaux fougueux et une réserve de cartouches pour leurs revolvers.

La petite troupe suivit d'abord une laie, puis continua à travers champs, sous le ciel étoilé. Au petit trot et dans l'obscurité, nul ne pouvait remarquer que la monture d'Ego ne valait rien à côté de celles des membres de sa suite.

Tout en se laissant secouer sur sa selle, Pavel Vassiliévitch réfléchissait encore, encore, et calculait désespérément : s'il révèle tout à l'heure la vérité à Matioukhine, il est mort, mais ses quatre escorteurs aussi seront abattus !

Et les cinq cents hommes de Matioukhine seront sauvés. Or c'est une force d'élite !

Mais voici, toujours là, ce qu'il a déjà tant de fois tourné et retourné : dans sa tête, les arguments ; dans son cœur, la douleur vivante. Non, pas pour lui, absolument pas. Mais c'est qu'ils se vengeront sur Paulina comme ils l'ont annoncé, et peut-être aussi sur la petite. Les tchékistes, il voyait clair en eux depuis longtemps, mais les mois passés à la Loubianka et ces jours de voyage en leur compagnie le lui avaient fait comprendre encore plus à fond.

Comment livrer les siens à la torture ?... *Soi-même*, de ses *propres* mains ?...

Et puis quoi, la campagne d'Antonov a échoué, c'est un fait. Si on regarde plus large, à une plus vaste échelle, cela pourra être un bien pour l'ensemble de la province que de retrouver enfin la paix. Les réquisitions scélérates vont justement être remplacées désormais par un équitable impôt en nature.

Alors, mieux vaut peut-être la paix au plus vite ? Les blessures se cicatriseront peu à peu : le temps, le temps. Et la vie finira par se rétablir, une vie toute nouvelle ?

Car tous sont à bout, à bout de malheur.

Ils arrivèrent. L'isba était neuve et la lumière un peu plus forte.

Ivan Sergueitch Matioukhine, un grand et fort gaillard, combattant infatigable, qui portait pointes écartées ses moustaches couleur de blé, fit un pas à leur rencontre, scruta Ego et lui serra la main avec élan.

Oh, la crampe de Judas dans cette main-là ! Qui prendra la mesure de ces tourments, s'il ne les a pas éprouvés ?...

Il fallait pourtant s'imposer une attitude assurée, égale, un air de commandement.

C'était bien le Matioukhine sans détours, avec son épaisse mèche blanche plaquée sur le côté. Ses joues bien remplies. Sa poignée de main énergique. Homme de guerre jusqu'au bout des ongles.

Il était dupe – et tellement content : nous voici renforcés ! Nous allons encore en faire voir aux bolcheviks !

Avec le sourire des forts.

Ils s'entendirent : réunion des deux détachements le lendemain soir dans tel gros bourg. Et le jour suivant, passage à l'action.

À un moment – dans un éclair ! – Ektov pensa : non ! ! j e p a r l e ! tuez-moi, torturez ma famille, – je ne peux pas trahir ces hommes droits !

Mais quelque chose lui dessécha la bouche, avec un goût de brûlé.

Le temps qu'il déglutisse, un autre avait pris la parole. Suivi encore par un autre. (Les tchékistes jouaient remarquablement leurs rôles, chacun avait son histoire expliquant pourquoi on ne l'avait pas vu auparavant parmi les insurgés. Et tous avaient de la tenue : le maintien de l'armée ou celui de la flotte.)

Et déjà sa résolution refluait. Retombait, impuissante.

C'est là-dessus qu'ils se séparèrent.

Vint ensuite pour Ego une longue, longue journée torturante au sein du détachement Kotovski.

Haine de lui-même.

Ténèbres de la trahison.

Avec ces ténèbres en lui, de toute façon il ne peut plus vivre, il ne pourra plus jamais être un homme. (Mais les tchékistes ne le quittent pas des yeux, guettant chaque mouvement des sourcils, chaque clignement des paupières.) Le plus vraisemblable est d'ailleurs qu'ils le descendront dès qu'ils n'auront plus besoin de lui. (Mais au moins ils ne toucheront pas à Paulina !)

Quand le soir approcha, toute la brigade sauta à cheval. Beaucoup d'hommes étaient déguisés en Cosaques.

Ils partirent en colonne. Ego entouré de sa suite. Kotovski portant le haut bonnet hirsute des Cosaques du Kouban ; par-dessous, son regard était féroce.

Kotovski ? ou bien Katovski, de *kat*, le bourreau ? Il avait été au bagne : pour avoir tué, et plus d'une fois. Un personnage effrayant qu'il suffisait de regarder pour se sentir un vide sous l'estomac.

Les deux détachements entrèrent dans le village au crépuscule par des côtés différents. Et ils se répartirent dans les isbas. (Seulement, les hommes de Kotovski ne s'installèrent pas pour de bon, leurs chevaux restèrent sellés : le carnage devait commencer deux heures plus tard. Ceux de Matioukhine, au contraire, prirent leurs aises comme à la maison.)

Dans une grande et riche isba située au centre du village, là où les rues se rejoignaient, près de l'église, la majestueuse maîtresse de maison – pas encore une vieille femme – garnissait avec ses filles et ses brus des tables mises bout à bout pour asseoir vingt personnes. Mouton, poulets rôtis, cornichons frais, pommes de terre nouvelles. Des bouteilles contenant le tord-boyaux local étaient disposées en rang sur toute la longueur de la table, avec des verres à facettes. Des lampes à pétrole étaient fixées aux murs, d'autres posées sur la table.

Les gens de Matioukhine étaient surtout assis d'un côté de la table, ceux de Kotovski en face. Ego avait été placé au haut bout, apparemment en tant que président des uns et des autres.

Quelle force de vie chez ces chefs de l'insurrection ! Nombre d'entre eux sont du reste passés par la guerre contre l'Allemagne : sous-officiers, soldats d'alors qui occupent à présent des postes de commandement.

C'est la race de Tambov avec ses pommettes saillantes : lourds visages sans finesse, grosses lèvres épaisses, nez écrasés en pied de marmite – et tout à coup un gros appendice en surplomb. Des tignasses claires – paquets de lin à filer –, des tignasses noires et même, sous l'une d'elles, un visage couleur de brique sombre, genre tsigane, avec des dents éclatantes de blancheur.

Il est convenu, dans le camp de Kotovski, que doivent surtout causer ceux qui parlent ukrainien : on les fait passer pour des hommes du Kouban. On n'a trouvé personne qui vienne du Don, mais on compte que les gens de Tambov ne savent pas distinguer le parler de là-bas.

L'un des hommes de Matioukhine a un visage pétri de méfiance obtuse, avec un menton proéminent. Poches sous les yeux, moustaches noires tombantes. Très fatigué.

Quel allant au contraire chez cet autre, et quelle belle tournure ! Des moustaches retroussées en crocs, un regard perçant comme un dard, mais joyeux. Assis à l'un des angles de la table, il a pu se croiser les jambes et les a même comme enroulées l'une autour de l'autre. Sans rien attendre, en principe, d'imprévu, il est prêt à y faire face, comme à tout ce qu'on voudra !

Ego ne put se retenir de le pousser deux fois du pied. Mais il ne comprit pas ?

Les verres d'eau-de-vie commencèrent leur danse, chauffant les têtes et l'amitié naissante. Les longs couteaux taillaient dans le mouton et le jambon fumé. La fumée du gros tabac raide s'élevait ici et là et flottait sous le plafond. La maîtresse de maison allait et venait noblement à travers la pièce, tandis que les jeunes femmes se hâtaient, prévenant les désirs, d'apporter ceci et de remporter cela.

Et si un miracle se produisait soudain pour tout sauver ? Si les hommes de Matioukhine devinaient d'eux-mêmes la vérité ? et s'en tiraient sains et saufs ?

L'« adjudant-chef » (le commissaire et tchékiste) « Borissov » se leva et se mit à lire une fallacieuse « résolution de la conférence panrusse des détachements insurgés » (conférence qu'il fallait maintenant réunir). Des soviets sans les communistes ! Des soviets de la paysannerie et de la cosaquerie laborieuses ! Bas les pattes devant la récolte !

Un des hommes de Matioukhine – pas vieux, mais avec une barbe ronde ébouriffée, des moustaches duveteuses et un visage mûri par la vie – regardait l'orateur avec des yeux calmes et intelligents.

Un autre, à côté de lui, semblait un lingot de fonte ; il tenait la tête un peu penchée et louchait légèrement.

Oh, quels hommes c'étaient là ! Oh, ce poids sur le cœur !

Mais rien ne pouvait plus être sauvé, quand bien même il eût crié.

Cependant, Matioukhine, confirmant le texte lu par l'adjudant-chef, abattait sur la table son énorme poing :

« Nous anéantirons leur communerie sanglante ! »

Et un jeune au grand front, bouclé comme si on l'avait frisé au fer, un vrai coq de village, lançait depuis l'autre bout de la table :

« À la potence, tous ces salauds ! »

Kotovski revint au concret : mais où était donc Antonov lui-même ? Sans lui, on avait peu de chances de succès.

Matioukhine :

« Impossible de le trouver pour l'instant. On dit qu'il a reçu des contusions au cours du dernier combat, et qu'il se soigne. Mais nous sommes bien capables de soulever à notre tour toute la province de Tambov. »

Son plan, pour l'immédiat, était d'attaquer le camp de concentration situé près de Rasskazovo, où on avait entassé et faisait mourir à petit feu les familles des insurgés. C'était la première opération à effectuer ensemble.

Kotovski se dit d'accord.

Et donna le signal ?...

Tous ensemble, ses hommes arrachèrent de leur hanche qui un énorme pistolet Mauser, qui un revolver Nagant, et se mirent à tirer par-dessus la table sur leurs *alliés*.

Tonnerre dans l'isba, fumée, odeur de poudre, hurlements des femmes. L'un après l'autre, les hommes de Matioukhine s'écroulaient, qui la poitrine sur la table, dans les victuailles, qui de côté sur son voisin, qui à la renverse.

Une lampe tomba sur la table, le pétrole partit sur la toile cirée, le feu s'y lança.

Le garçon fougueux, aux yeux perçants, qui était à l'angle, réussit à tirer deux fois, tuant raides deux des hommes de Kotovski. Aussitôt un sabre fit voler sa tête aux moustaches en crocs, elle tomba sur le plancher et le sang vermeil jaillit du cou – par terre et tout autour.

Ektov n'avait pas bondi sur ses pieds, il restait pétrifié. Qu'on le tue donc lui aussi bien vite, au revolver, au sabre, n'importe !

Mais les autres se ruaient maintenant hors de l'isba pour capturer la garde personnelle de Matioukhine qui s'agitait sans comprendre encore.

Et déjà les cavaliers de Kotovski fonçaient à l'autre bout du village pour tailler en pièces et tirer comme des lapins les hommes de Matioukhine – dans les cours, dans les isbas, dans les lits, avant qu'ils ne pussent enfourcher leurs chevaux.

Ceux qui arrivaient à le faire s'enfuyaient au galop vers la forêt nocturne.

1994.

NOS JEUNES

traduit par Geneviève et José Johannet

I

C'était l'oral de résistance des matériaux.

Anatoli Pavlovitch Vozdvijenski, ingénieur et maître de conférences à la Faculté de construction des ponts, voyait que l'étudiant Konopliov, cramoisi, souffrant, laissait passer son tour de venir répondre. Il finit quand même par s'approcher d'un pas lourd : ce fut pour demander à voix basse s'il ne pouvait pas avoir d'autres questions. Anatoli Pavlovitch considéra son visage, son front bas tout en sueur, le regard implorant, plein de détresse de ses yeux clairs – et accéda à sa demande.

Mais, environ une heure et demie plus tard, alors que plusieurs autres étudiants étaient encore venus se faire interroger et qu'il n'en restait plus que quatre en train de préparer, Konopliov était parmi eux, peut-être encore plus empourpré – et toujours pas disposé à passer.

Il attendit ainsi jusqu'à rester le dernier. Le professeur et lui se retrouvèrent seuls dans la salle.

« Allons, Konopliov, il faut venir », dit Vozdvijenski, sans humeur mais avec fermeté. Il était clair que celui-là ne savait strictement rien. La feuille étalée devant lui portait des gribouillis qui ressemblaient fort peu à des formules et à des croquis.

Le garçon aux larges épaules se leva, le visage couvert de sueur. Mais, au lieu d'aller au tableau traiter son sujet, il gagna d'un pas embarrassé le premier rang, se laissa tomber derrière la table la plus proche du bureau et dit en toute simplicité, en toute franchise :

« C'est trop dur, Anatoli Palytch, on s'y casse les méninges.

– Il fallait travailler régulièrement.

– Mais comment y arriver, Anatoli Palytch ? C'est dans chaque matière et tous les jours qu'on nous en dit une tonne. Vous pouvez me croire, je ne m'amuse pas, je passe les nuits dessus, mais ça ne me rentre pas dans la tête. Encore, si on nous en donnait un peu moins, à petites doses… Mais là, mon cerveau n'y arrive pas, il n'est pas fait pour ça. »

Ses yeux avaient un regard honnête et sa voix était sincère : il ne mentait pas, ce n'était pas du tout le genre à faire la noce.

« Vous venez de la Faculté ouvrière ?

– Oui.

– Et combien d'années d'études y avez-vous fait ?

– Deux ans en accéléré.

– Et avant la Faculté ouvrière ?

– J'étais à l'usine "Krasny Axai". Étameur. »

Un gros nez large dans un visage à forte ossature, des lèvres épaisses.

Ce n'était pas la première fois que Vozdvijenski se posait la question : pourquoi plongeait-on ce type de garçon dans de tels tourments ? Il n'y avait qu'à laisser celui-là étamer tranquillement ses casseroles.

« Je comprends votre situation, mais je ne peux rien faire pour vous. Je suis forcé de vous mettre "non satisfaisant". »

Cela, Konopliov n'en était pas convaincu. Au lieu de sortir de sa poche son carnet de résultats pour le tendre au professeur, il posa – comme deux pattes – ses deux mains sur sa poitrine :

« Anatoli Palytch, je ne peux absolument pas repartir avec ça ! D'abord, on me réduirait ma bourse. Et le komsomol se mettrait après moi. Et puis, de toute façon, jamais je ne réussirai à l'avaler, la résistance des matériaux. Alors, déjà que je suis les racines à l'air, mal dans ma peau, – où voudriez-vous que j'aille maintenant ? »

Oui, tout cela était clair.

De nombreux étudiants issus des Facultés ouvrières vivaient ainsi « les racines à l'air ». Les autorités avaient certainement réfléchi avant de les faire passer dans l'enseignement supérieur. Et sans doute avaient-elles prévu un cas comme celui-ci. L'administration recommandait en effet ouvertement aux professeurs de se montrer moins exigeants avec cette catégorie d'étudiants. C'était toute une politique destinée à faire accéder les masses au savoir.

Réduire ses exigences, oui : mais jusqu'à quel point ? D'autres étudiants issus de la Faculté ouvrière avaient passé leur oral aujourd'hui, et Vozdvijenski s'était effectivement montré indulgent à leur égard. Mais on ne pouvait quand même pas aller jusqu'à l'absurde ! Comment mettre « satisfaisant » à quelqu'un qui ne savait absolument rien ? Que restait-il, à ce moment-là, de tout le travail du professeur et quel sens gardaient les études ? Que ce garçon commence à exercer le métier d'ingénieur et il serait vite évident qu'il ignorait tout de la résistance des matériaux.

Vozdvijenski dit : « Non, je ne peux pas. » Et il le répéta une seconde fois.

Mais Konopliov le suppliait, presque les larmes aux yeux, des larmes pourtant dures à venir chez un garçon aussi fruste.

Et Anatoli Pavlovitch finit par penser : si les autorités tiennent tellement à leur politique alors qu'elles savent sur quoi, sur quelle absurdité elle débouche – pourquoi devrais-je être plus scrupuleux qu'elles ?

Il sermonna Konopliov. Lui donna des conseils : varier les méthodes de travail, lire tout haut pour mieux assimiler. Lui expliqua comment faire pour reconstituer ses forces intellectuelles.

Puis il prit le livret de résultats. Poussa un profond soupir. Traça lentement *« sat. »* et signa.

Rayonnant, Konopliov bondit sur ses pieds :

« Jamais je n'oublierai ça, Anatoli Palytch ! Les autres matières, j'arriverai peut-être à m'en tirer, mais la résistance des matériaux, c'est drôlement tordu. »

L'Institut des Ponts et Chaussées était situé dans la banlieue de Rostov, et Anatoli Pavlovitch avait un long trajet à faire pour rentrer chez lui.

Le tramway donnait l'occasion de constater à quel point l'allure générale des gens s'était simplifiée. Anatoli Pavlovitch portait un complet modeste et qui était loin d'être neuf, mais tout de même avec col blanc et cravate. Alors que certains professeurs de l'Institut arrivaient exprès vêtus d'une simple chemise russe flottant sur le pantalon et serrée à la taille par une petite ceinture. L'un d'eux profitait même du printemps pour venir les pieds nus dans des sandales. Et personne ne s'en étonnait, car cela s'accordait à la couleur du temps. L'époque allait dans ce sens et lorsque les femmes des *nepmans* se mettaient sur leur trente et un, cela agaçait maintenant tout le monde.

Anatoli Pavlovitch arriva juste pour le déjeuner. Sa bouillante épouse, la très chère Nadia, était actuellement à Vladicaucase, chez leur fils aîné, lui aussi ingénieur des ponts et chaussées, qui venait de se marier. Une cuisinière venait chez les Vozdvijenski trois fois par semaine, aujourd'hui elle n'était pas là. Mais Liolka s'activait pour faire manger son père. Elle avait déjà mis le couvert, de part et d'autre d'une branche de lilas, sur la table carrée en bois de chêne. Pour le petit gobelet d'argent qu'il tenait à vider chaque jour, elle apportait maintenant un carafon de vodka pris dans la glacière. Et elle avait fait réchauffer et servait dans les assiettes une soupe aux *kliotski*[1].

Dans sa classe de huitième[2], elle travaillait très bien en physique, chimie, mathématiques, et se montrait excellente en dessin industriel : sa voie toute tracée semblait donc être l'institut où enseignait son père. Mais un décret qui datait déjà de quatre ans, de 1922,

1. Gnocchis.
2. L'équivalent de notre classe de première. *(NdT.)*

imposait un filtrage à l'entrée : nombre d'admissions strictement limité pour les personnes qui n'étaient pas d'origine prolétarienne, et obligation pour les diplômés de l'enseignement secondaire qui n'étaient pas envoyés par le parti ou le komsomol de produire un certificat de loyalisme politique. (Le fils de Vozdvijenski avait eu la chance d'intégrer un an avant le décret.)

En attendant, impossible d'oublier l'appréciation imméritée qu'il avait inscrite dans ce carnet de résultats : elle lui restait sur le cœur.

Il questionna Liolia sur son école. Tout l'établissement (il portait le nom de Zinoviev, mais on l'avait effacé de la plaque) était encore sous le coup d'un suicide récent : à quelques mois de la fin de ses études, un élève de terminale, Micha Dérévianko, s'était pendu. L'enterrement avait été expédié à la sauvette et, aussitôt, des réunions, des *séances de redressement* avaient commencé dans toutes les classes : cette affaire était le fruit de l'individualisme bourgeois et d'un décadentisme vulgaire ; Dérévianko était une tache de rouille dont tous devaient travailler à se débarrasser. Mais Liolia et ses deux amies tenaient pour leur part que Micha avait été poussé à bout par la cellule du komsomol de l'école.

Elle ajoutait aujourd'hui que ce n'était plus une rumeur, mais une certitude : Malévitch, leur directeur adoré de tous, un vieux professeur des lycées de jadis qui avait réussi à se maintenir en place durant toutes ces années et dont la douce sévérité faisait fonctionner l'école dans un ordre parfait, – Malévitch allait *sauter*.

Liolia alla prestement chercher sur le réchaud le bœuf Stroganoff, puis ils burent du thé accompagné de gâteaux.

Le père regardait sa fille avec tendresse. Comme elle redressait fièrement sa tête aux cheveux châtains ondulés – ils avaient échappé à la mode de la coupe courte –, et comme son regard était intelligent ! En plissant légèrement le front, elle formulait ses jugements avec netteté.

Comme souvent chez les jeunes filles, son visage renfermait un beau mystère : celui de son avenir. Mais c'était surtout à ses parents que ce mystère serrait le cœur : allaient-ils voir, dans cet avenir encore caché à tous, le couronnement, ou, au contraire, l'échec de tant d'années de soins pour sa croissance et son éducation ?

– Malgré tout, malgré tout, Liolenka, tu ne pourras pas te dispenser d'entrer au komsomol. Il ne te reste plus qu'un an et tu ne dois pas risquer l'échec. Pense que si on refuse de te prendre à l'Institut, même moi, je n'y pourrai rien.

– Je ne veux pas ! » Elle secoua la tête en dérangeant sa coiffure. « Le komsomol est une saleté. »

Anatoli Pavlovitch soupira encore.

« Tu sais, plaida-t-il avec douceur, totalement convaincu lui-même de ce qu'il disait, la jeunesse actuelle doit quand même avoir sa vérité à elle, que nous ne saisissons pas. Il ne peut en être autrement. »

L'intelligentsia ne s'était tout de même pas trompée depuis trois générations en rêvant de faire accéder le peuple à la culture, de libérer ses énergies. Bien sûr, tout le monde n'avait pas la force d'effectuer ce bond, cette ascension. On en voyait qui se torturaient le cerveau et chancelaient moralement, tant le développement intellectuel est difficile en l'absence de tradition familiale. Mais il fallait, il fallait les aider à se mettre à la hauteur en supportant patiemment leurs initiatives parfois maladroites.

« Reconnais tout de même qu'ils possèdent un optimisme remarquable et une enviable puissance de foi. Et puis, c'est dans ce courant-là que tu es destinée à nager, tu ne peux pas rester en arrière. Autrement, ma petite fille, tu risques, comme on dit, de passer à côté de ton époque. Car, en dépit des balourdises, des inepties, des lenteurs, c'est quelque chose de grandiose qui est en train de se bâtir. Le monde entier, toute l'intelligentsia de l'Occident nous regardent en retenant leur souffle. Parce qu'en Europe non plus les gens ne sont pas idiots. »

Ainsi débarrassé de la résistance des matériaux, Liochka Konopliov se joignit volontiers, le soir venu, à ses camarades qui se rendaient à la Maison de la culture du Soviet de rayon. Outre les membres du komsomol, tous les jeunes sans-parti qui le désiraient y étaient conviés : un conférencier venu de Moscou devait parler de « Notre jeunesse devant les tâches qui l'attendent ».

La salle, faite pour environ six cents personnes, était comble, et il y avait encore des auditeurs debout. Beaucoup de rouge : au fond de la scène, deux drapeaux brodés d'or déployés et inclinés l'un vers l'autre ; devant eux, sur un support, un grand buste de Lénine couleur de bronze. Les jeunes filles avaient un foulard rouge autour du cou et parfois aussi un fichu rouge sur la tête ; les chefs de détachements de pionniers arboraient leurs cravates rouges et certains avaient amené quelques-uns de leurs garçons parmi les plus âgés : ils étaient assis à côté d'eux.

Oui, c'est cela, nous, les jeunes : tous unis ici en un bloc d'amis, même si nous ne nous connaissons pas. Tous d'accord, tous pour la même cause, c'est n o u s . Comme on dit : les bâtisseurs d'un Monde nouveau. Et trois fois plus fort en est chacun.

Ensuite, trois clairons apparurent sur le devant de l'estrade, avec de petites serviettes rouges pendues à leurs instruments. Deux d'entre eux s'écartèrent en en laissant un au milieu, et ils sonnèrent le rassemblement.

Ce fut comme un coup de cravache ! Il y avait quelque chose d'envoûtant dans cette fusion solennelle des drapeaux inclinés, du Lénine de bronze, des clairons argentés, de leur voix coupante et de la fière attitude des trois garçons. Un appel austère, un dur serment qui vous brûlait.

Les clairons repartirent de leur pas militaire et le conférencier déboula sur la scène : un petit homme replet aux mains toujours en mouvement. Sans papier, en tirant tout de sa tête, il se mit à parler depuis son petit pupitre : rapidement, avec assurance et insistance.

Il dit d'abord que les grandes années de la Révolution et de la Guerre civile avaient empli le cœur des jeunes d'un contenu tumultueux, mais les avaient en même temps déshabitués des tâches quotidiennes.

« Le retour à ces tâches a été dur pour eux. Les émotions propres au matériau spécifique de la révolution frappent l'adolescence avec une force particulière. Certains ont l'impression que la vie serait plus gaie si une vraie révolution se déclenchait à nouveau : ils sauraient tout de suite que faire et où aller. Poussons, secouons, dynamitons ! – ou alors, pensent-ils, à quoi bon avoir fait Octobre ? Prenez la Chine : la révolution devrait y éclater, pourquoi tarde-t-elle ? Vivre et combattre pour la Révolution mondiale, voilà ce qui est bien – mais on nous oblige à nous occuper de bêtises : à quoi ça avance, les théorèmes de géométrie ? »

Ou la résistance des matériaux... Comme il serait plus facile de faire bouger ces jambes, ces bras, ce dos engourdis !

Mais non, pas question, expliquait le conférencier. Et, sortant de derrière son pupitre, il se propulsait d'un bout à l'autre de l'estrade, tant il était pris lui-même par son sujet.

« Il faut bien comprendre le moment que nous vivons, il faut s'en pénétrer. Notre jeunesse est la plus heureuse qu'ait jamais connue l'histoire de l'humanité. Elle occupe dans la vie une position active, un poste de combat. Ce qui la caractérise, c'est d'abord l'athéisme. Elle se sent totalement débarrassée de tout ce qui n'est pas scientifique, et cela libère de gigantesques réserves d'audace et de soif de vivre retenues jusqu'ici captives par la bondieuserie. Sa deuxième caractéristique est l'avant-gardisme, joint au planétarisme : elle veut devancer son époque, en sachant qu'amis et ennemis la regardent. »

Et sa tête ronde décrivait un grand arc de cercle, comme s'il cherchait à voir tous ces amis et surtout ces ennemis tapis au-delà des mers.

« C'est la mort de l'esprit de clocher, car chaque détail, notre jeunesse le regarde en pensant au monde entier... Troisième caractéristique : un esprit de classe sans faille, impliquant le renoncement nécessaire, même s'il est provisoire, au "sens de l'humain en général". Et ensuite, l'optimisme ! »

Il avança jusqu'au bord de l'estrade et, sans crainte de tomber, il se pencha autant qu'il put vers ses auditeurs :

« Comprenez ! Vous êtes la jeunesse la plus riche en joie qui soit au monde ! Quel tonus inébranlable vous possédez ! »

Il courut à nouveau d'un bout à l'autre de l'estrade, mais sans ralentir pour autant son débit :

« Et, en plus, vous êtes avides de connaissances. Et vous savez organiser scientifiquement le travail. Et vous aspirez à rationaliser également vos propres processus biologiques. Et vous vous ruez au combat – avec quel élan ! Et vous ambitionnez le rôle d'entraîneurs d'hommes. Enfin, votre fraternité de classe, qui est organique, sert de base à notre collectivisme, un collectivisme si bien entré dans les mœurs que le groupe intervient jusque dans la vie intime de ses membres. Ce qui est justifié ! »

Malgré les manières plutôt bizarres du conférencier, personne ne pensait à rire. Pas de chuchotements non plus, on écoutait de toutes ses oreilles. Cet homme aidait les jeunes à se comprendre eux-mêmes : il faisait œuvre utile. Il s'échauffait, levant tantôt l'un de ses petits bras courts et tantôt les deux, en signe d'appel et pour mieux convaincre.

« Notre jeunesse féminine aussi, regardez-la tandis qu'elle prend conscience de la puissance du socialisme que nous sommes en train de créer... Il n'a pas fallu longtemps à la femme pour conquérir sa liberté intime, pour réaliser sa libération sexuelle. Et elle exige maintenant de l'homme une révision de leurs rapports, ou même brise de sa propre initiative l'inertie esclavagiste du sexe masculin, ce qui fait pénétrer jusque dans la morale sexuelle l'air frais de la révolution. Ainsi voyons-nous s'opérer jusque dans ce domaine la recherche et la découverte d'une résultante révolutionnaire : il s'agit de lancer notre vieux fonds d'énergie vitale sur les rails de la création d'une nouvelle société. »

Il avait fini. Sans fatigue : on voyait qu'il avait l'habitude. Il regagna son pupitre :

« Que désirez-vous me demander ? »

Les questions commencèrent : criées depuis la salle ou inscrites sur de petits billets qu'on lui apportait.

Il s'agissait surtout de la libération sexuelle. Mais un garçon, vraiment le frère de Konopliov, lança que c'était facile à dire,

« grandir de dix ans en l'espace de deux années », mais qu'à un rythme pareil on avait le cerveau qui éclatait.

Ensuite les pionniers s'enhardirent et se mirent eux aussi à poser des questions :

« Une pionnière peut-elle porter un ruban dans les cheveux ?

– Et se mettre de la poudre, elle peut ?

– D'un mauvais père et d'un bon pionnier, lequel doit obéir à l'autre ? »

II

En 1928, déjà, l'« Affaire de Chakhty[1] », qui s'était déroulée si près de Rostov, avait fortement effrayé les ingénieurs locaux. Et ensuite, c'est dans la ville même que les gens avaient commencé à *disparaître.*

On ne s'y était pas habitué tout de suite. Avant la révolution, une personne arrêtée continuait à vivre : derrière les barreaux ou en relégation, elle restait en rapport avec sa famille, avec ses amis, – tandis que là ? Un plongeon dans le néant...

En septembre 1930, la condamnation à mort de quarante-huit « nuiseurs qui sabotaient le ravitaillement de la population en produits alimentaires » roula comme le tonnerre à travers le pays. Les journaux publièrent des « réactions du monde ouvrier » : « Les nuiseurs doivent être balayés de la surface de la terre ! » ; en première page des *Izvestia*, un dessin appelait à « écraser cette vermine ! » (à coups de botte) et le prolétariat exigeait que l'Oguépéou fût décoré de l'ordre de Lénine.

1. Chakhty : grande ville minière du Donbass, à une centaine de kilomètres de Rostov-sur-le-Don, où se déroula de mai à juillet 1928 le premier grand procès collectif (53 accusés) d'ingénieurs accusés de « nuisance » (le terme lui-même apparut au cours de ce procès). *(NdT.)*

En novembre, l'acte d'accusation du « Procès du Parti Industriel[1] » fut publié : c'est toute la corporation des ingénieurs qu'on prenait cette fois directement à la gorge. Et des formules à glacer le sang déferlèrent à nouveau dans les journaux : « agents de l'intervention française et des émigrés blancs » ; « nettoyons le pays de ces traîtres avec un balai de fer ! ».

Impuissants, ils sentaient leur cœur se serrer. Mais pas question non plus de confier sa peur à n'importe qui, il fallait bien se connaître, comme Anatoli Pavlovitch connaissait par exemple, depuis près de dix ans, Friedrich Albertovitch.

Le jour où s'ouvrit le procès du Parti Industriel, une manifestation qui dura quatre heures se déroula dans la ville de Rostov : tous les accusés au poteau ! Ce fut répugnant, insupportable. (Vozdvijenski avait réussi à trouver une échappatoire pour ne pas y aller.)

Jour après jour, la même oppression, les mêmes ténèbres dans la poitrine. Et, de plus en plus fort, le pressentiment d'un malheur inéluctable. Qu'avaient-ils pourtant à se reprocher ?... Depuis l'instauration du régime soviétique, ils avaient toujours travaillé avec enthousiasme, avec inventivité, avec foi – gênés à chaque pas par une seule chose : la bêtise et la négligence des directeurs imposés par le parti.

Deux mois à peine après le procès, on *vint chercher* une nuit Vozdvijenski.

Alors commença un inconcevable délire cauchemardeux qui devait se poursuivre durant de nombreux jours et de nombreuses nuits. Depuis le corps mis à nu, les boutons coupés sur les vêtements et les semelles des chaussures transpercées par une alène, jusqu'au sous-sol sans air, étouffant, saturé de respirations, qui

1. Le procès du Parti Industriel (Moscou, novembre-décembre 1930) fut un grand spectacle au cours duquel huit ingénieurs choisis pour représenter chacun une branche de l'industrie se reconnurent coupables d'avoir cherché à ruiner le pays et d'avoir préparé une intervention étrangère. Le modèle ainsi posé, une vague de procès pour « nuisance » déferla sur tout le pays. *(NdT.)*

n'avait, en guise de fenêtres, que des carrés opaques de verre à bouteille incrustés dans le plafond, si bien que jamais il n'y faisait jour, et où les prisonniers dormaient par terre dans une cellule sans lits, à même des planches posées sans être fixées les unes aux autres sur le sol de ciment, tous ahuris par le manque de sommeil dû aux interrogatoires nocturnes, ceux-ci couverts de bleus depuis un passage à tabac, ceux-là les mains trouées par des brûlures de cigarette, certains silencieux, d'autres lancés dans des récits à demi fous, – et Vozdvijenski jamais convoqué nulle part, jamais touché du bout du doigt, mais dérivant déjà dans sa tête et incapable de comprendre ce qui lui arrivait, de le relier d'une manière ou d'une autre avec sa vie d'avant, hélas si irrémédiablement perdue ! Sa mauvaise santé lui avait évité de combattre contre l'Allemagne, il n'avait pas été enrôlé non plus pendant la Guerre civile, pourtant passée en tempête à travers la région de Rostov-Novotcherkassk, il n'avait connu pendant un quart de siècle qu'un travail intellectuel au rythme régulier, et il devait maintenant sursauter à chaque fois que la porte s'ouvrait, de jour ou de nuit, en redoutant que ce fût son tour ? Non, il n'était pas prêt à supporter la torture !

Cependant, on ne l'appelait toujours pas. Et tout le monde s'étonnait dans la cellule – dont on avait fini par comprendre qu'elle servait autrefois d'entrepôt, les carrés de verre à bouteille du plafond faisant partie du trottoir de la rue principale de la ville : les piétons insouciants, pas encore marqués par le destin pour échouer dans ce sous-sol, marchaient sans fin là-haut, et la terre transmettait des vibrations au passage des tramways.

On ne l'appelait pas. Et tous s'étonnaient : un nouveau était toujours cuisiné dur à sa première arrestation.

Peut-être était-ce vraiment une erreur ? Peut-être allait-il être relâché ?

Mais, au bout d'un certain nombre de jours – il en avait perdu le compte –, on vint le chercher : « Les mains derrière le dos ! », et un surveillant aux cheveux noirs comme le charbon lui fit monter des marches, encore des marches, jusqu'au niveau du sol ? non, plus haut encore, jusque dans les étages, en claquetant sans cesse avec sa langue comme un oiseau inconnu.

Le commissaire-instructeur, en uniforme du Guépéou, était assis à un bureau dans un coin sombre ; impossible de distinguer ses traits ; on voyait seulement que c'était un homme jeune, avec une grosse figure. Sans prononcer une parole, il indiqua du geste une minuscule table située dans le coin opposé, en diagonale. Et Vozdvijenski se retrouva sur une petite chaise étroite, face à la grisaille d'une lointaine fenêtre ; la lampe du bureau n'était pas allumée.

Il attendit, le cœur défaillant. L'instructeur écrivait en silence.

Enfin il lança d'un ton sévère :

« Racontez votre activité de *nuisance.* »

L'ahurissement l'emporta en Vozdvijenski sur la peur.

« Jamais il n'y a rien eu de semblable dans ma vie, je vous assure ! » Et il aurait voulu ajouter cet argument de raison : comment un *ingénieur* pourrait-il saboter quoi que ce soit ? »

Mais depuis l'affaire du Parti Industriel...

« Si, si, racontez.

– Mais il n'y a jamais rien eu et il ne pouvait rien y avoir ! »

L'instructeur continuait à écrire, sa lampe toujours éteinte. Sans se lever, il dit d'une voix dure :

« Vous avez bien ouvert les yeux dans votre cellule ? Sachez que vous n'avez pas encore tout vu. On peut vous laisser à même le ciment, sans planches. Ou vous jeter dans une fosse humide. Ou vous mettre sous une ampoule de mille bougies, et vous en sortirez aveugle. »

Vozdvijenski soutenait des deux mains sa tête prête à s'affaisser. Tout cela, oui, ils le feraient. Et comment résister ?

Cette fois, l'instructeur alluma sa lampe de bureau, se leva, fit fonctionner également l'interrupteur du plafonnier et se planta au milieu de la pièce en regardant le prévenu.

Malgré l'uniforme du Guépéou, il avait vraiment un visage très simple. Forte ossature, petit nez épais, grosses lèvres.

Et d'une voix toute nouvelle :

« Anatoli Palytch, je comprends parfaitement que vous n'avez pas commis d'actes de nuisancc. Mais, à votre tour, vous devez comprendre une chose : *de cet endroit*, personne ne sort blanchi. On n'a le choix qu'entre la balle dans la nuque et la peine de camp. »

Ce ne sont pas ces paroles cruelles qui frappèrent de saisissement Vozdvijenski : ce fut la voix bienveillante de l'instructeur. Il scruta son visage et eut l'impression du déjà-vu. Une certaine simplicité naïve. Il avait rencontré cet homme-là quelque part ?

L'instructeur se tenait toujours debout en pleine lumière au milieu de la pièce. Sans dire un mot.

Oui, il l'avait déjà vu. Mais le souvenir lui échappait.

« Konopliov, vous ne vous rappelez pas ? »

Ah, Konopliov ! Mais oui, bien sûr ! Celui qui était nul en résistance des matériaux. Il avait disparu ensuite de la faculté.

« Effectivement, je n'ai pas terminé mes études. Le komsomol m'a désigné pour entrer au Guépéou. J'y suis depuis trois ans. »

Et alors, à présent ?

Ils bavardèrent un moment. Avec tout le naturel de gens normaux. Comme dans l'*autre* vie, celle d'avant le cauchemar. Puis Konopliov dit ceci :

« Anatoli Palytch, le Guépéou ne fait jamais d'erreurs. Personne ne peut être simplement remis en liberté. Je voudrais vous aider, mais je ne sais comment faire. Réfléchissez de votre côté. Il faut échafauder quelque chose. »

C'est avec un espoir neuf que Vozdvijenski regagna son sous-sol.

Mais aussi avec un tournoiement noir dans la tête. Il se sentait incapable de rien *échafauder*.

Alors, ce serait le camp ? Les Solovki[1] ?

La sympathie de Konopliov l'avait stupéfié et réchauffé. Trouver cela dans *ces* murs ? Dans *cette* fonction ?

Il réfléchissait à ces jeunes poussés en avant par les Facultés ouvrières. Jusque-là, ils lui étaient apparus sous un autre jour : c'est

1. Une des « îles » du Goulag, dans la mer Blanche. *(NdT.)*

un homme suffisant et grossier qu'il avait lui-même comme supérieur dans son travail d'ingénieur. Et dans l'école où Liolka avait fait ses études, c'est un ignorant obtus qui avait été nommé à la place du talentueux Malévitch.

Les poètes l'avaient bien pressentie et prédite, longtemps avant la révolution, l'arrivée de ces nouveaux *Huns*...

Encore trois jours dans la cellule souterraine, sous les pieds des passants inconscients, et Konopliov le convoqua à nouveau.

Vozdvijenski n'avait toujours pas trouvé d'idée.

« Mais il le faut ! insista Konopliov. Vous êtes coincé. Ne me contraignez pas, Anatoli Palytch, à *prendre des mesures*. Ou alors, on vous changera d'instructeur, et à ce moment-là vous êtes perdu. »

En attendant, il le fit transférer dans un meilleur endroit : moins humide et avec des châlits pour dormir. Il lui donna du tabac à fumer dans sa cellule et l'autorisa à recevoir un colis de chez lui.

La joie du colis, ce n'était même pas la nourriture et le linge propre, c'était de faire savoir à sa famille : je suis *ici* ! et toujours en vie ! (La signature du prisonnier sur l'inventaire du colis était transmise à sa femme.)

Konopliov le convoqua encore et encore, ressassant ses arguments.

Mais comment cracher sur le travail qu'on a accompli pendant vingt ans avec zèle et passion ? Cracher sur soi-même, sur le fond de son âme ?

Cependant, Konopliov disait : étant donné l'absence de *résultats*, l'instruction va être incessamment confiée à quelqu'un d'autre.

Et, un jour, il annonça :

« J'ai eu une idée. Et j'ai tout mis au point avec les instances concernées. Vous avez un moyen de sortir libre d'ici : c'est de vous engager par une signature à nous fournir désormais les renseignements dont nous avons besoin. »

Vozdvijenski se rejeta violemment en arrière :

« Comment peut-on… ? Comment faire une chose pareille ! Et puis, quels renseignements pourrais-je vous donner ?

– Eh bien, sur l'état d'esprit qui règne dans le monde des ingénieurs. Sur certaines de vos relations – tenez, Friedrich Werner, par exemple. Et il y a encore d'autres noms sur la liste. »

Vozdvijenski se prit la tête à deux mains :

« Mais j e n e p e u x p a s f a i r e ç a ! ! »

Konopliov branlait du chef. Ce refus, il n'y croyait pas, tout simplement.

« Ce sera donc le camp ? Pensez aussi à votre fille qui est en dernière année de faculté et qui en sera exclue comme élément étranger à la classe ouvrière. Peut-être y aura-t-il également confiscation de vos biens, de votre appartement. Ce que je vous propose est le mieux pour vous. »

Anatoli Pavlovitch ne sentait plus sa chaise sous lui et, comme s'il avait perdu la vue, il ne voyait plus Konopliov.

Il s'effondra sur la table, la tête sur ses bras, et pleura.

Une semaine plus tard, il était libéré.

1993.

NASTENKA

traduit par Geneviève et José Johannet

I

Les parents de Nastenka étaient morts tôt et, depuis l'âge de cinq ans, la petite fille avait été élevée par son grand-papa, lui aussi déjà veuf, le père Philarète. L'enfant vécut donc dans sa maison, sise au village de Milostaïki, jusqu'à douze ans, y traversant la guerre avec l'Allemagne et la révolution. Son grand-père lui tint lieu de père, de parents, et sa tête chenue au regard clair, pénétrant, mais tendre quand il était dirigé sur elle, trônait dans son enfance comme une image centrale, immuable, tous les autres – y compris ses deux tantes – ne venant qu'après. Son grand-père lui avait appris ses premières prières et dispensé des recommandations pour se conduire dans la vie. Elle aimait fréquenter les offices à l'église, y rester à genoux et, les matins de beau temps, tomber en arrêt au spectacle des rayons du soleil frappant les fenestrons de la coupole tandis qu'à travers eux, des hauteurs de la voûte, avec sévérité mais aussi clémence, faisait sur vous descendre son regard le Tout-Puissant. À onze ans déjà, seule à travers champs, Nastia était allée à pied au monastère, distant de vingt-cinq verstes[1]. À confesse, elle

1. Un peu plus de vingt-cinq kilomètres. *(NdT.)*

s'évertuait à découvrir de quoi s'accuser, navrée de ne pouvoir trouver en elle de péchés, sur quoi le père Philarète, imposant son étole, lui faisait la leçon :

« Allons, ma petite fille, repens-toi d'avance. Oui, repens-toi à l'avance, ce ne sont pas les péchés qui manquent, o-o-oh non ! »

Les temps, cependant, changeaient rapidement. Le père Philarète se vit confisquer ses quelque quinze hectares d'allocation foncière paroissiale et accorder quatre hectares, d'après le nombre des bouches à nourrir, eux et les deux tantes. Et encore, à condition qu'ils les cultivent de leurs propres mains, sinon on les leur reprendrait. Et, à l'école, on se mit à regarder Nastenka de travers, les élèves la traitaient de « petite-fille de curé ». Mais l'école elle-même ferma bientôt à Milostaïki. Pour continuer à faire des études, il lui fallut abandonner sa maison et son grand-père.

Nastenka s'en fut habiter à dix verstes de là, à Tchérentchitsy, où, à quatre filles, elles louèrent un logement. Les garçons de l'école jouaient les poisons : debout de part et d'autre d'un étroit couloir, ils ne laissaient passer aucune fille sans l'avoir abondamment pelotée. Nastia fit brusquement demi-tour vers la cour où elle cassa des branches piquantes d'acacia, repartit hardiment, cinglant les gamins qui tendaient les pattes. On ne la toucha plus. Au reste, elle était rousse, marquée de taches de rousseur, et passait pour un laideron. (Si elle tombait dans un livre sur des passages où il était question de l'amour, elle ressentait une sourde émotion.)

Quant à ses deux tantes, tante Hanna et tante Frossia, comme pour toutes les filles de prêtre, aucune voie ne se dessinait pour elles dans la vie. De même que, bien avant déjà, l'oncle Lioka avait acheté un document certifiant qu'il était le fils d'un paysan pauvre, de même, à présent, la tante Frossia s'en alla à Poltava, espérant y changer d'*origine sociale*. La tante Hanna, elle, avait un fiancé ici, à Milostaïki, elle y serait bien restée, mais elle apprit soudain par hasard à l'hôpital de la ville qu'une de ses amies venait de se faire avorter des œuvres de ce fiancé. Tante Hanna rentra chez elle comme morte et, de rage, épousa dans la semaine un communiste, soldat de l'Armée rouge, de ceux qui cantonnaient à demeure dans leur maison. Et comment l'épousa-t-elle ? par simple enregistrement administratif, puis elle partit avec lui pour Kharkov. Et le père Philarète, dans sa douleur, maudit du haut de l'ambon sa fille qui ne s'était pas mariée à l'église. Il resta tout seul dans sa maison.

Un nouvel hiver passa, Nastenka acheva ses sept années d'école. Et maintenant ? où se diriger ? Tante Hanna, entre-temps, s'était fort bien casée : directrice d'une maison pour enfants, tout près de Kharkov, mais elle s'était brouillée avec son mari et avait divorcé bien qu'il eût reçu un poste important. Elle invita sa nièce à venir chez elle. Nastenka passa donc son dernier été en compagnie de son grand-père. Pour satisfaire à ses volontés, elle prit une icône du Sauveur – « Sors-la et prie ! » ; elle la cacha dans une enveloppe, et celle-ci dans un cahier : là, elle n'aurait pas à la sortir ouvertement. Et elle partit à l'automne rejoindre sa tante.

Laquelle était devenue raisonnable : « Qu'est-ce que tu vas faire maintenant ? travailler à la briqueterie ? ou comme femme de ménage ? Une seule voie s'ouvre à toi : entrer au komsomol. Eh bien, tu le feras ici, chez moi. » En attendant, elle l'installa aide-éducatrice, à s'occuper des gosses ; ce travail plut beaucoup à Nastenka, seulement c'était une place provisoire. Et il y avait déjà des obligations : ne dire aux enfants que des choses *correctes*, ne pas se tromper, tout en se préparant à entrer au komsomol. En outre, ils avaient une komsomol, monitrice de pionniers, nommée Pava, qui trimballait toujours avec elle un volume rouge de Marx-Engels, elle ne s'en séparait jamais. Mais elle avait des livres bien pires, complètement abominables, parmi lesquels un roman sur un monastère catholique au Canada : les jeunes filles y étaient préparées à la consécration et, juste avant, on les amenait pour la nuit dans une cellule où se trouvait un moine, solide gaillard, qui les entraînait dans son lit. Et les consolait après : « C'est pour ton bien, pour que tu saches. Notre corps, de toute façon, est destiné à périr. C'est l'âme qu'il faut sauver, pas le corps ! »

Impossible ! Mensonge ! Ou alors, outre-Océan ? Mais Pava répétait avec assurance qu'elle savait : dans les monastères russes aussi, tout était fondé sur le mensonge.

Quelle dégoûtation de devoir se décider à entrer au komsomol : on allait donc aussi s'y moquer d'elle comme ça ? Toujours les mêmes Pava ?

Mais tante Hanna insistait, lui faisait la leçon : comprends donc enfin, tu n'as pas d'autre voie que le komsomol. Sinon, il ne te reste qu'à te pendre.

Oui, la vie se resserrait, toujours plus étroite, plus inflexible… Entrer au komsomol ?

C'est ainsi qu'un jour, tard le soir, alors que personne ne la voyait, elle sortit l'image du Christ, se pencha sur elle et lui appliqua un baiser d'adieu et de repentir. Et elle la déchira en tout petits lambeaux de façon que personne ne pût la reconnaître aux morceaux.

Et puis, le 21 janvier 1925, ce fut le premier anniversaire de la mort de Lénine. Leur maison pour enfants était placée sous le patronage du Conseil des commissaires du peuple d'Ukraine, et ils virent arriver à leur rassemblement solennel Vlas Tchoubar en personne. La scène était décorée en rouge et noir et, sous un grand portrait d'Ilitch, les gosses qui devenaient pionniers changeaient de prénom : les Michka et les Machka se transformaient en Kim, Vladlen[1], Marxine et Octobrine ; gamins et gamines rayonnaient de joie d'avoir changé de prénoms, ils se répétaient les nouveaux.

Quant à Nastia, eh bien, Nastia prêta le serment komsomol.

Jusqu'à la fin du printemps encore, elle resta travailler à la maison pour enfants, mais celle-ci n'avait pas pour elle de poste de titulaire. Alors tante Hanna lui obtint un emploi de gérante de l'isba-cabinet de lecture au village d'Okhotchié. Et Nastia, qui n'avait pas encore seize ans révolus, s'y rendit, traversant le chef-lieu de rayon Taranovka sur une télègue cahotante avec son petit baluchon.

---

1. Kim : initiales en russe des mots « Internationale communiste de la jeunesse » ; Vladlen : VLADimir LÉNine ; prénoms masculins révolutionnaires. Quant aux prénoms féminins, ils sont transparents. *(NdT.)*

Son cabinet de lecture se révéla une pièce sale, gîtée sous le même toit que le soviet rural. Retroussant les pans de sa jupe, elle entreprit de laver le plancher, et il fallut tout frotter et nettoyer, accrocher au mur le portrait de Lénine et un fusil sans culasse donné Dieu sait pourquoi à l'isba. (À ce moment arriva justement le président du comité exécutif de rayon, Arandarenko, haute taille et teint noir brûlant, et de pousser un cri de stupéfaction devant la propreté qui régnait grâce à Nastia, et de la couvrir de louanges.) L'isba-cabinet de lecture possédait des brochures et recevait le journal *Les Paysans pauvres*. La feuille de chou était lue par deux ou trois moujiks en visite (et encore, pour essayer de l'emporter à usage de papier à cigarettes), quant aux brochures personne n'en avait jamais demandé une seule.

Où donc allait-elle habiter ? le président du soviet rural, Roman Korzoun, lui dit : « T'éloigner serait dangereux, tu risquerais un coup de fusil », et il la logea non loin du soviet, dans une moitié de maison réquisitionnée chez le diacre.

Nastia ne comprit pas du premier coup pourquoi il y avait danger : pardi, parce qu'elle appartenait à présent à ce qu'il y avait de plus acharné dans le pouvoir soviétique. Sur ce, arriva la Saint-Jean, fête patronale d'Okhotchié ; c'était jour de foire, on attendait beaucoup de monde. Et leur cellule de komsomols répéta une pièce antireligieuse et la donna en représentation le jour de la fête, dans le grand hangar. On y chantait :

Ne m'embrasse pas à plei-ne bouche,
La Sain-te-Vier-ge point ne suis :
Et jamais jamais sur ma couche,
Jamais ne naîtra Jésus-Christ

Elle en avait le cœur serré – d'humiliation, de honte. Et quoi encore ? Dans la maison du diacre, à présent, toute la famille regardait Nastia d'un œil hostile, et elle ne se décidait pas à leur expliquer et à se découvrir ! – cela ne risquait-il pas d'être encore pire ? Elle faisait sans bruit le tour de la maison pour arriver à son perron.

Mais Roman – la trentaine passée, et il était célibataire ou divorcé – déclara alors qu'il prenait pour lui la première pièce, par laquelle il fallait passer, et que Nastia habiterait l'autre.

Seulement, entre les deux pièces il n'y avait pas de vraie porte, juste un rideau.

Au reste, Nastia ne se sentait pas en danger : Korzoun était déjà âgé, et puis c'était son chef ; elle alla chez elle, se coucha, lisant un livre à la lueur d'une lampe à pétrole. Mais, le surlendemain, il se mit déjà à grommeler : « Je déteste ces chiennes de la ville, chacune d'elles joue les pucelles. » Et, le troisième soir, derechef elle était couchée et lisait, Korzoun s'approcha sans bruit de l'ouverture qui subsistait, écarta sans bruit le rideau et... se jeta sur elle. D'un seul coup il lui bloqua les bras sous elle et, pour éviter qu'elle ne crie, lui scella la bouche avec sa propre bouche enflammée.

Impossible de faire un mouvement. D'ailleurs, elle était abasourdie. Et il était moite de sueur, de quoi vomir. Ainsi, c'était donc ça ?

Roman, lui, aperçut le sang et resta interdit : comment, une komsomol pourtant ? Et il lui demanda pardon.

Et il ne lui resta plus qu'à tout lessiver dans sa petite cuvette, que la famille du diacre ne s'aperçût de rien.

Mais, cette même nuit, il revint chez elle se régaler, et de nouveau encore, et il la couvrait de baisers.

Nastia, elle, avait comme reçu un coup sur la tête, elle était absolument sans force.

Et maintenant, chaque soir, ce n'était plus lui qui venait chez elle, il l'appelait, et elle, Dieu sait pourquoi, y allait docilement. Il la gardait longtemps sans la laisser repartir et, par-dessus le marché, lors des pauses, fumait à chaque fois une cigarette.

Et, pendant ces journées, elle entendit courir une rumeur qui la glaça : la syphilis rôdait à Okhotchié.

Lui aussi ? ?

Elle n'osa pas lui poser carrément la question.

Et cela allait-il durer longtemps ainsi ? Korzoun était possessif, insatiable. Et il arriva qu'un matin, il faisait déjà jour, lui dormant, elle non, elle aperçut soudain le chétif secrétaire du soviet rural qui lorgnait par la fenêtre, sûrement venu appeler d'urgence Korzoun – mais il avait déjà vu, et vu qu'elle le voyait, et il eut un petit sourire abject, sale. Et, non content, il s'attarda, contempla, puis repartit sans avoir frappé.

Et ce rictus démoniaque fendit, déchira tout cet état d'hébétude, d'abrutissement dans lequel Nastia avait passé les dernières semaines. Non pas tant qu'il aille maintenant clabauder par tout le village, mais ce sourire narquois à lui seul la déshonorait !

Un mouvement, un autre. Roman ne se réveilla point. Elle rassembla doucement ses pauvres affaires en un baluchon aussi petit que celui avec lequel elle était venue, sortit sans bruit, le village dormait encore, et s'en fut par la route du chef-lieu de rayon, Taranovka.

Il faisait une matinée chaude et tranquille. On menait le bétail aux champs. Le fouet du berger claque, mais on n'entend aucun roulement de carriole, nulle part ne s'élève la poussière de la route, étalée tel un velours sous vos pieds. (Cela lui rappela la matinée où elle s'était rendue au monastère.)

Elle-même ne savait où aller ni quoi faire. Simplement, elle ne pouvait pas rester.

Elle connaissait quelqu'un : Choura, une célibataire, courrier du comité exécutif de rayon. Elle vint la trouver dans sa chambrette, pleura à chaudes larmes et déballa tout.

L'autre fut aux petits soins avec elle et imagina quelque chose : aller trouver Arandarenko et carrément lui raconter tout.

Lequel ne demanda pas à la voir, il se souvenait donc d'elle. Il lui fit assigner au comité exécutif un petit bout de table, des papiers à traiter et un salaire.

Mais elle n'eut pas longtemps à s'étonner de sa bonté pour elle. Les employés du comité lui apprirent qu'il était un grand tombeur de bonnes femmes. Il avait sa manière à lui : installer une infirmière de l'hôpital ou une jeune institutrice, en été dans une voiture à ressorts, en hiver sur un traîneau ; le cocher mène ses bêtes à une allure endiablée à travers la steppe déserte, tandis que lui, en pleine course, étale les filles sous lui. C'est comme ça que ça lui plaisait.

Nastia, elle aussi, n'eut pas longtemps à attendre son tour. (Et le moyen de s'y opposer ? et où se traîner avec son baluchon ?) Teint de poix l'appela, lui donna une petite tape sur l'épaule et lui fit signe de l'accompagner. Et de partir à grand galop ! Ô, ces démons de chevaux ! comment font-ils pour ne pas renverser la voiture ? Farouche, l'homme à la houppe la jeta à la renverse, elle joignit les mains par-delà sa tête et, derrière le toupet, elle ne vit plus que le large dos du cocher – qui ne se retourna pas une fois – et le ciel couvert de petits nuages.

En ces mêmes jours, Korzoun parut à Taranovka, la suppliant de revenir, promettant le mariage. Nastia, piquée au vif, lui opposa un refus moqueur. Alors il menaça de se suicider : « Un membre du PC ? Tu ne le feras pas. » Alors il porta plainte, exigea son retour au village, l'accusant de désertion ! Refus du comité exécutif. Korzoun alla jusqu'à réunir l'assemblée des paysans[1] et leur fit voter le retour de la gérante de l'isba ! Nastia eut très peur qu'on ne la renvoie à Okhotchié. (Une chance qu'elle n'y ait pas contracté de maladie.) Mais Arandarenko refusa.

Et ordonna à Nastia de partir pour Kharkov, suivre pendant deux mois une formation de bibliothécaire. Lui-même partit aussi. Et y *retint* pour elle une chambre avec un lit pour quelques jours.

Et il y venait. Jusqu'alors, elle s'était montrée indifférente ; à présent, quelque chose l'émoustillait, elle était devenue prévenante. Et Arandarenko de la louer : « Tu te tortilles bien. Et tu as les yeux qui pétillent, tu es jolie. »

Puis Arandarenko s'en retourna au rayon et les cours continuèrent. Ensuite elle revint à Taranovka occuper un emploi de bibliothécaire. Elle s'attendait à un peu d'attention de la part d'Arandarenko, mais ne le vit pas une fois, on eût dit qu'il l'avait oubliée.

1. De la commune rurale (le *mir*), plus ou moins tombée en désuétude après 1917, mais qui ne sera officiellement supprimée qu'au moment de la collectivisation. *(NdT.)*

Un cercle d'art dramatique fonctionnait au sein du club des komsomols. Nastia se mit à le fréquenter le soir. On était en train de monter *Le temps que le soleil se lève...*[1], ainsi qu'une toute nouvelle pièce sur la lutte des classes : des enfants de koulaks se font aimer d'enfants de paysans pauvres « pour pénétrer dans le socialisme par une sape tranquille ». Et il y avait dans leur cercle Sachko Pogouda, larges épaules, bien bâti, cheveux blonds bouclants, et il chantait remarquablement :

Je songe aujourd'hui très fort...[2]

Il plaisait de plus en plus à Nastia, pour de bon, tout simplement, sincèrement. Et le printemps survint, son dix-septième, Nastenka allait volontiers se promener avec lui le long de la voie ferrée et dans la campagne. Il commença à répéter qu'il l'épouserait sans rien demander à ses parents. Et ils s'unirent d'un commun accord. Arrivés jusqu'au cimetière, et là, sur la jeune herbe d'avril, tout auprès de l'église... Et, dès la première fois, elle conçut. Elle le dit à Sachko, et lui : « Est-ce que je sais avec qui tu as encore été traîner ? »

Elle pleura. Souleva exprès des choses pesantes, déplaça des meubles lourds, rien n'y fit. Et Sachko commença à se défiler. Ses parents voulaient le marier à la fille d'un aide-médecin, porteuse d'une jolie dot.

Elle voulut se jeter dans un puits, une amie intervint à temps. La chose se sut. Et la cellule força Sachko à se marier. Ils s'enregistrèrent. (Comme on persiflait à l'époque : « mariage à la sauvette – au hangar en levrette ».) Ses beaux-parents ne voulurent point de Nastia sous leur toit.

Ils louèrent un pauvre appartement. L'argent gagné, Sachko ne le partageait pas, il faisait la fête. En janvier, par un froid glacial,

1. Titre en ukrainien dans le texte. *Le temps que le soleil se lève, la rosée m'aura rongé les yeux* (1882) : un classique du théâtre ukrainien, drame de Marko Kropyvnytsky (1840-1910). *(NdT.)*

2. En ukrainien dans le texte. *(NdT.)*

Nastia accoucha sur un poêle russe, ils n'avaient pas été fichus de l'en retirer pour la mettre à l'hôpital. La petite fille se brûla la jambe à une brique surchauffée, il lui en resta une marque pour la vie.

Et cette enfant, alors, elle va rester non baptisée ? Où le faire, d'ailleurs, aujourd'hui ? Mais, si ça se découvre, elle sera chassée du komsomol, il ne fallait même pas y songer.

Quant à Pogouda, il faisait plus que jamais la fête, elle était comme abandonnée, il ne s'occupait pas d'elles deux. Elle décida de le quitter. Divorcer était l'enfance de l'art : payer trois roubles, on reçoit une carte postale de l'état-civil – divorcée. Le komsomol l'aida à trouver un travail de bibliothécaire dans la banlieue de Kharkov, à Katchanovka, cité ouvrière près d'un abattoir et d'une boyauderie. Elle dénicha un charitable couple sans enfant, qui consentit à prendre chez lui la petite Ioulka, déjà sevrée, pour six mois, voire un an ; Nastia viendrait les voir. Autrement, elle n'aurait jamais réussi à trouver un logement. Désormais, elle louait un coin de chambre chez une veuve solitaire.

Mais les bonnes résolutions ne durèrent pas longtemps. Le temps chaud reparut. Leur cellule comptait un certain Tériocha Repko, tranquille, affectueux, au visage blanc. Un soir, après une longue réunion (cette année-là, ils luttaient contre l'opposition trotskiste), il la raccompagna : la cité était réputée pour ses détrousseurs, et il fallait passer le long d'un terrain vague servant de décharge, où on trouvait aussi des morts. Il la raccompagna une fois, ils s'embrassèrent, Nastia n'avait jamais encore connu pareille tendresse. Il se mit à l'accompagner lorsqu'elle sortait de sa bibliothèque, une seconde fois, une troisième. Ils étaient très attirés l'un par l'autre, mais ne savaient où se mettre, impossible de l'amener chez la veuve, une seule pièce, et elle une couche-tôt. Mais il existait encore une véranda vitrée où ils se glissèrent tout doux, tout doux, et ils s'étreignirent comme ça, à même le plancher.

Elle l'aimait et aurait voulu le retenir, le garder longtemps. Elle le cajola. Voulait l'épouser. Tomba enceinte à la fin de l'automne. À ce moment fit irruption dans la bibliothèque la logeuse de Tériocha, la quarantaine : « Je suis venue te regarder, voir qui tu es ! » Nastia se figea, et l'autre l'invectiva à haute voix. Et ce n'est qu'après qu'elle apprit la situation : c'était elle qui entretenait Tériocha ; l'autre, en retour, vivait avec elle et ne pouvait la quitter.

Mais comment n'en avait-il pas parlé avant ? Désespoir. Le désespoir la prit ! Elle se fit avorter, enceinte seulement d'un mois.

Elle vivait comme dans le néant. Et Ioulka qu'il fallait reprendre...

Elle fut remarquée et se vit installer dans une pièce par le gérant des chambres froides Kobyttchenko en personne. Et elle prit Ioulka chez elle. Et il l'entretint très bien tout l'hiver. Cette fois-ci, elle avait laissé traîner sa grossesse et dut se faire hospitaliser dans le privé, on lui retira un fœtus de trois mois, le docteur sacrait, on voyait déjà que c'était un garçon, on le jeta dans le seau aux ordures.

Révocation ? mutation ? Kobyttchenko disparut. Et Nastia était la proie d'une inflammation. Elle apprit que Pogouda siégeait à présent au CC du syndicat, elle s'en fut lui demander un bon de séjour en Crimée. Il promit, mais, le temps qu'il se le procure, l'inflammation était passée. Elle y alla tout de même, sans Ioulka.

Le sanatorium était installé dans le monastère Saint-Georges, près de Sébastopol. Après le grand tremblement de terre de Crimée, l'année précédente, beaucoup avaient peur d'y aller, c'est pourquoi il y restait beaucoup de places. Et voici justement que tout près était cantonné un détachement de matelots. Et certaines femmes et jeunes filles du monastère allaient leur rendre visite sous leurs arbustes. Et Nastia n'en pouvait mais, elle sentait en elle une excitation permanente. Elle était devenue docile à l'appel, ne baissait plus les yeux. Il se trouva un matelot pour elle, et puis encore un autre.

Revenu à Katchanovka, le comptable de l'usine, un homme d'âge, lui dit : partons en mission loin d'ici. Et il l'emmena avec Ioulka. Quelques jours de voyage aller en compartiment spécial, quelques jours sur place, quelques autres pour le retour. Et il la caressait à tout va. Ce fut là, dans le train, qu'elle eut ses dix-neuf ans, ils fêtèrent la chose avec du vin. Mais après son retour de mission, le comptable ne vint plus la voir une seule fois : la famille, n'est-ce-pas.

Il fallait tout de même, d'une façon ou d'une autre, qu'elle acquière de l'indépendance. Le gérant du club, merci à lui, l'envoya suivre des cours de préparation à l'entrée à un institut, genre faculté ouvrière, mais pour six mois seulement. Une bourse de trente roubles, juste de quoi se payer soupe et bouillie claires, tout déjà devenait plus cher. Le foyer était situé dans une immense église froide, et les lits de planche à deux étages étaient déjà démontés. Pour ne pas reposer à même le sol de ciment, Ioulka et elle dormaient sur la table où, avant, était disposé le suaire ou placés les cercueils contenant les défunts. Ensuite, en tant que mère avec un enfant, on les déplaça dans la salle de bains non utilisée d'un second foyer. Elle menait Ioulka au jardin d'enfants à sept heures du matin et la reprenait à sept heures du soir. Là aussi, il se trouva pour elle un « visiteur », Chtcherbina, bien nourri, vigoureux, très lourd. Il était marié et, prétendait-il, vivait très bien avec sa femme, mais ne s'en jetait pas moins comme un furieux sur Nastia. Cela lui faisait du bien, dans sa vie famélique, elle n'en éprouvait aucune fatigue. Chaque fois, Chtcherbina lui laissait quelque chose, bas en fil de Perse, parfums ou simplement de l'argent. Et que faire ? Elle acceptait. Après ce si pénible avortement, toujours est-il qu'elle ne tombait plus enceinte.

En septembre de l'année suivante, 1929, Nastia fut acceptée pour trois ans d'études à l'Institut d'Éducation sociale. Elle déménagea dans un foyer normal : une pièce pour trois mères, Ioulka était au jardin d'enfants.

Cet hiver-là, tante Hanna, qui n'avait pas donné signe de vie depuis longtemps, refit surface à Kharkov sans crier gare. Nastia se précipita chez elle. Et apprit que son grand-père, le père Philarète, avait été déporté aux îles Solovki.

Ce fut comme un coup de froid, une crise de frissons. Elle le revit, avec son bon visage attentif cerclé de blanc, elle pouvait même entendre sa chaude voix éducatrice. Aux Solovki ? Le mot le plus terrible après Guépéou.

Et nous, craignant de laisser des traces, eh bien, nous l'avons abandonné. Trahi.

Mais qu'est-ce qu'on aurait pu faire ?

Non pourtant, tante Frossia, à Poltava, s'était trouvée en correspondance avec lui tant qu'il était encore à Milostaïki ; c'est comme ça qu'on avait découvert qu'elle était fille de prêtre, on l'avait chassée de la comptabilité et on ne la laissait plus accéder à un bon emploi. Et, en remontant la filière de tante Frossia, on avait aussi découvert tante Hanna, elle aurait tout perdu, n'eût été une relation au Guépéou qui lui avait arrangé une tâche : tenir en état un bon appartement à Kharkov et y attirer qui on lui indiquerait. Elle-même, bien qu'ayant dépassé la trentaine, avait conservé ses attraits, elle s'habillait fort bien à présent, l'appartement était meublé à merveille, trois pièces – et chauffées. (Chauffées ! tous n'avaient pas cette chance aujourd'hui.)

Après plusieurs rencontres, tante Hanna lui demanda : « Tu sais ce que c'est que les "nuits athéniennes" » ? Nastia l'ignorait. « Toutes les femmes restent dévêtues, aux hommes de choisir. Quand on manquera de femmes, je te passerai un coup de fil, d'accord ? »

D'accord, voyons, bien sûr ! D'ailleurs, Nastia y alla même volontiers, elle était devenue furieuse d'amour. Tante Hanna commandait pour elle une robe tantôt moulante, tantôt entièrement transparente comme de la mousseline. Tout cela était plaisant, insouciant. La vie autour d'elle était étriquée, il y avait des tickets de ravitaillement et qui ne permettaient pas d'obtenir grand-chose, alors que là régnait l'abondance.

Ainsi passèrent deux hivers, et un été entre, Ioulka avait déjà quatre ans, elle allait sur sa cinquième année, Nastenka – vingt-deux. C'est alors qu'expédiée ailleurs par des agents du Guépéou, tante Hanna disparut soudain sans laisser de trace. Et tout ce cinéma prit fin.

Mais Nastia n'en travaillait que plus assidûment pour sa dernière année d'Institut afin d'obtenir de bonnes notes. L'« éducation sociale », cela embrassait tous les établissements d'enseignement général, on apprenait aussi bien la pédagogie que la pédologie. Les diplômées étaient chargées de faire pénétrer la pensée socialiste dans l'instruction populaire.

En attendant, dans toute la province et dans la ville de Kharkov elle-même planait la menace d'une famine mortelle. Les tickets donnaient droit à deux cents grammes de pain. Des paysans affamés s'infiltraient à travers les barrages jusque dans la ville pour y quémander l'aumône. Et les mères abandonnaient leurs enfants mourants. Dans les rues, ici ou là, gisaient des cadavres.

Puis une lettre arriva de tante Frossia, disant que le père Philarète était mort. (Impossible de le préciser dans la lettre, mais il était clair que c'était *là-bas*.)

Eh bien, d'une certaine façon, cela ne lui fit pas mal ! !

Se pouvait-il ?

C'était le passé. Tout entier, quelque part, englouti.

En janvier Trente-Deux, on envoya les étudiants en stage de pratique pédagogique. Mais beaucoup d'écoles rurales étaient devenues désertes du fait de la collectivisation et de la famine, il n'y avait plus d'élèves. Et lorsque fut venu le moment de recevoir une affectation, elle atterrit dans la « cité d'enfants Tsiouroupa », sise dans l'ancienne propriété du général Broussilov. Les enfants provenaient de Kharkov, mais il n'en était que plus facile aux paysannes des environs d'y pénétrer, elles amenaient leurs petits à demi morts de faim et s'en retournaient elles-mêmes périr à la maison. (D'ailleurs, dans tel ou tel village, il y eut des cas d'anthropophagie.) De consomption, nombre de garçons de l'orphelinat étaient devenus des *mouillés*, incapables de contrôler leur urine. On avait grand mal à leur trouver à manger, les enfants se disputaient la nourriture ou les vêtements qu'on leur avait distribués. Purs citadins, au printemps, ils ramassaient par ignorance les herbes qu'il ne fallait pas et s'empoisonnaient à la jusquiame. La cité Tsiouroupa était dirigée par un ancien militaire, toujours en vareuse et culotte de cavalier, sévère, rigide, exigeant l'ordre partout et en tout. (Il avait une belle femme qui venait le voir de la ville, lui-même se mit à aller trouver Nastia, elle avait quelque chose qui les attirait tous.)

En mai, retour à Kharkov pour les derniers examens de sortie. Nastia avait une camarade de cours, Emmotchka, déjà mariée, d'une famille richarde, qui aurait donc pu entrer dans un meilleur institut, mais, pour une raison ou pour une autre, elle s'était retrouvée dans celui-ci. Par un beau jour de mai – Nastia ne savait rien, mais elle comprit après – arriva de Moscou en mission à Kharkov un héros de la Guerre civile, Viktor Nikolaïévitch Zadorojny. Il avait fait Dieu sait où la connaissance d'Emma et lui envoya un billet, disant qu'il voulait la voir – « j'attends des précisions ». Seulement, le très maladroit coursier le lui tendit en présence de son mari et Emma en fut réduite à le lire tout haut, mais elle tourna la chose en plaisanterie : ils cherchaient une de ses camarades dont ils ignoraient l'adresse ; elle écrivit devant lui comment et où trouver Nastia, mais ensuite elle ne réussit pas à échapper à son mari pour la prévenir. Zadorojny reçut le billet, fut étonné, mais accourut aussitôt et invita Nastia à sortir sur le boulevard où ils s'assirent sous un acacia odoriférant.

Zadorojny était un homme de haute taille, bien découplé, lui aussi en vareuse et culotte de cavalier, seulement manchot : pendant la guerre civile, les Cosaques lui avaient tranché l'avant-bras. (Ils savaient sans doute qui il était, car il aimait parler de lui : avant la révolution, avec des grévistes et dans l'attente d'un raid cosaque, il avait disposé plein de herses, dents vers le haut, et les assaillants cosaques tombaient et se blessaient en même temps que leurs chevaux.) Depuis Dix-Sept, il était membre du Parti et, en ce moment, suivait des cours à l'Académie industrielle près le Comité central.

À peine remise de ce hasard inattendu, sans avoir encore compris toutes les circonstances de la rencontre, Nastia, dans sa blouse blanche toute simple à bande verte, décida tout d'un coup qu'il était en son pouvoir et de ne pas le laisser filer.

Et c'est qu'il était pressé : une demi-heure de conversation, et, ce même soir, rendez-vous à son hôtel. Et elle y alla, bien sûr, sachant que, désormais, il ne l'abandonnerait plus.

De fait, il lui déclara au matin qu'il allait la prendre avec lui à Moscou. (Quant à Emma, enragée contre Nastia, il se débarrassa d'elle par une plaisanterie.)

Il resta encore quelques jours à Kharkov, elle ne pipa mot, au début, de Ioulka, mais il encaissa aussi Ioulka, il les prenait toutes les deux. Elle avait encore à passer ses derniers examens de sortie, et on lui promettait déjà de l'envoyer ensuite dans un institut spécialisé dans l'étude de Chevtchenko, – Viktor ne fit qu'en rigoler : ukrainien lui-même, il tenait l'ukrainien pour moins que rien.

Quitter la ville pour Moscou – pour n'importe où ailleurs, du reste – était chose impossible : nul ne pouvait acheter de billet sans présenter un papier avec tampon et attestation. Mais Zadorojny revint au bout d'un mois muni de tous les papiers nécessaires et les arracha, elle et Ioulka, à cette ville affamée, quasi mourante. Une veine.

À Moscou, dans l'une des premières vitrines, Nastia vit des pains blancs, de farine de froment ! – et à dix kopecks pièce ! – un mirage… La tête lui tourna, elle en eut des nausées. C'était vraiment un autre pays.

Plus étonnant encore se révéla le foyer de l'Académie industrielle : pas de chambrées « foyer » pour quatre, six ou dix personnes avec de simples couches. Chaque porte ouvrant sur le corridor donnait sur une entrée miniature d'où deux portes permettaient d'accéder à deux chambres séparées. Dans celle qui jouxtait la leur – un mari et sa femme. Zadorojny, jusqu'à présent, habitait seul dans l'autre, et qui était grande, et voici qu'il était maintenant là avec sa proie. Ioulka avait déjà son petit lit qui l'attendait.

L'Académie, leur dit Viktor, comptait parmi ses étudiants la femme de Staline. Et elle disposait d'une bonne cantine. Et d'un jardin d'enfants propre, bien approvisionné.

Autre chose inouïe dans la chambre : un petit appareil électrique qui produisait du froid à l'intérieur et où on pouvait tenir frais du saucisson, du jambon, du beurre !

Et m a n g e r quand on voulait !

II

L'enfance de Nastenka s'était passée à Moscou, la Moscou d'avant, l'ancienne, dans une traverse non loin des Tchistyïé Proudy [« les Étangs purs »]. La guerre avec l'Allemagne n'avait pas encore commencé qu'elle savait déjà lire, ensuite son père lui permit de prendre elle-même des ouvrages dans les rayons de sa bibliothèque. Un vrai parterre, avec les dos de toutes les couleurs, un parterre aussi de noms d'écrivains, de vers, de poèmes, de récits ; parvenue à un certain âge elle en arriva aussi aux romans. Tatiana Larina, Lisa Kalitina, Vassili Chibanov, Guérassime, Anton-le-traîne-misère, et Vlas le gamin qui conduisait une charretée de bois mort[1], tous surgissaient vivants devant elle, elle les voyait tout près, en chair et en os, elle entendait le son de leurs voix. En outre, elle prenait des leçons d'allemand avec Madame, et avait déjà lu le « Dit des Nibelungen », des vers de Schiller, les souffrances du jeune Werther, des œuvres frappantes, mais tout de même situées dans un certain éloignement, tandis que les héros des livres russes étaient tous à portée de main, amis très chers ou adversaires.

Juste avant la révolution, Nastenka était entrée au lycée, dans un des meilleurs de Moscou, et une sorte de miracle avait voulu que ce lycée se maintînt non seulement à travers la révolution, mais encore durant quelques années soviétiques ; on continuait à l'appeler « lycée », et tous les professeurs étaient ceux d'avant, dont, en littérature, la grisonnante Maria Féofanova aux cheveux cendrés. Et elle leur révéla à tous et à toutes – mais Nastenka le ressentit plus profondément encore – la manière de jeter un regard nouveau sur les livres, vivre en compagnie non seulement de ces héros mais

1. Héroïnes et héros de Pouchkine (*Eugène Onéguine*), Tourguéniev (*Un nid de gentilshommes, Moumou*), Alexeï K. Tolstoï (*Vassili Chibanov*, *Ballade*), Grigorovitch (*Anton-le-traîne-misère*), Nikolaï Nékrassov (*Enfants de paysans*), toutes œuvres publiées entre 1825 et 1861. *(NdT.)*

aussi de l'auteur : que ressentait-il en écrivant ? Quel rapport à ses héros – était-il maître de leur vie, ou bien non ? Pourquoi avait-il décidé de telle ou telle façon, choisi alors d'employer tels mots ou telles phrases ?

Nastenka se prit d'affection pour Maria Féofanova et se mit à rêver d'être comme elle : quand elle serait grande, elle aussi, et de la même manière, enseignerait la littérature russe aux enfants, elle leur inspirerait le désir d'apprendre par cœur des vers, de réciter les pièces en se distribuant les rôles, et à en monter des fragments en soirée sur les tréteaux de l'école. (Et Maria Féofanova, de son côté, accordait une attention particulière à Nastenka et encourageait sa flamme.) Nastenka n'avait pas encore eu l'occasion de tomber amoureuse d'un garçon, si bien que tout cet univers littéraire – comme elle l'aimait ! – était en soi une vie immense, bien plus brillante que celle qui avait cours aux yeux de tous.

Après l'école, elle espérait entrer à l'Université de Moscou, dans ce qui subsistait de la faculté d'histoire et de philologie d'antan. Et son père, Dmitri Ivanytch, un médecin épidémiologue, lui-même grand amateur de Tchekhov, encourageait son choix.

Mais il arriva alors un malheur : il fut muté sur ordre dans la province de Rostov-sur-le-Don. Et il fallut dire adieu à Moscou alors que Nastenka, âgée de seize ans, avait juste encore à finir une année scolaire. (À la vérité, à partir de cette même année, Maria Féofanova, jugée idéologiquement obsolète, se vit interdire l'enseignement.)

Moscou !... Il ne pouvait exister de ville plus belle que Moscou, constituée non pas selon les plans froids d'un architecte, mais par le ruissellement vivant de myriades de vies pendant plusieurs siècles. Ses deux anneaux de boulevards, ses rues bigarrées et bruyantes ou, au contraire, ses ruelles tordues et recourbées, avec la vie à part de ses cours herbeuses pareilles à autant de mondes clos, tandis que le ciel retentit de la voix multiple des cloches de tous timbres et de toutes densités. Ajoutez le Kremlin, la Bibliothèque Roumiantsev, la magnifique Université, le Conservatoire.

À la vérité, à Rostov également, ils étaient logés dans un appartement qui n'était pas mal du tout – et même très bien dans les conditions actuelles : à l'étage noble, avec de grandes fenêtres donnant sur la tranquille rue Pouchkine, elle aussi plantée en boulevard en son milieu. La ville, elle, se révéla complètement étrangère, pas russe pour un sou – tant par sa population aux nationalités hétéroclites que, surtout, par l'incorrection de la langue qu'on y parlait : sons déformés, accents toniques déplacés. À l'école, elle ne se lia d'amitié avec personne, il y planait aussi un air âpre et étranger. Autre motif d'aversion : c'est justement dans cette ville qu'il lui fallut entrer au komsomol pour être plus sûre d'obtenir son admission dans l'enseignement supérieur. Les tableaux de Moscou hantaient les rêves et les veilles de Nastenka. Elle était prête à vivre en foyer rien que pour pouvoir entrer à l'Université de Moscou.

Dans l'appartement de Rostov comme, avant, dans celui de Moscou, Nastenka accrocha aux murs une vingtaine de portraits d'écrivains russes. Puissent-ils affermir le sens de la vérité et de la justice dans lequel elle avait grandi et que ce nouveau et harcelant milieu était en train d'obnubiler, de tirailler en tous sens. Un portrait lui déchirait particulièrement le cœur : celui de Nékrassov, au lit et mourant[1]. Elle aimait ardemment ce poète, parce qu'il avait toujours été si sensible à la douleur du peuple.

Là-dessus – comme par une analogie menaçante ? – son père tomba malade après avoir pris froid au cours d'un voyage sur le Don dans les intempéries de l'automne, il contracta une pneumonie, laquelle dégénéra en tuberculose. Rien que le mot était déjà terrible (ces terribles affiches placardées dans les salles d'attente des dispensaires), et combien de vies déjà emportées par la tuberculose ! dont celle de Tchekhov, bien sûr. Aucun médicament n'existe. Alors, changer de climat, aller ailleurs ? au-dessus de leurs ressources, au-dessus de leurs forces. Maudite ville ! Funeste déménagement qui nous a conduits ici. Et ces vents glacials du nord-est qui traversent Rostov, jusqu'en avril, même. Le spectacle

1. Le tableau par Kramskoï (1878) est exposé à la Galerie Trétiakov. *(NdT.)*

de son père lui causait une douleur aiguë : car enfin il *savait*, et bien mieux qu'elle, non ? Peut-être même se *préparait-il* intérieurement ?

Plus question, maintenant, d'aller à l'Université de Moscou. Autre chose encore : on avait interdit aux médecins toute pratique privée, d'ailleurs son père avait déjà perdu toutes ses forces vitales. Elle en fut réduite à entrer sur place, à l'Université de Rostov, faculté de littérature, mais dans son institut pédagogique (bientôt rebaptisé « Industrialo-Pédagogique »).

N'empêche, la littérature, la littérature russe restait bien avec Nastenka ? Justement non. Dans la littérature qu'on déroulait à présent devant elle en cours, elle n'arrivait pas à reconnaître celle d'avant. Certes, en passant on créditait Pouchkine de la musicalité de son vers (sans dire un mot de la transparente clarté avec laquelle il ressentait l'univers), mais, indiquait-on avec insistance, il exprimait la psycho-idéologie de la noblesse moyenne pendant la période de crise initiale du féodalisme en Russie : cette classe avait besoin que soit représentée la prospérité des domaines sous le servage et, en même temps, manifestait sa peur d'une révolution paysanne, ce qui se faisait nettement sentir dans *La Fille du capitaine*.

Une espèce d'algèbre et rien à voir avec la littérature, mais Pouchkine, là-dedans, où donc était-il passé ?

Leur cours était composé surtout de filles, certaines pas bêtes du tout. Et il était loisible d'observer à quel point celle-ci ou bien encore celle-là était troublée d'apprendre que le poète, l'écrivain, dans son acte créateur, est mû non pas par sa libre inspiration, mais – sans peut-être en avoir lui-même conscience, mais objectivement, involontairement – exécute telle ou telle commande sociale. Et il n'était pas question de bayer aux corneilles, il fallait débusquer ce qui était caché. Toutefois, dans le train-train des étudiantes, exprimer ouvertement entre soi son désaccord avec le contenu des cours n'était pas une chose admise – à moins plutôt qu'elle ne fût pas exempte de danger ?

Mais cet ennui ! Quelle raison de vivre là-dedans ? Et où étaient-elles, ces grandes figures d'autrefois ?

Ou encore, s'agissant d'Ostrovski, Nastenka devait maintenant seriner que lui aussi reflétait le processus de décomposition du régime du servage féodal et de son éviction au profit du capitalisme industriel en progression croissante, et que, dans le même temps, son autodétermination idéologique l'avait rejeté dans le camp du slavophilisme réactionnaire. Et le meilleur éclairage de tout ce royaume de ténèbres avait été donné par le *rayon de lumière* de Dobrolioubov[1].

Bon, pour Dobrolioubov, c'était indubitable.

Les jeunes gens de leur cours étaient des espèces d'empotés qui avaient l'air d'avoir échoué par hasard dans cette faculté. Mais parut Chourka Guène, impétueux, plein de ressources, un concentré d'énergie sous le noir de ses cheveux brûlants et de ses yeux si expressifs. Oui, en voilà un qui était ici à sa place ! il devint d'emblée le chef de la cellule komsomol de leur cours, leur guide naturel, il se distinguait dans ses études, et il introduisit dans leurs discussions hors cours, fréquentes à présent, le jaillissant courant d'une littérature que leur programme n'avait pas encore abordée, la littérature actuelle, bouillonnante, avec ses luttes furieuses entre groupements, – où donc aller, d'ailleurs, pour échapper à la modernité ? (Mais fallait-il vraiment chercher à la fuir ?) Que de groupes, constatait-on, avaient déjà eu le temps de briller de tous leurs feux et de disparaître furtivement – « la Forge », « le Cubilot », « Lef », « Octobre[2] » – « tous ceux-là sont de notre côté des tranchées littéraires ».

« Mais – résonnait sa voix – nos antipodes idéologiques ne s'endorment pas : les compagnons de route, comme littérateurs,

---

1. Le « royaume des ténèbres » est la Russie du servage, le « rayon de lumière », le personnage de Catherine dans *L'Orage* d'A. Ostrovski. Allusion au célèbre article (1859) de N. Dobrolioubov, un classique de la critique littéraire radicale. *(NdT.)*

2. Groupements littéraires de gauche et d'extrême gauche dans les années 1920 ; « Lef » signifie « Front de gauche [de l'art] ». *(NdT.)*

c'est le camp de nos ennemis d'hier, et qui seront les morts de demain, ils ont la fibre réactionnaire, déforment calomnieusement la révolution et sont d'autant plus dangereux qu'ils le font avec plus de talent. Or la littérature n'est pas un objet de délices, mais l'arène d'un combat. Toute cette pilniaquerie, cette akhmatoverie, tous ces petits sérapions, ces petits scorpions[1] devront ou bien s'aligner sur la littérature prolétarienne, ou bien être balayés avec un balai de fer, aucune réconciliation n'est possible. Les tranchées de nos positions littéraires ne doivent pas être recouvertes de chardon ! Et nous, la jeunesse, nous tous, les fils et les filles d'Octobre, nous devons aussi aider à l'établissement d'une ligne communiste unique en littérature. Les hommes de lettres mélancoliques ont beau essayer de nous faire peur, l'accent fondamental doit être mis par nos jeunes gars sur l'allant et non pas sur la morosité ! »

Choura déployait toujours une telle passion, une telle incandescence dans ses interventions que personne n'osait se mesurer à lui, les étudiantes de son cours restaient muettes. Il entraînait à sa suite, simplement. C'est peu de dire que ces « disputes » publiques étaient intéressantes, elles mettaient au contact de la vie vivante, elles faisaient pénétrer en vous des courants nouveaux et inconnus. Une des premières auditrices de Chourik, Nastenka l'assaillait aussi de questions en tête à tête.

Et de fait : impossible de vivre de la seule littérature du passé, il fallait se mettre à l'écoute de celle d'aujourd'hui. Le flux de la vie coule, allègre, il faut se plonger en lui.

Où donc avait-il appris tout cela ? Depuis ses dernières années d'école, découvrit-elle, il n'avait pas perdu son temps. Il y était passé par les futuristes jaunes-verts-framboise, puis par ce Lef (« Lef ou bluff[2] »), ensuite par le futurisme communiste et le Front littéraire – tout cela traversant son cœur comme autant de traits de feu –, pour

1. « Les Frères de Sérapion » étaient un groupe d'écrivains « apolitiques » (constitué en 1921) ; « le Scorpion » : maison d'édition symboliste (Moscou, 1900-1916). B. Pilniak (1894-1938) [1941 ?], romancier ; A. Akhmatova (1889-1966), poète. *(NdT.)*

2. Les deux mots riment dans le titre russe de cet article polémique. *(NdT.)*

se retrouver, encore sur les bancs de l'école, partisan convaincu d'*En sentinelle*. (D'ailleurs, la revue *En sentinelle littéraire*[1] était disponible tout près, dans la bibliothèque même de l'institut, mais personne ne l'avait autant examinée, respirée à pleine poitrine...)

« Les "compagnons de route", ripostait Chourik, d'une façon générale, ça ne peut pas exister ! On est ou bien avec nous, ou bien contre nous ! De quoi sont-ils fiers, dites-le moi ? de la finesse de leurs émotions. Mais enfin, ce qui décide de tout, ce n'est pas le cœur de l'écrivain, c'est sa conception du monde. Et si nous apprécions un écrivain, ce n'est ni pour la nature ni pour l'expression de ses sentiments, mais en fonction de son rôle dans la cause prolétarienne. Le psychologisme ne fait que gêner notre progression victorieuse, et ce qu'on appelle la réincarnation dans un personnage, qu'affaiblir la classe. Autant le dire, d'ailleurs : la révolution en littérature, on peut l'affirmer, n'a pas encore commencé pour de bon. Après la révolution, il faut non pas même des mots nouveaux, mais des lettres nouvelles ! Même les points et les virgules d'avant deviennent répugnants ! »

Étourdissant à entendre ! La tête vous en tournait. Mais comme il vous entraînait avec cette fougue, cette force de conviction indéviable !

Quant aux cours, eh bien, aux cours tout se déroulait selon les manuels circonstanciés de Kogan et de Fritsche[2]. Ils écrivaient à peu près la même chose : Shakespeare est le poète des rois et des maîtres, avons-nous besoin de lui ? Et tous ces Onéguine et ces Bolkonski[3], ne sont-ils pas infiniment étrangers du point de vue de classe ?

---

1. Deux revues « prolétariennes » de critique littéraire (1923-1926, 1926-1932). *(NdT.)*

2. P. Kogan (1872-1932) et Vl. Fritsche (1870-1929), historiens marxistes de la littérature, dont les ouvrages sur le développement des littératures occidentales (l'un et l'autre) et l'histoire de la littérature russe moderne (c'est-à-dire depuis Pierre le Grand) furent encore réédités dans les années 1930. *(NdT.)*

3. Eugène Onéguine : personnage du roman en vers de Pouchkine, dont Tchaïkovski tirera son opéra ; André Bolkonski : le personnage de *Guerre et Paix*, de Tolstoï. *(NdT.)*

Oui, mais c o m m e , e n c e s t e m p s - l à , o n s a v a i t a i m e r !

Toutefois, cette contestation de Kogan, au fil des années, devenait elle aussi insoutenable : tout cela ne pouvait tout de même pas être entièrement construit sur des balivernes ; n'existait-il pas là aussi, effectivement, des fondements historiques et sociaux ?

En attendant, sur le visage de son père, de mois en mois, semblait-il, les *yeux* occupaient de plus en plus de place et signifiaient de plus en plus de choses. Que de profondeur – et de souffrance – et de sagesse étaient concentrées en eux ! Et quelque chose répondait en elle de plus en plus fort, elle sentait son cœur se décrocher, mais impossible de nommer la mort tout haut : et pourtant, il était en train de *passer* ? Il avait franchi une certaine limite ? Son visage avait jauni, maigri jusqu'à l'impossible, et ses moustaches grises – perdu leur élasticité, elles pendaient comme des postiches.

Et comme il toussait affreusement, longuement, déchirant sa poitrine, aussi celles de sa femme et de sa fille. La sensation du malheur – chez soi, dans l'appartement – ne vous quittait plus désormais, elle était toujours là ! Pourtant, arrivée à l'institut, son propre tourbillon l'emportait. Depuis son enfance, Nastenka était plus proche de son père que de sa mère, elle avait toujours aimé lui raconter tout ; et, en ce moment, tout ce qui l'absorbait hors de la maison était justement si nouveau, si effarant !

Lui – écoutait. Sans s'étonner. Il ne faisait que la regarder, la contempler avec ses yeux agrandis à travers lesquels transparaissait, de mois en mois plus manifeste, l'inéluctabilité de la *perte* – oui, c'était bien cela qu'ils voulaient dire avant tout.

Il lui caressait la tête (à présent, il restait tout le temps dans son lit, calé par des oreillers hauts). Parfois, de toute la force déclinante de son souffle et de sa voix, il répondait que toute connaissance est un processus long, non linéaire, et que ce à quoi elle venait aujourd'hui d'accéder passerait à son tour, et qu'elle reconsidérerait encore ses vues, de nouveau et encore de nouveau, et qu'infinie est la profondeur de la pensée humaine.

Ils étaient de plus en plus proches, Chourik et elle, et, tel le vent torride de l'été à Rostov, c'est lui et personne d'autre qui répandait sur Nastenka le souffle brûlant de l'Époque ! Comme il la sentait, avec quelle vigueur vitale il la communiquait ! On le publiait déjà dans le journal de la province, *le Marteau-pilon*, il ne manquait jamais de prendre la parole dans les réunions d'institut et de cours, dans les meetings, derechef dans des disputes littéraires publiques, et il échangeait volontiers des idées avec ses camarades pendant les pauses, et avec Nastenka plus souvent encore, depuis qu'il s'était mis à la raccompagner chez elle. (Il sortait d'une bonne famille, étant le fils d'un important avocat, et ne traitait pas les femmes avec une grossière goujaterie, comme cela était devenu usuel.)

À présent, il reconnaissait que ceux d'*En sentinelle* s'étaient trompés lorsqu'ils avaient suivi Trotski durant la discussion au sein du Parti, mais ils avaient reconnu leur faute et s'étaient corrigés ! Et, avant que n'éclate l'« Affaire de Chakhty[1] », ils avaient déclaré hardiment : « Nous sommes fiers d'être des tchékistes de la littérature, traités de délateurs par nos ennemis. » Pour l'heure, il se vouait tout entier à lutter contre l'école de Polonski, l'école de Voronski, le groupement littéraire « le Col » qui en était arrivé à proférer des absurdités telles que le néoslavophilisme, l'humanisme koulak, l'« amour pour l'homme en général », « la beauté commune à tous les hommes ». À la fin des fins, la section littéraire de l'Académie communiste trancha : liquider l'école de Voronski. Mais les ennemis se multipliaient : dans le même temps commença la lutte contre les sectateurs de Péréverzev[2]. Ceux-là, certes, avaient correctement compris que la personnalité d'un auteur, sa biographie et ses antécédents littéraires ne signifient rien pour son œuvre,

1. Voir *supra* note 1, p. 82. *(NdT.)*

2. Viatcheslav Polonski (1886-1932), Alexandre Voronski (1884-1943, mort au Goulag), Valérian Péréverzev (1882-1968, nombreuses années en camps et relégations) : critiques littéraires et journalistes porteurs de diverses « déviations ». « Le Col (Péréval) » : groupement littéraire (1924-1932) inspiré par Voronski. *(NdT.)*

mais que son système de représentations découle du système de production ; mais ils forçaient la note en prétendant que chaque auteur n'est l'écrivain que de sa classe et qu'un prolétaire ne saurait dépeindre un bourgeois. Or cela, c'était déjà une déviation de gauche.

Il la raccompagnait, ils s'embrassaient sur le boulevard Pouchkine à demi plongé dans le noir, parfois éclairé par un beau clair de lune, à vingt pas en biais de la fenêtre derrière laquelle gisait son père épuisé par la toux.

Mais Chourik insistait, de plus en plus impérieux : dans leurs relations, aller jusqu'au bout.

Elle l'arrêtait, le suppliait. Elle lui cédait en ce qu'elle croyait pouvoir faire, mais il y avait tout de même des limites !

Encore que le *mariage*, est-ce que ça existait vraiment aujourd'hui ? C'était comme s'il n'y en avait plus. Ceux qui étaient d'accord allaient à l'état-civil, beaucoup n'en faisaient rien, se mettant ensemble ou se séparant sans passer par lui.

Seulement, Chourik exigeait : ou bien, ou bien ! Alors, la rupture.

Elle se sentait blessée par son intransigeance. Elle pleurait sur sa poitrine et lui demandait d'attendre.

Non !

Mais sur *cela*, elle n'était pas prête à céder.

Et, par une de ces soirées torturantes, il rompit avec elle, brutalement et démonstrativement.

Et pendant les cours, ensuite, il l'évita avec indifférence.

Comme elle avait le cœur gros !

Elle l'aimait, l'admirait. Mais – ne pouvait pas...

Aurait-elle souffert longtemps ? À quoi cela aurait-il abouti ? Mais, à ce moment, son père en vint à toucher à sa fin.

Ces semaines, désormais comptées, qui précèdent la glaçante séparation, où le dernier fil unissant encore vos consciences et vos pensées glisse entre vos doigts attentifs, et vous restez *ici*, avec maman, tandis que lui, désormais, pour l'éternité...

Après les obsèques – sa mère était croyante, mais, dans une ville d'un quart de million d'âmes, il ne restait plus ni une église, ni un prêtre, pour ne pas parler des risques ! – c'est le moment du vide le plus total. Sa mère se rida, s'affaiblit, perdit toute vie. Les choses s'étaient faites si vite que Nastenka se sentit plus âgée, pour ainsi dire, plus responsable. Sa mère avait cessé d'être un guide pour elle.

Quant à Chourik, il avait comme tout coupé, plus un seul pas pour en revenir à leurs relations d'antan, un caractère d'acier.

À la fin de l'hiver, on procéda à la *répartition*, à présent c'était Nastenka elle-même qui faisait des pieds et des mains pour décrocher une place à Rostov. N'avoir pas à partir. Et elle y réussit.

Pour son dernier été, émue de se retrouver en face des quarante petites têtes qui allaient lui échoir, elle travailla beaucoup à la bibliothèque : l'*Encyclopédie littéraire* (qui commençait à sortir) et la revue pédagogique de la Direction centrale de l'Éducation sociale de la RSFSR, et les revues contenant des articles de critique ; Nastenka, pour ainsi dire, comblait son retard en réétudiant ce qu'elle avait appris de Chourik, – tout cela, en fait, était abondamment publié partout, il suffisait de trouver le temps et de faire des résumés de lecture.

Quant à Chourik, eh bien, Chourik était parti à jamais pour Moscou où on lui avait offert une place dans une rédaction.

Dans cette belle et lointaine Moscou aujourd'hui abandonnée pour toujours.

Mais son départ avait allégé l'atmosphère.

Pour se rendre à la bibliothèque, on pouvait ou bien suivre l'étroite petite rue Nikolaïevski qui plongeait dans le lit d'un ravin des temps anciens, ou bien la trouver tout près en traversant le parc municipal. Celui-ci était varié d'aspect : une allée centrale toute droite restant sur la hauteur et, sur chaque flanc, des descentes conduisant vers des squares avec parterres, jets d'eau ; des collines supportant, d'un côté, un pavillon où on donnait, l'été, des concerts symphoniques gratuits, de l'autre, un restaurant, d'été lui aussi, où jouait le soir un petit orchestre de musique légère et lancinante.

Nastenka avait un visage un peu large et une silhouette pas bien belle non plus, mais des yeux à l'éclat remarquable, et un sourire qui poignait les cœurs, on le lui avait dit et d'ailleurs elle le savait.

Du temps où elle était encore à l'institut, il y avait des soirées avec les garçons des autres facultés, et, s'ils arrivaient à se procurer des disques, ils dansaient des fox-trot et des tangos (certes condamnés, dehors, par l'opinion publique, mais bon, les danses, c'est nous que ça regarde !). À présent, en compagnie d'une ou deux amies restées à Rostov, elles allaient, le soir, au parc municipal : des jeunes gens de leur connaissance « dépariaient » les couples d'amies, chacun emmenant sa chacune dans les sombres allées. (Oui, mais : une fois institutrice, fini ce genre de promenades.) Une chose l'étonnait, pourtant : tous les garçons sans exception faisaient preuve d'une grossièreté, d'une absence totale de sensibilité ; personne ne comprenait que le sentiment doit se développer avec lenteur ; prompt à la besogne, le bien trop connu « sans fleurette[1] » était devenu le procédé de tous, on répétait avec conviction : l'amour, c'est des « chichis bourgeois ». Dans une pièce récente, un des personnages s'exprimait ainsi : « J'ai besoin d'une femme, tu ne vas tout de même pas refuser de me rendre ce service en camarade, à la komsomol ? »

Non, Chourik n'était pas comme ça.

Mais cela, c'était bien fini.

Le temps filait. (*En avant, le temps !*, un roman[2] avait paru sous ce titre.) Le Plan quinquennal en Quatre ans[3] se déployait et tonitruait. Déjà, à l'Institut pédagogique, on leur inculquait que la

---

1. Littéralement en russe : « sans merisier », c'est-à-dire « sans laisser aucune place aux sentiments », « en satisfaisant immédiatement un simple besoin physiologique ». Une nouvelle de Pantéleïmon Romanov (1883-1938) avait paru sous ce titre en juin 1926 et causé un grand scandale. *(NdT.)*

2. De V. Kataïev, en 1932. *(NdT.)*

3. Le premier « Plan quinquennal de développement de l'économie nationale de l'URSS » fut lancé le 1er octobre 1928 et, après une intense propagande, réputé et proclamé achevé le 31 décembre 1932. *(NdT.)*

littérature soviétique – et donc les enseignants – ne devaient pas prendre de retard sur les exigences de la Période de Reconstruction. Comme par un fait exprès, dans le mois où Nastia était sur le point de donner ses premiers cours, l'Association russe des Écrivains prolétariens publia ses décisions : sur la façon de présenter les héros en littérature et sur un appel aux travailleurs de choc des chantiers à entrer en littérature, à se faire eux-mêmes écrivains de façon qu'ainsi l'art ne prenne pas de retard par rapport aux exigences de la classe. Et un nouveau concept prit corps : la littérature de notre temps ne peut être représentée que par le journal ou l'affiche de propagande, et absolument pas par le roman.

Allons bon, un peu impétueux : le souffle lui manquait ; comment cela, pas le roman ? et les romans, qu'allait-on en faire ?

Tu dois aller vers les enfants, mais, dans le même temps, les recommandations de l'Éducation sociale : l'utilisation des fables de Krylov dans l'enceinte de l'école soviétique présente un indubitable danger pédagogique.

Anastassia[1] Dmitrievna se vit confier trois cinquièmes groupes[2] d'enfants de douze ans et la charge de professeur principal dans le cinquième A.

Sa première classe ! Mais, pour les enfants, la première aussi : ils venaient de quitter les petits pour entrer dans le second degré, quelle fierté ! Ce premier septembre fut une journée de soleil radieux. Un des parents avait apporté des fleurs dans la classe. Anastassia Dmitrievna portait elle-même une robe de tussor clair, les filles étaient en petites robes blanches, et beaucoup de garçons arboraient des chemises blanches. Et ces petits minois, ces yeux rayonnants étaient pénétrés d'allégresse : enfin, enfin, son rêve était réalisé et elle pouvait marcher dans le chemin emprunté

1. « Nastia » et « Nastenka » sont des diminutifs du prénom « Anastassia ». *(NdT.)*

2. À cette époque, les « classes » avaient été abolies et remplacées par des « groupes ». *(NdT.)*

par Maria Féofanovna... (Et aussi obtenir, en ce siècle de grossièreté, que ces gamins, en grandissant, deviennent de nobles hommes, pas comme ceux d'aujourd'hui.) Puisse-t-elle à présent, en beaucoup, beaucoup de leçons, déverser dans leurs têtes tout ce qu'elle avait conservé de la grande et généreuse littérature russe !

Mais on n'en prenait guère le chemin ! Aucune percée dans cette direction ne se laissait voir : tout le programme était réparti de façon rigide.

Les grues qui grondent,
Fosses profondes...[1]

et chaque cours pouvait voir apparaître un inspecteur envoyé par les autorités scolaires du rayon. Il fallait commencer par le Turksib[2], actuellement en voie d'achèvement, et faire apprendre par cœur comme les trains s'étaient élancés dans le désert,

... de-ci de-là bougeant,
En effrayant bêtes et gens,
Les empêchant de traverser
En caravane et de passer.

On devait continuer avec Magnitogorsk, puis la construction du grand barrage sur le Dniepr et le poème où Bezymenski ridiculisait un adolescent assassin, voué à sa perte, issu d'une classe sur le déclin. Plus un poème consacré à un jeune garçon hindou qui avait entendu parler de Lénine, le guide lumineux de tous les opprimés de par le monde, et s'était rendu à pied chez lui, à Moscou, depuis l'Inde.

1. Vers d'*Une nuit de tragédie* (1930), poème d'A. Bezymenski (1898-1973) sur le barrage du Dniepr. *(NdT.)*
2. Voie ferrée unissant le Turkestan à la Sibérie (Tachkent-Sémipalatinsk), construite en 1928-1930. *(NdT.)*

Sur ce, on mit en circulation un mot d'ordre : « démianiser » la littérature ; l'imprégner tout entière de l'esprit combatif de Démian Biedny.

Et Anastassia Dmitrievna, dans son désarroi, ne voyait aucune possibilité de résistance. Comment prendre sur soi, d'ailleurs, de dissocier les enfants de l'époque dans laquelle il leur faudrait vivre ?

Une chance, pourtant, qu'ils soient élèves des petites classes. La période critique actuelle allait passer, et ils auraient encore le temps, dans leur scolarité, d'en arriver aux classiques chers à son cœur. D'ailleurs, même aujourd'hui, Pouchkine n'avait pas encore été rayé entièrement :

> *Tous sous un joug pesant jusqu'au tombeau*
> *croupissent ;*
> *Nul n'ose caresser d'espoir ou de désir ;*
> *Les filles en ces lieux fleurissent*
> *Pour qu'un cruel gredin en fasse son plaisir*[1].

Elle le lisait à haute voix, s'efforçant de communiquer aux enfants toute cette douleur du poète, mais, voisinant avec le tintamarre des grues, les vers voguaient d'ailleurs, comme lointains.

Le repos venait seulement avec les leçons de russe à proprement parler : une matière franche, inébranlable et éternelle. Et pourtant ! Elle aussi, on cherchait à l'ébranler : que ne fourrait-on pas dans la nouvelle orthographe ! et les règles changeaient si vite qu'elle-même n'arrivait pas à les suivre.

Cependant, Nastenka enseignait tout ce fatras industrialo-quinquennal avec un tel dévouement à la sainte cause de la Littérature que les enfants l'aimaient, l'entouraient aux récréations, la regardaient avec reconnaissance. (Reflétant l'éclat de ses yeux immuablement brillants.)

---

1. Citation de la poésie « Campagne » (1819) – traduction de Maurice Colin. *(NdT.)*

Entre-temps, en ville, les magasins s'étaient vidés, toutes les boutiques privées avaient fermé. Au début, on parla de « difficultés avec la viande », ensuite « avec le sucre », et puis il n'y eut plus rien du tout et on instaura les cartes d'alimentation. (Les enseignants comptaient comme « employés », ce qui leur valait quatre cents grammes de pain ; sa mère, qui s'affaiblissait, entra à la manufacture de tabac pour avoir droit à la ration « ouvrière » : six cents grammes.) L'existence devint famélique, et aucun salaire ne permettait de s'approvisionner au marché. D'ailleurs, la milice dispersait les marchés.

On en finit même avec la *semaine*, si bien réglée : à présent, on imposait « les cinq jours continus », les membres d'une même famille avaient des jours de repos différents, le dimanche commun à tous fut liquidé. Le temps s'était lancé dans une telle course « en avant » qu'il en avait perdu son visage, cessant pour ainsi dire d'être.

La vie devenait de plus en plus féroce. Les tickets de pain donnèrent droit, en alternance, à deux cents ou trois cents grammes. La faim était une sensation permanente. Et dans les villages de la province, à ce qu'on disait, c'était la mort. Dans les rues de la ville, on trouvait des gens venus de là-bas et tombés d'inanition. Nastenka, pour sa part, n'avait jamais donné sur un cadavre, mais un jour frappa à leur porte une paysanne du Kouban, émaciée au dernier degré, tenant à peine sur ses jambes. Elles lui firent manger de leur brouet et l'autre raconta sans une larme qu'elle avait enterré ses trois enfants et s'était enfuie au hasard à travers la steppe, cherchant le salut. Le Kouban tout entier était encerclé par la troupe, on faisait la chasse aux fuyards et on leur faisait faire demi-tour. Cette femme avait réussi à se faufiler de nuit à travers le cordon, mais il était impossible de prendre le train, on attrapait les fuyards autour des gares et dans les wagons pour les refouler soit dans la zone vouée à la mort, soit en prison.

On ne pouvait quand même pas non plus la garder chez soi ?

Et elle repartit sur ses jambes flageolantes.

Sa mère dit :

« J'ai moi-même envie de mourir. Où tout cela nous mènera-t-il ? »

Nastenka cherchait à l'encourager :

« Nous percerons bien jusqu'à la lumière, maman ! Car le communisme est comme le christianisme, il est fondé sur le même principe, ses voies seulement sont différentes. »

En attendant, les cahiers d'écolier avaient disparu des magasins d'articles de bureau. Heureux qui en avait conservé dans ses réserves. Le cahier dit « à tous usages », de deux cents pages et relié en toile cirée, était devenu un incomparable trésor. À présent, les cahiers, rétrécis en largeur et fabriqués avec un papier grossier sur lequel la plume trébuchait, étaient répartis entre les écoles, délivrés à chaque écolier à raison de deux par trimestre, et cela pour toutes les matières ensemble. Et il fallait que les enfants s'arrangent pour diviser par matière ces cahiers parcimonieux et écrivent le plus petit possible, allez donc perfectionner ainsi votre écriture. Restait l'ardoise, et apprendre le plus possible par cœur. Certains parents se procuraient des formulaires, des bordereaux d'entrepôts, on écrivait au verso.

Quand on est un enfant, tout est facile. Ils continuaient de rire et de courir pendant les récréations. Mais toi-même, tout au long de cette année si pénible, comment avancer, comment mener filles et garçons jusqu'à des temps meilleurs, tout en sauvegardant en eux une fraîche perception du Pur et du Beau ? Comment leur apprendre, au milieu de la difformité présente, à discerner le bon droit et la nécessité de l'Ère nouvelle ? Nastenka se rappelait nettement l'enthousiasme de Chourik. Aujourd'hui encore, elle en éprouvait la contagion : en voilà un qui savait voir ! D'ailleurs, le poète l'a dit :

Supportant tout, il se fraiera sa voie,
Et large et claire, et poitrine en avant...[1]

1. Vers de N. Nékrassov dans *La Voie ferrée* (1864-1865) ; « il » est le peuple russe. *(NdT.)*

Et n'était-il pas vrai que la littérature continuait aujourd'hui encore, que l'amour du peuple, de nos jours, avait précisément et très exactement repris les saintes traditions de Nékrassov, de Biélinski, de Dobrolioubov, de Tchernychevski ? Tous ces froids commentaires de Kogan-Fritsche ou les brûlants monologues de Chourik ne reposaient tout de même pas sur du vent ?

À bien y réfléchir, ce rayon de lumière dobrolioubovien, il n'avait jamais cessé de briller ! il avait pénétré jusqu'à notre époque, – sa couleur seulement avait viré à l'écarlate brûlant ? Eh bien, aujourd'hui encore, il fallait savoir le discerner.

Mais elle lisait ensuite les instructions de l'Éducation sociale, particulièrement les articles d'Ossip Martynovitch Beskine, et le cœur lui manquait : l'artiste, dans son processus créatif, ne saurait se reposer sur l'intuition, il est tenu de contrôler sa perception des choses au moyen de la conscience de classe. Et ceci : ce qu'on est convenu d'appeler « chaleur humaine » est une crasseuse formule russouillarde, elle a servi de base au patriarcalisme asservissant.

La chaleur humaine ! c'est pourtant de cela qu'elle avait le plus envie !...

Le programme de l'année suivante était consacré au « fonds d'acier » de la littérature soviétique : *La Défaite, Pierres à aiguiser* (sur la collectivisation), *Le Ciment* (épouvantable, car on y proposait à des enfants de treize ans des scènes violentes de possession érotique[1]). Mais tout de même, c'était vrai, *Le Fleuve d'acier*[2] rendait avec un remarquable laconisme les actions de masse comme un tout ; rien de cela, semblait-il, n'existait encore dans la littérature russe ? Et le personnage de Robeïko, dans *La Semaine*[3], suscitait la compassion : surtendant sa gorge de tuberculeux, il appelait les paysans à mettre à bas un bosquet qui appartenait au monastère,

1. Romans publiés respectivement en 1927, 1928-1937, 1925, par A. Fadeïev (1901-1956), F. Panfiorov (1896-1960), F. Gladkov (1883-1958). *(NdT.)*

2. Roman (1924) d'A. Sérafimovitch [Popov] (1863-1949). *(NdT.)*

3. Nouvelle (1922) de Iouri Libédinski (1898-1959). *(NdT.)*

pour pouvoir, avec le bois de chauffage ainsi obtenu, alimenter la locomotive qui transporterait les semences jusqu'aux paysans. (Seulement voilà, l'année passée, ne leur avait-on pas confisqué ces mêmes semences ?)

Et chaque jour, ces quarante paires d'yeux enfantins fixées sur Anastassia Dmitrievna, était-il possible de ne pas soutenir leur foi ? Oui, mes enfants, des sacrifices sont inévitables, et toute la littérature russe n'exhorte-t-elle pas à l'esprit de sacrifice ? Voyez, ici ou là, la nuisance, mais notre élan industriel inouï nous apportera à tous un bonheur inouï. Et vous grandissez, vous aurez le temps d'en prendre votre part. Chaque épisode, même sombre, doit être considéré par vous comme l'a si justement exprimé le poète[1] :

Il n'est pas inférieur à nos jours,
Et il suit notre voie royale,
Celui qui, dans tout détail, toujours,
Voit la révolution mondiale.

Là-dessus, on supprima les manuels actuels, reconnus inexacts et en retard sur la réalité. Désormais, ils étaient imprimés sur des feuilles volantes, autrement dit pour un sujet contemporain et pour n'être utilisés que pendant le semestre en cours ; l'année suivante, ils étaient déjà périmés. Gorki publiait dans un journal l'article *Aux humanistes*[2], il les dénonçait, les maudissait, et cela entrait dans le prochain manuel « volant » : « Il est parfaitement naturel que le pouvoir ouvrier et paysan écrase ses ennemis comme des poux. »

L'effroi, la suffocation, le désarroi vous saisissaient. *Comment* proposer cela à des enfants ? Et *à quelle fin ?*

Mais Gorki est un grand écrivain, un classique russe lui aussi et une autorité mondiale, et est-ce que ton petit intellect minable peut

1. A. Bezymenski, « À propos d'une chapka » (1923). *(NdT.)*
2. *Pravda* et *Izvestia* du 11 décembre 1930. *(NdT.)*

discuter avec lui ? Eh bien, justement, à quelques lignes de là, il écrit à propos de ceux qui s'oublient, des nantis : « Que veut donc cette classe de dégénérés ? » C'est le moment de se rappeler : « Loin de ceux qui jubilent, qui bavardent sans rien faire…[1] » Et Tchekhov n'invitait-il pas à réveiller chaque jour avec un petit marteau notre conscience assoupie ?

Elle imagina de créer un cercle littéraire. S'y inscrivirent une dizaine d'élèves parmi les plus sensibles, les plus aimés, – et, hors leçons, hors programme, Anastassia Dmitrievna les promena parmi ce que le dix-neuvième siècle avait de meilleur. Mais impossible de cacher le cercle aux yeux de la directrice des études (une femme acide qui enseignait l'instruction civique). L'affaire remonta au rayon, d'où redescendit une monitrice du cabinet de méthodologie qui assista, plantée comme un crapaud, aux séances du cercle. Et en brisa toute la fraîcheur, tout le sens, toute l'inspiration, à n'en pas reconnaître sa propre voix. Conclusions du crapaud : assez remâcher les classiques ! C'est un fait qu'ils détournent les élèves de la vie.

Ces années-là, le mot « fait » était devenu un des plus courants, il sonnait comme un argument irréfutable et tuait aussi bien qu'un coup de feu. (Elle aurait pu conclure de façon encore plus impitoyable : « Une *sortie* de l'ennemi de classe ! »)

Les séances au théâtre semblaient encore une échappée. À présent, on était passé de la semaine de cinq à celle de six jours, et chaque jour dont la date était divisible par 6 devenait congé pour tous, comme autrefois le dimanche. Ces jours-là, le théâtre donnait des matinées bon marché pour les écoliers. Les enfants, accompagnés de leur pédagogue, venaient de toute la ville. L'enchantement des lumières déclinant peu à peu, le rideau qui s'écarte, les silhouettes des acteurs qui passent et repassent sous les feux des projecteurs, leur aspect que souligne le grimage, leurs voix sonores, comme cela captive le cœur d'un enfant, quelle voie aussi menant à la littérature !

1. Vers de N. Nékrassov, « Le chevalier d'une heure » (1860). *(NdT.)*

À la vérité, les spectacles étaient planifiés et obligatoires : *Lioubov Iarovaïa*[1] – la femme d'un officier blanc fait fusiller son mari, par idéologie – et, plus d'une fois, Kirchone[2] – *Les rails grondent*, sur la nuisance des ingénieurs ; *Le Pain*, sur la haineuse résistance des koulaks et l'enthousiasme des paysans pauvres. (Mais il est vrai qu'on ne saurait non plus nier la lutte des classes et son rôle dans l'histoire.) Elle réussit à mener ses élèves voir *Intrigue et Amour*, de Schiller. Et, reprenant au vol l'intérêt des enfants, Anastassia Dmitrievna organisa en 7e A une lecture de la pièce avec rôles distribués. Et le bon élève, tout maigre, aux cheveux rebelles qui lui tombaient de partout, imitant son acteur préféré, lisait d'une voix qui n'était plus la sienne, aux limites de ses possibilités : « Louise, as-tu aimé le maréchal ? Cette bougie n'aura pas le temps de s'éteindre que tu seras morte… » (Le même garçon représentait également la classe au conseil pédagogique de l'école en qualité de délégué des élèves, c'était la règle.) Cette pièce de Schiller était réputée à l'unisson de l'ère révolutionnaire, et elle ne lui valut pas de réprimande. Mais ils se mirent en tête de jouer quelque chose d'Ostrovski, et là, il fallut choisir avec une extrême attention.

Rostov-sur-le-Don fut proclamé « ville entièrement alphabétisée » (encore qu'il restât un nombre plus que suffisant d'analphabètes). Les écoles pratiquaient désormais la « méthode de brigade-laboratoire » : l'enseignant ne dirigeait pas la classe et ne mettait pas de notes individuelles. Les élèves étaient répartis en brigades de quatre ou cinq ; pour cela, les bancs étaient tournés dans divers sens, un membre de chaque brigade lisait à mi-voix quelque extrait du manuel sur feuilles volantes. Ensuite, l'enseignant demandait qui allait répondre pour toute la brigade. Et s'il répondait « satisfaisant » ou « très satisfaisant », c'est « S » ou « TS » qui était attribué à chaque membre de la brigade.

1. Œuvre de K. Tréniov (1876-1945), jouée en 1926.

2. Vladimir Kirchone (1902-1938). La première pièce est de 1928, la seconde de 1930.

Ensuite survint un trimestre où ne parvinrent plus ni nouvelles feuilles volantes pour le manuel, ni programmes obligatoires. Leur absence plongea dans le désarroi jusqu'aux autorités scolaires de la ville : peut-être cela signifiait-il un *changement de ligne* ? Et on autorisa chacun, pour l'instant, à enseigner ce qu'il voudrait, sous sa responsabilité.

Du coup, leur directrice des études et instructrice civique se mit à enseigner dans les cinquième, sixième et septième groupes des extraits du *Capital.* Anastassia Dmitrievna, de son côté, pouvait donc choisir parmi les classiques russes ? Mais comment faire pour tomber juste, pour ne pas risquer de se tromper ? Dostoïevski, bien sûr, était impossible, un peu trop tôt pour eux, d'ailleurs. Pas de Leskov non plus, impossible. De même qu'Alexeï Tolstoï – *La Mort du Terrible, Le Tsar Fiodor.* Et dans Pouchkine, naturellement, pas tout. Comme dans Lermontov, pas tout. (Et quand les enfants l'interrogèrent sur Iessénine, elle détourna la question et ne chercha pas à répondre, il était strictement interdit.)

Elle-même, d'ailleurs, avait perdu l'habitude d'une pareille liberté. Elle était devenue incapable d'exprimer les sentiments qu'elle éprouvait autrefois. La littérature russe, auparavant toute d'une pièce, lui paraissait maintenant comme lézardée après tout ce qu'elle-même avait lu, connu, appris à voir ces dernières années. Elle avait peur désormais de parler d'un auteur, d'un livre sans donner à ses propos un fondement de classe. Elle feuilletait alors Kogan et y trouvait « avec quelles idées cette œuvre est coopérative ».

Mais, dans le même temps, sortaient de nouveaux numéros des revues soviétiques, et les journaux décernaient des louanges à des œuvres nouvelles. Et le cœur lui manquait : impossible, vraiment, de laisser des adolescents prendre du retard, c'était tout de même dans ce monde-ci qu'ils allaient devoir vivre, il fallait les aider à y pénétrer.

Et elle recherchait elle-même ces nouveaux vers et récits loués, et les apportait à ses élèves. Tenez, enfants, voici le comble de l'abnégation en faveur du bien commun :

Je ne veux plus de nom ; donnez-moi en échange
Une lettre, un surnom ou bien un numéro !

Cela n'eut pas de succès. Ces jeunes cœurs, il fallait les enflammer avec quelque chose d'ailé, de romantique :

Des chevaux frénétiques
Nous emportaient !
Sur la place publique
On nous massacrait !
Mais dans le sang, fiévreux,
Nous nous levions,
Mais nos aveugles yeux
Nous ouvrions !
... Pour que la terre austère
De sang ruisselle,
Sorte de l'ossuaire
La jeunesse nouvelle[1] *!*

Et les yeux brillants, inspirés, des élèves étaient pour Anastassia Dmitrievna la meilleure des récompenses.

Pour sa propre existence, si peu réussie jusqu'à présent.

1993-1995.

1. Vers d'Édouard Bagritski (1895-1934) dans le poème « Mort d'une pionnière » (1932). *(NdT.)*

ADLIG SCHWENKITTEN

récit en vingt-quatre heures

traduit par Nikita Struve

À la mémoire
des commandants Pavel Boïev
et Vladimir Balouïev

1

Dans la nuit du 25 au 26 janvier, le QG de la brigade apprend du QG de l'artillerie de l'Armée que notre corps avancé de blindés a atteint le littoral de la Baltique. Ce qui signifie : la Prusse orientale est coupée de l'Allemagne !

Coupée, pour l'heure elle ne l'est que par cette lointaine et étroite percée qui n'est pas encore suivie par le cortège des troupes de tous ordres. Néanmoins, fini les temps où nous ne faisions que reculer ! La Prusse est isolée ! encerclée !

Désormais, camarades instructeurs politiques, vous pouvez considérer qu'il s'agit d'une victoire décisive. Parlez-en dans les feuilles militaires. Berlin est lui aussi à portée de main, même si ce n'est pas nous qui irons dans sa direction.

Ces cinq derniers jours de notre mouvement à travers la Prusse en feu, on peut dire que nous avons été à la fête ! Quand, il y a onze jours, nous avons fait notre percée à partir du vaste terrain d'opérations de Narev, des combats opiniâtres se poursuivaient encore en Pologne ; par contre, à partir de la frontière prussienne, c'est comme si on avait brusquement levé un rideau magique : les unités allemandes se sont évanouies de part et d'autre tandis que, devant nous, s'étendait un pays intact, opulent, qui tombait de lui-même entre nos mains. Vastes ensembles d'habitations de pierre aux hauts toits pointus ; le coucher sur des lits moelleux, sinon sous des duvets ; dans les caves, des réserves de vivres avec des délicatesses et des friandises rares ; et puis, qui trouvait, buvait gratis.

Nous avançâmes à travers la Prusse dans une excitation de gens éméchés, comme si nous avions perdu tout sens de l'exactitude, que ce soit dans nos mouvements ou dans nos pensées. Mais, après tant d'années de sacrifices et de privations, il fallait bien se relâcher tant soit peu.

Ce sentiment d'un légitime privilège avait gagné tout le monde, y compris parmi les grades les plus élevés. Mais les hommes de troupe plus encore. Ils trouvaient, ils buvaient.

Puis, à l'occasion de l'encerclement complet de la Prusse, on a encore remis ça.

Et, au matin du 26, sept chauffeurs de la brigade, affectés aux tracteurs ou aux ZIS, sont morts dans des convulsions provoquées par le méthylène. Plusieurs servants aussi. D'autres se sont plaints des yeux.

... C'est ainsi que commença cette journée-là dans la brigade. Ceux qui perdaient la vue furent conduits à l'hôpital. Tout juste promu, le capitaine Toplev, avec son visage rondelet de gamin, frappa à la chambre où dormait le commandant du groupe n° 2, le commandant Boïev, pour lui rendre compte de ce qui se passait.

Boïev avait le sommeil profond, mais le réveil rapide. Dans un lit si magnifique, sous un édredon somptueux, il s'était permis, pour cette nuit, d'ôter sa vareuse qu'il enfilait maintenant, debout sur le tapis, en chaussettes de laine. Sur sa vareuse, que de médailles, de quoi en rester médusé : deux « Drapeaux rouges », celles d'Alexandre Nevski, de la Guerre patriotique, plus deux « Étoiles rouges » (les premières remontaient à Hassan[1], à la guerre avec la Finlande ; il avait été décoré une autre fois d'un troisième

1. Théâtre de combats victorieux livrés en 1938 par les troupes soviétiques contre l'armée japonaise à la frontière sibéro-coréenne. *(NdT.)*

« Drapeau rouge », mais, alors qu'il était blessé, la médaille s'était égarée ou bien avait été volée). Sa poitrine entière était ainsi couverte de métal, car il les portait telles quelles, ses médailles, sans les remplacer par des rubans : agréable fardeau et pure satisfaction de soldat.

Toplev, il y a encore un mois chef du renseignement pour le groupe, maintenant commandant en second, fit dignement le salut réglementaire, puis rapporta. Son minois trahissait l'inquiétude, sa voix avait encore quelque chose de la chaleur enfantine. Dans le groupe n° 2, il y avait eu également deux morts par intoxication : Podklioutchnikov et Lépétouchine.

De taille moyenne, le commandant avait une tête oblongue ; surmontée de cheveux taillés net et court, on aurait dit un parallélépipède étiré formant saillies sur l'occiput et au niveau des mâchoires. Les sourcils n'étaient pas tout à fait alignés, le nez semblait un tantinet dévié vers une grande ride latérale – expression d'une tension permanente, qui refuse de céder.

C'est dans cette tension qu'il écouta le rapport. Et, après une pause, lâcha amèrement :

– Ah, les pauvres niquedouilles.

À quoi bon être restés indemnes sous tant d'obus, de bombardements, à tant de passages de rivières, sur tant de champs de bataille, pour se noyer dans une bouteille une fois parvenus en Allemagne !

Les enterrer – mais où ? Ils avaient eux-mêmes choisi leur sépulture.

Après avoir dépassé Allenstein, la brigade, à tout hasard, s'était déployée sur des positions de combat d'où on ne pensait guère avoir à tirer, mais par simple souci d'ordre.

... Quand même pas dans un cimetière allemand ? Nous les enterrerons près de la ligne de feu.

Lépétochine... Il était fait comme ça. Disert, prêt à rendre service, soumis. Mais Podklioutchnikov ? de haute stature, légèrement voûté, un paysan tout ce qu'il y a de sérieux. Il s'était laissé tenter.

2

La terre est gelée, pierreuse, on n'arrivera pas à creuser profond. Notre charpentier, Sortov, originaire de chez les Maris, a assemblé rapidement mais fort habilement les cercueils en se servant de planches déjà préparées et dégauchies.

Arborer un drapeau ? Personne n'avait jamais vu de drapeaux, si ce n'est à la parade de la brigade, quand elle avait été décorée. On gardait bien toujours un drapeau à l'Intendance, au 3e échelon, mais pour ne pas courir le risque de le perdre.

Podklioutchnikov appartenait à la 5e batterie, Lépétouchine à la 6e. C'est le secrétaire du parti, Goudaïbiline, la risée de tout le groupe, qui s'est avancé pour prononcer le discours. Ivre ce jour-là dès le petit matin, il a articulé pâteusement les phrases rituelles : la Patrie sacrée, la tanière de la bête dans laquelle nous venions de pénétrer, et le « Nous les vengerons ! »

Le tout jeune chef de la section de feu de la 6e batterie, le lieutenant Goussev, l'écoutait, exaspéré et honteux. Grâce aux facilités d'avancement des cadres politiques, ou bien, semblait-il, grâce à l'excessive bienveillance du commissaire de la brigade, en un an et demi ce secrétaire de parti, au vu de tous, avait été propulsé du grade de sergent à celui de lieutenant-chef, et il se permettait maintenant de faire la leçon à tout le monde.

Goussev n'avait que dix-huit ans, mais voilà déjà un an qu'il était lieutenant au front, le plus jeune officier de la brigade. Il avait tellement hâte de partir se battre que son père, un général, avait obtenu, alors qu'il n'avait pas encore atteint l'âge requis, qu'il pût suivre la formation accélérée destinée aux élèves-officiers.

À chacun son destin. Près de lui se tenait Vania Ostanine, du peloton de la section divisionnaire de l'administration. Étonnamment futé, il pouvait commander un tir de batterie en lieu et place d'un officier. Mais, lors de la bataille de Stalingrad, en 42, dans leur école un élève-officier sur trois avait été envoyé directement au front avant la fin des études. Le tri était fait par le service du personnel. Or, dans son dossier, on avait barré Ostanine en mentionnant qu'il appartenait à la famille d'un paysan qui avait tenu à rester indépendant. Et maintenant, ce garçon de vingt-deux ans, qui avait tout d'un vrai officier, portait des galons de sergent-chef.

À peine le secrétaire du parti en eut-il fini que Goussev s'avança de deux pas vers les tombes. Il aurait voulu que ce soit formulé autrement, il aurait tant voulu ! Hélas, le discours ne sortit pas. Il ne put que demander, la gorge serrée :

« Mais pourquoi, loupiots, avoir fait ça ? Pourquoi ? »

On ferme les cercueils.

On les cloue.

On les descend à l'aide de cordes.

On les recouvre de terre étrangère.

Goussev se remémora qu'aux abords de Retchitsa un Junkers leur avait lâché quelques bombes alors qu'ils étaient en route. Il n'avait pas fait de blessés, les dégâts avaient été minimes, mais, dans le véhicule de l'Intendance, un éclat avait fait exploser une bouteille de trois litres d'alcool. Ah, comme les gars l'avaient regrettée, pire que s'ils avaient été eux-mêmes touchés ! Il faut dire qu'en fait de boisson les soldats soviétiques ne sont pas gâtés.

On planta dans les tertres des piquets et pancartes funéraires, en attendant, sans même les badigeonner.

Mais qui va en prendre soin ? En Pologne, les stèles allemandes de 1915 tenaient encore debout. À Narev, Ischioukov, le chef des transmissions, les avait arrachées, renversées : *il se vengeait.* Et personne ne lui avait rien dit ; à ses côtés se tenait même un homme du Smersch[1], Larine.

En passant devant le groupe silencieux des soldats, Goussev entendit le remuant petit Iourch, de la même compagnie et de la même 3e section que Lépétouchine, se confier plaintivement :

1. Abréviation de *Smert chpionam !* (« Mort aux espions ! »), nom du service de contre-espionnage dans l'Armée rouge. *(NdT.)*

« Mais, les gars, comment faire pour y résister ? »

En effet, comment y résister ? L'arête paraît bénigne, on pense : elle va passer.

Ce fut comme une aile grise qui balaya les visages. Tous eurent l'air accablé.

Le chef de section, Nikolaïev, lui aussi originaire du peuple Mari, jetait de ses yeux bridés un regard réprobateur. Jamais il n'avait avalé une goutte de vodka.

Mais la vie, les soucis suivent leur cours, vous requièrent. Le capitaine Toplev alla au QG de la brigade se renseigner sur la façon de rédiger les avis de décès.

Le commandant en second, le lieutenant-colonel Véressovoï, à la silhouette haute et efflanquée, répondit sans attendre :

« Le commissaire a déjà donné les ordres : "Mort au champ d'honneur pour la défense de la Patrie". »

Lui, de son côté, se cassait la tête : qui mettre aux volants quand il faudra repartir ?

3

La stupéfiante rapidité de la percée de nos chars vers la Baltique changeait radicalement la tournure de l'opération menée en Prusse, mais la brigade de canons lourds ne pouvait être à temps nulle part ni être requise dans les vingt-quatre heures.

Par ailleurs, le commandant de la brigade boitait depuis plusieurs jours – un abcès au genou. Le médecin de la brigade le persuada de se rendre sans tarder à l'hôpital pour se faire opérer. Le commandant partit, laissant sa place à Véressovoï.

Aucun bruit de fusillade, aussi lointaine qu'elle pût être, en provenance de nulle part. Pas un avion, allemand ou des nôtres. Comme si la guerre était finie.

La journée n'était pas fraîche, seulement très nuageuse. Peu de lumière.

En attendant, nous quittions nos prétendues positions de combat et les trois groupes convergeaient vers le QG de la brigade.

On s'acheminait doucement vers le crépuscule. Bien qu'engagés désormais en Europe, nous continuions à vivre à l'heure de Moscou. Aussi ne faisait-il jour que vers les neuf heures et la nuit tombait, comme maintenant, vers les six.

Subitement arriva du QG de l'artillerie un radiogramme chiffré : que les trois groupes fassent immédiatement mouvement vers le nord, en direction de Liebstadt, et, une fois sur place, qu'ils occupent des positions de feu à 7-8 kilomètres de la ville, avec un angle directionnel fondamental de 15-00.

Ils nous avaient quand même déplacés ! Et à la nuit tombante. Comme de coutume : quand on a le moins envie de bouger, quand on voudrait passer la nuit sur des positions déjà occupées. Mais c'est le 15-00 qui nous en bouchait un coin. On n'avait pas vu ça de toute la guerre : pointé droit vers l'est ! Fallait que ça arrive. Nous étions habitués aux 40 ou 50-00 degrés vers l'ouest, avec des variables.

Auparavant, le commandant en second était déjà aux prises avec la nécessité de remplacer sans délai les chauffeurs qui s'étaient empoisonnés. De réserve il n'y avait presque pas. Quels volants resteraient inoccupés, quels véhicules allaient être immobilisés ? C'est le premier groupe qui avait le plus souffert, et le lieutenant-colonel Véressovoï demanda au QG de l'Artillerie de le laisser sur place pour combler les vides dans le train des 2e et 3e.

Il n'y avait pas d'autre solution. L'autorisation fut accordée.

S'astreindre à un mouvement de nuit – seuls les premiers instants sont difficiles. Mais, bien vite, les vingt et quatre obusiers de gros calibre furent remorqués par des tracteurs, tous phares impudemment allumés. Les véhicules auxiliaires se mirent en position derrière eux. Tout rugissait à l'entour.

Les deux commandants des groupes de feu, vêtus de courtes pelisses blanches, et le commandant du groupe des renseignements opérationnels, dans sa longue capote, vinrent chez le commandant en second s'informer sur le lieu exact du déploiement et son objectif.

Pour ce qui était de l'objectif, Véressovoï en était réduit à ses propres conjectures. Il n'avait reçu aucune donnée du service de renseignement du QG, et que pouvait-on du reste savoir, avec une percée aussi rapide et la grisaille de la journée de la veille ? « Sept à huit kilomètres à l'est » – c'est loin de tout dire. La carte topographique à l'échelle d'un kilomètre pour deux centimètres reproduit le relief de la région, mais, bien sûr, de façon incomplète ; la route et les chemins vicinaux, mais sans dire lesquels sont ou non bordés d'arbres ; les méandres de la Passargé qui coule du sud vers le nord, des hameaux isolés disséminés dans la région, mais sans doute pas tous, et sans indiquer les sentiers qui y mènent, et ces hameaux, sont-ils habités ou pas ?

Le lieutenant-colonel prit sa décision au jugé : le deuxième groupe, ici, un peu plus au sud ; le troisième là-bas, plus au nord.

On traça des ovales approximatifs.

Le commandant Boïev, debout, tenait sa planchette grande ouverte et scrutait la carte d'un air sombre.

Des centaines et des centaines de fois, au cours de sa carrière militaire, on lui avait ainsi *assigné une mission*. Bien souvent, le dispositif ennemi ne lui était pas communiqué et lui restait ignoré : c'est quand le baroud commence que les choses se précisent intuitivement, comme d'elles-mêmes. Mais, cette fois, de loin, à 25 kilomètres de ce Liebstadt, comment deviner où règne le vide, où se trouve le flanc isolé des troupes allemandes ? Et, surtout, où se trouve notre infanterie ? et si c'est bien celle de la division qui a reçu son affectation ici ? Ils ont sûrement du retard, ils n'ont pas pu rattraper les chars, ils se sont étirés, mais sur combien de kilomètres ? Et où les chercher ?

Cependant, la voix de Véressovoï, ferme comme à l'habitude, ne laissait planer aucun doute. La division d'infanterie, oui, pour sûr, c'est elle qui devait déjà se trouver là-bas. Elle s'est étirée, certainement. Les Allemands sont sous le choc, ils vont sûrement converger vers Königsberg. Le QG de la brigade se fixera à Liebstadt ou dans les environs ; le QG de la division s'établira par là, lui aussi.

Mais quel sens y avait-il à occuper des positions de feu avant minuit ? Dans l'obscurité, les relevés topographiques ne peuvent se faire, si ce n'est de façon approximative, à l'aide de repères locaux, aussi le tir sera-t-il tout aussi approximatif.

Quant aux pièces, elles n'auront pas leurs munitions au complet. L'arrière traîne. Que faire ? Ils vont bien finir par venir.

Boïev jeta un regard par en dessous à Véressovoï. Difficile de s'entendre avec un supérieur, même quand il est proche. Tout comme lui-même doit avoir du mal avec le sien. Le supérieur a toujours raison.

Par une route d'hiver légèrement verglacée, encore s'agissait-il d'arriver indemnes jusqu'à ce Liebstadt ; il y faudrait bien trois heures. Derrière les nuages, la lune devait déjà briller. Au moins, il ne ferait pas noir comme dans un four.

Les tracteurs rugissaient en chœur. Toute la colonne, avec ses dizaines de phares projetant leurs faisceaux, quittait le village par la grand'route.

Il fallut près d'une demi-heure pour s'en extraire. Puis la rumeur s'éloigna.

4

Mais quel regain d'ardeur et vigueur nous vient de la Victoire !

Et de ce silence, de ce calme plat, eux aussi signes de victoire.

Et de cette richesse allemande encore chaude, abandonnée un peu partout. Tu n'as qu'à la cueillir et préparer des colis pour la famille : les soldats ont droit à cinq kilos, les officiers à dix, les généraux à quarante. Comment choisir le meilleur, ne pas se tromper ? Et toi qui es sur place, tu n'as qu'à manger et boire jusqu'à n'en plus pouvoir.

Chaque demeure où tu prends tes quartiers est une merveille. Chaque nuit passée – une fête.

Le commissaire de la brigade, le lieutenant-colonel Vyjlevski, s'est installé dans la maison la plus en vue du village. À l'étage du bas, il y a non pas une chambre, mais un grand salon éclairé au plafond et sur les murs par une douzaine de lampes et d'appliques. Le courant vient bien de quelque part, il n'a pas été coupé, n'est-ce pas aussi miraculeux ? La radio d'ici (nous l'emporterons) diffuse sur moyennes fréquences de la musique de danse.

Quand Véressovoï entra faire son rapport, Vyjlevski, avec ses fortes épaules, sa grosse tête aux oreilles écartées, était assis, profondément enfoncé dans un divan moelleux près d'une table ovale, et son visage rose était béat. (Ce n'est pas un képi militaire, mais un chapeau à larges bords qui siérait à cette tête-là.)

Sur le même divan, à ses côtés, se trouvait le représentant du Smersch pour la brigade, le capitaine Tarassov, toujours prompt à comprendre, à noter, à aller voir. Une figure très décidée.

Les deux battants d'une porte étaient largement ouverts sur la salle à manger où l'on servait le dîner, deux-trois silhouettes féminines y apparurent, l'une d'elles dans une robe d'un bleu éclatant, sans doute une Allemande. L'autre était du département de la Police politique, elle s'était défait de son uniforme militaire, les armoires prussiennes débordant de belles toilettes. On sentait la bonne odeur d'un repas chaud.

Véressovoï était venu là dans quel but ? En l'absence du commandant en titre de la brigade, il faisait officiellement fonction de supérieur et pouvait prendre seul toute décision à venir. Mais, ayant servi dans l'armée une quinzaine d'années, il avait bien retenu qu'il ne fallait rien décider sans prendre l'avis des instructeurs politiques, qu'il était bon de toujours connaître leurs désirs et d'éviter les démêlés. Au fait, c'était à propos du déplacement du QG – ne serait-il pas temps de lever le camp ?

Mais, de toute évidence, il ne pouvait en être question ! Avec le dîner et ces autres agréments en perspective… On ne peut exiger pareil sacrifice d'êtres de chair et d'os.

Le commissaire écoutait la musique, les yeux mi-clos. Il répondit avec bienveillance :

« Allons, Kostia, comment partir maintenant ? En pleine nuit, qu'irions-nous faire ? où nous arrêterions-nous ? Demain, nous nous lèverons pour partir dès la première heure. »

L'*oper*[1], toujours sûr de chacun de ses gestes, approuva d'un signe de tête dépourvu d'ambiguïté.

Véressovoï ne répliqua pas, mais n'acquiesça pas non plus. Il se tenait comme une souche.

Vyjlevski dit alors pour le fléchir :

« Viens donc dîner avec nous. D'ici une vingtaine de minutes. »

Véressovoï réfléchissait. Lui-même n'avait guère envie de partir : rien comme ces nuits prussiennes pour vous ramollir. Et puis, à bien considérer : le premier groupe reste incomplet, on ne peut l'abandonner comme ça à son sort.

Mais le risque de se faire passer un savon ?

Tarassov trouva le bon conseil : vous n'avez qu'à suspendre les liaisons avec l'Armée et avec les autres groupes. On va croire que nous sommes pour ainsi dire déjà en route, qu'on fait mouvement.

Un *smerschevets*[2] qui vous conseille peut ensuite tout aussi bien vous dénoncer ? Bah, partir en pleine nuit, c'est vraiment au-dessus de nos forces !

5

Toute la soirée une neige fine tomba, saupoudrant la route légèrement verglacée. On allait lentement, non seulement à cause du givre, mais pour que les chevaux ne se laissent pas trop distancer.

1. Délégué opérationnel, représentant de la police politique. (*NdT.*)
2. Représentant du Smersch. *(NdT.)*

À Liebstadt, on se fit ses adieux, on s'embrassa avec le commandant du 3e groupe qui se dirigeait plus au nord.

Chemin faisant, Boïev consultait la carte à l'aide d'une lampe de poche : il devait traverser la Passargué d'ouest en est, puis faire un kilomètre et demi par un chemin vicinal et disposer ses bouches à feu, apparemment derrière le village d'Adlig Schwenkitten, de façon à ce qu'en direction de l'est il restât jusqu'à la forêt voisine quelque six cents mètres de vue et qu'il ne fût point dangereux de tirer à angle bas.

Le pont sur la Passargué se révéla être en béton armé, intact, sans même qu'il fût nécessaire de le tester. Côté occidental, la rive gauche était escarpée, une pente en descendait vers le pont.

On laissa sur place un orienteur pour les traîneaux à chevaux. Ni bêtes ni chariots n'étaient prévus par le règlement pour les unités motorisées, et le haut-commandement était persuadé qu'elles n'en possédaient pas. Mais, depuis l'offensive sur Orel, à mesure que nous avancions, toutes les batteries avaient raflé des chevaux de toutes sortes, errants ou capturés à l'ennemi, celui-ci sans maître, cet autre pris à son maître, et, à partir de là, avaient fait un convoi de chariots supplémentaire. Il suffit de placer à la tête d'un tel convoi un sergent expérimenté, et il saura toujours retrouver la batterie, la rattraper. Les tracteurs Allis-Willmers sont à coup sûr excellents, mais, à eux seuls, ils ne font pas l'affaire. Bientôt, en particulier peu avant de pénétrer en Allemagne, au lieu de nos médiocres canassons, on prendrait de solides chevaux de trait allemands, ces athlètes de la race chevaline. En hiver, les traîneaux remplaçaient les chariots. Là, sans traîneaux, pour aller des postes de combat aux postes d'observation sur cette neige fraîche, on en aurait bavé, à tout coltiner sur notre dos.

Les chutes de neige se sont faites plus rares, mais il en est tombé, à notre vive surprise, jusqu'au genou. Les housses des canons se sont coiffées de bonnets blancs.

Nulle part, pas âme qui vive. C'est le vide. Pas une seule trace non plus.

En usant modérément des phares, nous suivons une route bordée d'arbres, une sorte d'allée. Là non plus, personne. Voilà : Adlig. Des constructions qui ne ressemblent pas aux nôtres. Toutes les habitations sont plongées dans le noir, aucune n'est éclairée.

On envoie voir ce qui se passe à l'intérieur des maisons. Dans le village, toutes sont vides, mais chauffées. À peine quelques heures que les habitants les ont quittées.

Ils ne sont donc pas bien loin. Que les jeunes paysannes s'enfuient en forêt, passe encore, mais là, c'est tout le monde.

On est arrivé sans problème à disposer jusqu'à huit canons, néanmoins pas douze, ce serait d'ailleurs absurde. Boïev donne l'ordre au chef de batterie Kassianov de placer sa 6e à quelque huit cents mètres plus au sud, un peu de biais, en retrait, à proximité du village de Klein Schwenkitten.

Mais toujours personne. À Liebstadt on ne s'en est guère préoccupé, mais, depuis Liebstadt, on n'a pas aperçu un seul être vivant. Et où est donc passée l'infanterie ? De nos frères slaves, strictement aucune nouvelle.

On finit par n'y plus rien comprendre : si nous installons les pièces par ici, ne sera-ce pas trop loin des Allemands ? Ou, au contraire, ne nous sommes-nous pas trop avancés ? Et s'ils s'étaient retranchés dans le bosquet voisin ? En attendant, il faut y envoyer des éclaireurs, vers ce petit bois.

Il n'y avait pas grand-chose à faire. Les tracteurs rugissaient. La 6e batterie cherchait par une route latérale à gagner Klein. La 4e et la 5e se disposèrent côte à côte, en un seul front. Les servants se rassemblaient autour de leur pièce respective pour passer du dispositif de campagne au dispositif de combat, et sortir les obus. (Bien sûr, ils lorgnaient déjà vers les maisonnettes voisines, pour un moment de détente ou un roupillon.)

La maisonnette a l'air d'un jouet, vraiment pas d'une isba paysanne. Un mobilier de ville : tout est bien disposé, bien accroché. Pas d'électricité, elle a été coupée, mais on a dégotté deux lampes à pétrole qu'on a placées sur la table. Boïev scrute la carte. La carte, elle en dit toujours long. Même dans les cas les plus désespérés, si on interroge la carte, on arrive à y voir clair, à deviner.

Boïev n'avait l'intention de presser personne, de toute façon il fallait attendre les traîneaux. Il lui était déjà arrivé de se trouver ainsi dans le noir le plus complet, mais c'était dans son propre pays.

Le radio a déjà établi la liaison avec le QG de la brigade. Réponse : Nous partons bientôt. (Ils ne sont donc pas encore partis ? !) Des informations, des dispositions ? Pour le moment, aucune.

Tout à coup, des pas dans l'entrée ? Dans une capote d'officier bien coupée, le chef de la batterie de repérage, qui se trouve opérationnellement sous les ordres de Boïev. Un vieil ami, depuis l'offensive sur Orel ; un mathématicien. Aussitôt, il déploie sa planchette avec la carte sous la lampe. Il pense : le chemin vicinal qui va vers le nord-est, vers Ditriechsdorf, à deux kilomètres et quelques, on y installera le central, il faut y faire aboutir la liaison.

Boïev consulte la carte. Les cartes topographiques, il les lit plus vite et plus sûrement qu'un livre.

« Oui, fait-il, nous serons côte à côte. Moi, un peu plus à droite. Je vous donnerai la liaison. Et les topographes, où seront-ils ?

– Une section se trouve avec moi. Mais, la nuit, de quelles coordonnées peut-on disposer ? Ils feront des relevés approximatifs. Et viendront vous voir. »

Et le tir sera à l'avenant : approximatif.

Il est pressé, pas le temps de discuter. Ils se tapent amicalement dans les mains.

« À bientôt ? »

Il a l'impression que tout n'a pas été dit. Il aurait fallu donner des instructions aux chefs de batteries, mais eux aussi sont occupés. Et puis, il faut attendre les chevaux.

Boïev s'étend sur le divan : sur un lit avec des bottes, ça la fout mal ; mais, sans tes bottes, tu n'es plus un soldat.

6

Pour certains la guerre avait commencé en 41 ; pour Boïev, depuis l'affaire de Hassan, en 38. Puis ç'avait été la guerre finlandaise. Il en était à sa septième année de guerre, sans interruption. Par deux fois, il avait été évacué pour blessures, mais ç'avait été du pareil au même, il n'avait pas reçu une seule permission pour rejoindre son pays natal. Ça faisait plus de dix ans qu'il n'était pas revenu ni dans sa steppe d'Ichim, avec ses centaines de lacs miroitants et son abondant gibier d'eau, ni chez sa sœur, à Pétropavlovsk.

Ce n'est qu'en entrant dans l'armée que Pavel Boïev s'était senti vivre. Que pouvait offrir la vie en liberté ? La Sibérie méridionale se relevait alors péniblement de la guerre civile, de l'insurrection matée d'Ichim[1]. À Pétropavlovsk, ici et là, palissades et barrières ont été démontées, incendiées – ou, intactes, elles sont toutes de guingois. Les carreaux cassés des fenêtres colmatés par des chiffons maintenus à l'aide de papier collant. Le feutre des portes capitonnées pendouille en touffes ou bien a été remplacé par de la paille ou de la filasse. Le pire, c'est le logement ; il a dû habiter chez sa sœur mariée, Praskovie. Guère mieux pour se chausser : on a beau rafistoler les semelles, les orteils percent au travers. Pire encore avec la nourriture : cette ration de pain qu'on vous délivre contre tickets n'est rien pour un homme normalement constitué… Partout il faut faire la queue : là dès cinq heures du matin, ailleurs c'est toute une bande qui s'agglutine sans même demander ce qu'on va délivrer. Mais si les gens font la queue, c'est qu'ils ont entendu parler de quelque chose… Et que de mendiants dans les rues !

Or, dans l'armée, on vous en met au déjeuner, du bortsch avec de la viande, et du pain à satiété ! L'uniforme n'est pas toujours du

1. Révolte paysanne provoquée par les réquisitions forcées et réprimée dans le sang (février-printemps 1921). *(NdT.)*

neuf, mais en bon état. Les combattants de l'armée sont les enfants chéris du peuple. Les pattes de col ? framboise chez les fantassins, noires chez les artilleurs, bleues dans la cavalerie, sans compter d'autres couleurs encore (rouges pour le Guépéou). Des règles strictes pour les exercices, les formations, les salutations, les marches, et c'est toute ta vie qui reçoit un sens : vivre c'est servir, et personne ici n'est de trop. Il avait cherché à devancer l'appel.

Il n'avait goût à rien, si ce n'est à la chose militaire, il ne s'était même pas marié, et voilà que la trompette l'appelle à participer à cette guerre.

À l'armée, Pavel avait compris qu'il était un soldat-né, que son unité était pour lui son vrai chez-soi. Que l'ordonnance de la guerre – s'exercer au tir, lever le camp, bouger avec les cartes et instructions qui changent... – c'était ça, la vie. En 41, on avait abandonné à l'ennemi canons et convois, mais, par la suite, cela ne s'était plus produit, à moins que la pièce n'eût été atteinte de plein fouet ou que le tracteur eût sauté sur une mine. La guerre, c'est simplement un travail sans jours fériés, sans congés, les yeux toujours dans le stéréoscope. Le groupe d'armée, c'est ta famille ; les officiers, tes frères ; les soldats, tes fistons, et chacun t'est particulièrement cher. Il s'était habitué aux inconvénients permanents dans le quotidien, à la chance incertaine, aucun retournement de situation ne pouvait plus ni l'étonner ni l'effrayer. Irrémédiablement, *il avait oublié d'avoir peur*. Et si l'occasion se présentait de demander une tâche supplémentaire, voire une plus dangereuse, il était toujours preneur. Sous les bombardements les plus rudes comme sous les tirs les plus nourris, Boïev ne se préparait pas à mourir, son seul souci était de bien jauger l'opération confiée et de l'accomplir au mieux.

Il rouvrit les yeux (il ne dormait pas). Toplev entra :

« Les chevaux nous ont rejoints. »

Boïev posa les pieds par terre.

Toplev n'est encore qu'un adolescent, trop frêle pour être commandant en second. Mais il n'avait pas voulu non plus sacrifier un chef de batterie pour le placer au QG, aussi avait-il choisi le chef des renseignements.

« Appelle Boronets. »

Il est solide et futé, l'adjudant-chef du groupe Boronets, ses yeux pétillent d'intelligence. Il y a déjà pensé de lui-même : débarrasser les traîneaux de tout le surplus, trophées et autre pacotille. Trois traîneaux à charger pour les trois postes d'observation – rouleaux de fils, émetteurs, stéréolunettes, grenades, armes, sacs de l'administration des sections, et puis vivres.

« Passé Liebstadt, qui as-tu vu sur la route ? L'infanterie ? »

Boronets se contenta de clapper en secouant sa grosse tête ronde :

« Per-sonne. »

Où donc est-elle passée ? A-t-elle vraiment disparu ?

Boïev passa au-dehors. La sombre nuit blanchie par la neige s'épaississait. Un silence pesant régnait. Total. D'en haut, les flocons ne tombaient plus.

Les trois chefs de batterie étaient tous là à attendre les ordres. L'un restera auprès du chef du groupe, ce sera Miakgov, comme le plus souvent. Prochtchenkov et Kassianov iront l'un sur la gauche, l'autre sur la droite ; ils rejoindront leurs postes d'observation à un kilomètre de distance, et la liaison se fera avec le chef de groupe par les premières lignes.

Ils en ont déjà pas mal bavé, ils ont de l'expérience, les gars. Le plus important en ce moment, c'est de choisir judicieusement les emplacements des postes d'observation. Auparavant : comprendre à quelle profondeur l'on peut et doit s'incruster. À avancer trop peu, tu ne seras d'aucune utilité ; à trop avancer, il ne serait pas étonnant que tu te fasses prendre par les Allemands.

« Comprenez bien, les gars : un tel silence, un tel vide, ce pourrait être quelque chose de très, très sérieux. »

À Toplev :

« Guénia, cherche donc l'infanterie, que tous tes éclaireurs essaient de la localiser. Si tu la trouves, que le commandant du régiment tente de me joindre. Là, vraiment, c'est un peu trop... Interroge sans relâche la brigade pour savoir où nous en sommes. Une fois que j'aurai choisi mon poste d'observation, je me mettrai en rapport avec toi. »

Et il sauta dans le premier traîneau.

7

En l'absence du chef de batterie, l'officier du grade le plus élevé au sein de la 6e était le responsable de la première section, le lieutenant-chef Kandalintsev. Il était le plus ancien en âge de tous les chefs de section des diverses batteries : pas loin de la quarantaine. Une bonne taille, mais rien d'une fière allure élancée, les épaules pas assez découplées, la tête chenue avant l'heure, et un sens pondéré du commandement – les autres chefs de section l'appelaient « Petit père ».

Quant à Oleg Goussev, s'il avait grandi parmi les voyous des villes, il avait trouvé auprès de Kandalintsev d'utiles leçons de vie qu'il n'aurait reçues nulle part ailleurs.

Avant qu'on eût disposé les quatre pièces en ordre de combat, Kandalintsev donna l'instruction de placer, cinquante mètres en avant, des guetteurs en éventail. Une fois que les tracteurs eurent quitté la ligne de feu et se furent tus, il permit aux servants de se relayer aux canons. À Goussev il montra, non loin derrière, une grange en dur, et dit :

« En attendant, allons-y, accordons du repos à nos vieux os. »

En déplaçant légèrement la batterie, on aurait pu l'installer plus près de ces gîtes confortables, mais, pour le tir, ça valait mieux.

Les servants relayés ne tardèrent pas à y aller pour dormir. Goussev pénétra à son tour dans deux des habitations et essaya les récepteurs de radio dans l'espoir que l'un d'eux fût sur piles et se mît à parler, mais non, ils restaient obstinément muets. Des postes de radio dans les maisons, voilà qui était nouveau, on s'y faisait non sans crainte : dans toute l'Union soviétique et pour toute la durée de la guerre, les postes avaient été confisqués, et celui qui ne livrait pas le sien risquait la prison. Alors que là...

Oleg aurait bien voulu en savoir davantage sur notre offensive, au moins quelques détails. Les récepteurs de la batterie ne captaient qu'une de nos stations émettant sur grandes ondes, et elle ne diffusait pas de communiqués sur la percée.

Kandalintsev avait été rappelé de la réserve en 41, il avait fait deux ans de guerre très durs sur le front de Leningrad ; blessé, il avait été envoyé dans cette brigade depuis deux ans déjà.

Quand l'occasion se présentait de se reposer un brin, Kandalintsev ne la laissait jamais passer.

Ils allèrent dans la grange, s'allongèrent côte à côte dans le foin.

Quel silence à l'entour...

« Et si les Allemands s'étaient comme évanouis, Pavel Pétrovitch ? Isolés, rejetés, s'ils étaient allés s'agglutiner autour de Königsberg ? Et si c'était déjà la fin de la guerre ? »

Pourtant, la guerre n'avait pas encore lassé Oleg, il en aurait plutôt redemandé. Pour se distinguer.

« Bof ! » fit Kandalintsev en traînaillant.

Il se taisait, mais sans s'endormir encore.

Les jeunes aiment bien rêvasser :

« On nous dit qu'après la guerre, tout va changer chez nous en mieux. Ce sera la liberté. On va pouvoir vivre ! Et on dit que les kolkhozes seront dissous ? »

Lui, personnellement, n'avait rien à en cirer, des kolkhozes, mais toute l'armée combattante était pleine de ces espoirs-là. Et, de fait, pourquoi n'aurait-on pas une vie agréable, libre et sans contrainte ?

Kandalintsev savait tout ça mieux que tout le monde, ce n'est pas pour rien qu'il avait connu toutes les épurations du parti. Et, d'une voix fatiguée, sans agressivité :

« Non, Oleg, rien ne changera chez nous. Attention à ce que ça n'aille pas pire ! Les kolkhozes ? Jamais on ne les supprimera, ils sont trop utiles à l'État. Ne perds pas ton temps, va, dormons plutôt un peu. »

8

Oui, la guerre est un lourd fardeau quotidien sur lequel viennent se greffer des journées explosives où il est si facile de laisser sa peau ou de se vider de son sang sans que personne vienne vous ramasser ! Cependant, jamais on n'y a le cœur aussi accablé que pouvait l'avoir un paisible intellectuel quand il travaillait dans la campagne ruinée des années trente, trente-et-un. Quand, autour, se déchaînait une peste fomentée par pure méchanceté, que l'on voyait les yeux des agonisants, que l'on entendait les hurlements des paysannes et les pleurs des enfants tout en étant soi-même, par cette peste, semblait-il, épargné sans pour autant oser aider qui que ce fût…

C'est ce qui était arrivé à Pavel Pétrovitch quand, jeune agronome diplômé, il avait reçu la direction d'une station de sélection de légumes dans la région de Voronèje. Il prenait soin des pousses dans les serres quand, tout à côté, de jeunes pousses humaines de deux ans, voire de trois mois, étaient expédiées, dans un gel à pierre fendre, par traîneaux entiers vers des destinations lointaines, pour y mourir. On se considère alors soi-même comme le dernier des scélérats. Et l'on sait à part soi, sans s'être confié à personne, que les paysans, dans leur opposition au kolkhoze, sabotent eux-mêmes leur matériel. Que les meilleures graines destinées aux semailles, ils se les font moudre pour les manger. Qu'ils abattent le bétail sans se cacher, et rien à faire pour les en dissuader. Ensuite, les activistes viennent râcler ce qu'il reste de grain dans les silos, rassemblent un « convoi rouge » et le dirigent vers la ville : « La campagne envoie ses surplus » – et là-bas, en ville, ils font précéder le dit convoi d'une fanfare !

De ces mois, de ces années-là, Pavel s'est mis à percevoir le monde qui l'entourait de façon étriquée, incertaine, comme si les extrémités de tous ses nerfs s'étaient nécrosées, comme si tout en lui s'était obnubilé : et sa vue, et son rire, et son odorat, et son toucher, à jamais, sans retour. Il vivait de la sorte, dans la crainte permanente que le comité de parti de son district ne s'en prît à lui, bon prétexte pour chasser de son emploi un homme de peu de confiance, un « sans-parti ». Et il s'était fait houspiller à plusieurs reprises, et de ses doigts gourds il avait signé une demande d'adhésion au parti, et il avait passé des heures, les oreilles hébétées, aux réunions de parti. Que de dispositions sans queue ni tête avaient tourneboulé la tête et l'âme des gens ! – tiens, à commencer par la suppression de l'ancienne semaine, les lundi-mercredi-vendredi-dimanche[1] de toute éternité, pour qu'on ne compte plus comme ça, mais avec cinq jours consécutifs, tous travaillant ou étudiant à des jours différents, si bien qu'il n'était plus une journée où l'on pût se retrouver avec sa femme et ses gosses. Ainsi avaient passé sur lui, ininterrompues, les chenilles de la vie comme se fichent dans la terre les lames obliques des tracks.

Et c'est avec des sens définitivement émoussés que Pavel Pétrovitch réagit à son départ pour le front, en août 41, en qualité de sous-lieutenant de réserve. Et c'est avec la même absence de sentiments, comme étranger à soi-même et à son propre corps, qu'il avait fait la guerre depuis bientôt quatre ans, qu'il était resté étendu sur le champ de bataille aux abords de Leningrad, grièvement atteint, en attendant qu'on l'emmenât à l'infirmerie de la batterie, puis à l'hôpital. De même qu'avant-guerre n'importe quel goujat du comité de district du parti pouvait le sermonner dans les affaires de sélection, de même, à la guerre, il ne s'étonnait jamais d'aucune disposition stupide.

La guerre touche à présent à sa fin, il semble y avoir survécu. Mais, à ce propos non plus, il n'éprouve rien : il se peut encore qu'il soit tué, il reste du temps. N'arrive-t-il pas à certains de mourir dans les derniers mois ?

---

1. Allusion à la semaine contractée de cinq jours introduite par le pouvoir soviétique dans les années 1930 dans le but d'abolir le dimanche. *(NdT.)*

Un seul sentiment en lui ne s'est pas émoussé : pour sa jeune femme, Alla. Elle lui manque.

Allons bon, ce sera comme Dieu voudra.

9

Les traîneaux glissaient sans grincer dans la neige molle. De temps à autre, les chevaux s'ébrouaient.

La nuit s'éclaircissait : la lune filtrait à travers les nuages, les nuages qui se distendaient. On distinguait ici ce qui semblait être un bosquet, là un champ nu.

Masquant le maigre faisceau de sa lampe de poche avec la manche de sa courte pelisse, Boïev interrogeait la carte, cherchant à définir, au gré des méandres de leur chemin de campagne enneigé, où laisser les chefs de batterie, chacun à son poste d'observation, sur cette étendue de neige fraîche.

Apparemment, ce serait ici.

Kassianov et Protchenkov sautèrent à bas des traîneaux et firent quelques pas vers lui.

« Ne vous éloignez pas trop de moi, pas plus d'un kilomètre. S'il est peu probable qu'on ait à travailler, à coup sûr on va nous déplacer au petit matin. Quand même, à tout hasard, creusez un peu. »

Ils se séparent. Les chevaux avancent d'un bon pas.

Le terrain n'est guère accidenté, on a du mal, par ici, à jeter son dévolu sur un endroit tant soit peu élevé. Si on ne nous déplace pas avant l'aube, il va falloir trouver mieux.

Et, comme auparavant, pas un bruit. Rien de noir ne bouge non plus dans le champ.

Celui que tu aimes bien, celui-là trinque. Il fait appel au débrouillard Ostankine :

« Jeannot, prends un soldat, avance d'un kilomètre pour examiner le relief. Et tâche de trouver quelqu'un. Munis-toi de grenades. »

Ostankine, en chuintant comme font les *viatichi*[1] :

« À cht' heure, si t'aperchois de loin quelqu'un dans un champ, mieux vaut pas le héler. "Qui va là ?" : tu te fais arroser au fusil-mitrailleur. Ou, comme par un fait exprès, "*Wer ist da ?*", et c'est les nôtres qui t'arrosent. »

Tous deux s'en vont.

À présent, pioches et pelles se mettent en action. La couche supérieure est dure comme fer – comme pour les fosses de ce matin. On conduit les chevaux derrière les buissons. Le radio appelle de son émetteur :

« Balkhach, Balkhach, ici Omsk. Donne le douze, c'est le dix qui demande. »

Le douze – Toplev – fait écho :

« Avez-vous trouvé quelqu'un de la biffe ?

– Non, pas de biffins, personne », fait une voix très soucieuse.

Allons bon. Toujours pas d'infanterie autour d'Adlig, pas plus que par chez nous. Où se trouve-t-elle donc ?

« Et que dit Oural ?

– Oural dit de chercher. Vous cherchez mal.

– Qui dit ça ?

– Le 05. »

C'est le chef des renseignements de la brigade. Ce serait à lui de venir faire ses recherches par ici, au lieu de rester au QG de la brigade, à plus de 30 kilomètres d'ici. Mais ils n'auraient donc pas encore bougé ? Quand arriveront-ils ?

Creuser n'était pas une partie de plaisir.

Bon, trois petites tranchées, mais pas d'une longueur suffisante. De toute façon, rien pour les couvrir.

Le rapide Ostankine revient plus tôt qu'attendu :

« Cam'rade commandant, à un demi-kilomètre on tombe sur un vallon. Semble-t-il, il nous contourne par la droite. Moi, j'ai pris

1. Habitants de la région de Viatka, au nord-est de la Russie. *(NdT.)*

par la gauche, en biais. Je vois là des silhouettes qui s'affairent. On a eu du mal à se reconnaître : l'un s'est mis à jurer, sa bobine s'était bloquée – et là, j'ai compris que c'étaient des nôtres.

– Qui donc ?

– Le poste de repérage de droite. Pour les joindre, une seule bobine suffira en cas de liaison directe avec le central. C'est correct ?

– Alors, posons la ligne. Que ton compagnon la tire.

– Oui, mais qui allons-nous viser ? Avec quelles coordonnées ? Elles sont toutes au jugé.

– Et tu n'as trouvé personne d'autre ? Pas d'infanterie ?

– Aucune trace dans la neige.

– Ouais… Le douze, le douze, cherche les biffins ! Envoie du monde dans tous les coins ! »

10

Maintenant on y voit un peu mieux : le bosquet se trouve à gauche, en avant d'Adlig ; à droite se dessine la tache sombre d'une forêt plus étendue, sans doute se trouve-t-elle au-delà du grand vallon.

Le QG de la brigade a cessé de répondre à l'émetteur. C'est bon, ça veut dire qu'ils sont partis, mais sans nous en avertir.

Toplev est très agité. Il avait souvent les nerfs à vif. Il faisait de son mieux pour que tout chez lui soit en ordre, que personne ne puisse rien lui reprocher. Il ne tolérait pas dans son service la moindre faille, la moindre lacune avant même que le commandement ne les remarque et ne s'emporte. Mais, souvent, on ne sait pas trop ce qu'il convient de faire…

Là, il ne tient pas en place. Tantôt il va vérifier la chaîne des avant-postes, tantôt les pièces des 4e et 5e batteries. Dans chaque peloton de servants, il en reste deux de garde, les autres se sont donc égaillés dans les habitations ? Ils dînent ? C'est qu'il y a de quoi, dans les maisons. Ramassent-ils du saint-frusquin ? Il n'en manque pas non plus, et dans les remorques de la batterie on lui trouvera de la place (les quelques vieilles gens demeurées au village n'osent piper mot).

Un vrai malheur, que d'avoir autorisé à envoyer des colis d'Allemagne ! Désormais, chaque soldat a son sac bourré. Et puis, il ne sait quoi choisir : ce qu'il a pris d'abord, il le jette, car il a trouvé mieux pour ses cinq kilos. Toplev, tout en les comprenant, n'aime pas beaucoup ces pratiques, car elles entravent l'action.

Tantôt il va jusqu'au véhicule du QG du groupe, à la lisière de Klein Schwenkitten. Là, tout près, dans une maisonnette, il y a un lit équipé d'un matelas de plumes, étends-toi et dors un bon coup, il est déjà minuit passé. Mais s'endormir… ?

Derrière les nuages, il fait de plus en plus clair. Un silence paisible, comme s'il n'y avait pas la guerre.

Mais voilà : si ça se mettait à ramper du côté est, comment faire ? Nos obus pèsent quarante kilos ; à les présenter et à recharger, d'un tir à l'autre, il faut pas moins d'une minute. Et on n'aura pas le temps de déguerpir : un obusier, ça fait dans les huit tonnes. Ah, si seulement d'autres tubes se faisaient voir, des canons du groupe, des antichars ! Mais rien ni personne…

Il va vers la voiture, à l'émetteur. Il rend compte au commandant : la liaison avec Oural est interrompue. Pas de biffins non plus : nous les cherchons, j'ai envoyé les chercher partout.

Mais voici qu'un des sergents envoyés est précisément de retour : lui, a bien fait son travail. Sur la route par laquelle on est venus, un léger bruit. Une Willis. Jusqu'au dernier moment, on n'arrive pas à distinguer ni quoi ni qu'est-ce. Quelqu'un descend lestement de la Willis. C'est le commandant Balouïev.

Toplev lui rapporte : nous sommes les positions de feu du groupe d'artillerie lourde.

Le commandant a une voix juvénile mais ferme. Et, d'un ton enjoué :

« Allons bon ! D'artillerie lourde ? Je ne l'aurais jamais cru ! »

Ils pénètrent dans la maison, à la lumière. Le commandant est plutôt maigre, rasé de près. Mais, on le voit, il est las.

« C'est même trop beau ! Il nous faudrait quelque chose de plus léger. »

Il appert qu'il est le commandant du régiment, précisément de l'unité d'infanterie que l'on recherchait.

C'est au tour de Toplev de se réjouir :

« Parfait ! Maintenant, tout va rentrer dans l'ordre ! »

Pas vraiment. Pour que le premier bataillon arrive jusqu'ici, il faudra bien la moitié de la nuit.

Ils s'asseyent près de la lampe à pétrole pour consulter la carte.

Toplev lui montre où sont nos postes d'observation. Un peu plus loin par là-bas, à Dietrichshof, la batterie de repérage par le son. En attendant, aucune autre unité n'a été décelée.

Le commandant, avec son calot de travers sur ses cheveux de lin, darde ses yeux avides sur la carte.

Non, il ne ressent aucune gaieté.

Il scrute la carte sans pouvoir s'en détacher. Sans même prendre de crayon, il trace du doigt une ligne présumée, là, un peu en avant des postes d'observation, où disposer l'infanterie.

Il déploie la planchette, rédige l'ordre. Il le tend au sergent-chef qui l'accompagne.

« Tu le remettras au commandant en second. Prends la voiture. Si tu trouves en cours de route quelque engin à roues, tâche de le ramener. Si seulement on pouvait transporter vers l'avant ne serait-ce qu'une compagnie ! »

Il garde avec lui deux éclaireurs.

« Je vais aller voir votre chef de groupe. »

Par déférence, Toplev escorte le commandant jusqu'à Adlig. Et, à la sortie du bourg :

« Suivez droit l'ornière des traîneaux. »

Elle se voit bien sous les pieds.

Il fait de plus en plus clair. La lune apparaît.

11

Après sa blessure au poumon reçue sur la Soge, le commandant Balouïev avait été envoyé pour un an suivre des cours à l'Académie Frounzé[1]. Il risquait de n'avoir plus à faire la guerre, mais non, le temps ne lui avait pas fait défaut, et il était arrivé à l'état-major du Second Front de Biélorussie juste pour l'offensive de janvier.

De là au QG de l'armée. De là au QG du corps. Et de là au QG de la division.

Il ne l'a trouvée que cet après-midi – non, à bien considérer, c'était déjà hier.

Or, chez eux, la veille, le commandant du régiment venait d'être tué, le troisième depuis l'automne. Et voilà qu'il prend sa place, l'ordre sera signé plus tard.

Avec le général commandant la division, il n'a pu parler que quelque cinq minutes. Mais, à un officier expérimenté, cela suffit : c'est à peine si l'autre sait lire une carte topographique, on le remarque à deux lapsus et au mouvement de ses doigts. Comprend-il mieux l'ensemble de la situation ? Il baragouine de façon confuse. Chez nous, n'arrive-t-il pas qu'on fasse général un peu n'importe qui ? De plus, il y a un quota national à respecter pour les cadres, une égale représentation des minorités nationales.

Après le bel agencement académique d'une guerre toute théorique, plonger en plein bourbier : il y a de quoi perdre la boule. Tu n'en as plus l'habitude, n'importe, ramasse-toi !

Balouïev a eu néanmoins le temps de comprendre un peu la situation au département stratégique du QG de l'armée. En cette année 44, nos baroudeurs ont fait un bond en avant si irrésistible qu'ils en sont devenus insolents. D'une insolence impeccable, belle et triomphale. C'est avec elle qu'ils ont pénétré en Prusse. Les arrières

1. Académie militaire portant le nom du général Mikhaïl Frounzé (1885-1925) commandant des forces bolcheviques pendant la guerre civile. *(NdT.)*

ne suivaient pas, l'infanterie non plus, mais la 5e division motorisée avance, avance, et voilà qu'elle atteint la Baltique. L'effet est envoûtant, vertigineux !

Mais, en contrepartie, l'envergure d'une telle percée : une seule division, au lieu des trois à cinq kilomètres de front, doit s'en payer d'un coup quarante.

Alors, essaie d'étirer ton régiment, essaie de demander au moins deux canons de 76 !

Mais c'est cela, une armée en mouvement : une construction variable – ou bien sous vingt-quatre heures elle aura acquis une solidité de marbre, ou bien en deux heures elle va commencer à se dissoudre comme une ombre.

Mais ce n'est pas pour rien que tu es officier de carrière, que tu as fait des études à l'Académie.

Le plaisir du guerrier, il est dans cette âpreté, cette extrémité, ce furieux imprévu.

12

Il fait toujours plus clair, et, sur le coup d'une heure, le ciel se déchire. La lune en son dernier quartier ne tiendra pas toute la nuit. Sa corne gauche rognée, déjà orientée vers l'ouest, elle vogue majestueusement derrière les nuages, tantôt bien visible, tantôt voilée.

Il fait plus clair, oui, mais à la jumelle on ne peut distinguer grand'chose dans le champ de neige, devant soi, si ce n'est qu'il semble vide jusqu'au vallon, voire au-delà. Et puis, çà ou là, il est entrecoupé par des bosquets où des troupes pourraient se grouper.

… Dès son jeune âge, la lune a exercé sur Pavel Boïev un pouvoir particulier, et l'a gardé à jamais. Elle contraignait déjà l'adolescent à s'arrêter ou à s'asseoir ou à s'étendre pour la contempler. En songeant à la vie qu'il pourrait avoir, ou à sa promise – qui elle sera ?

Il avait beau être fort et musclé, le premier des gymnastes, les filles n'allaient pas volontiers vers lui. Il ruminait : d'où, ces échecs ? Bon, il n'est pas un prix de beauté, les lèvres et le nez sont chez lui mal tracés, mais la beauté est-elle nécessaire aux hommes ? La beauté, c'est pour les femmes, jusqu'à la dernière. Pavel face à chaque femme se pâmait, tombait en admiration devant cette tendresse, cette fragilité, craignait – pas même de la briser, non, mais de la brûler de son souffle. Pour toutes ces raisons ou pour d'autres, toujours est-il qu'il ne s'était pas marié jusqu'à la guerre. (Seule Tania, la fille de salle à l'hôpital, devait lui expliquer plus tard : cher imbécile, la seule chose que nous aimions, c'est qu'on nous subjugue !)

... Elle éclaire déjà par-derrière, la lune. Il se retourne pour la regarder. Elle s'embrume à nouveau.

Et toujours pas un seul bruit, de nulle part. On les a bien culbutés, les Allemands.

Entre-temps, on a posé les fils téléphoniques entre la ligne de feu et les trois postes d'observation. Le poste de repérage par le son a permis d'établir la liaison avec la batterie de repérage installée à Ditrichsdorf ; celle-ci a ses postes de gauche situés encore plus au nord, et leur chef annonce par téléphone : Personne, absolument personne ; quant au poste avancé, nous l'avons installé au-delà du lac.

Or ledit lac est tout à découvert ; de là, on aurait vu les Allemands, sous la lune. Ainsi donc, sur deux kilomètres vers l'est, toujours personne.

Il a ajouté : les topographes, profitant de la lune, donnent les coordonnées aux postes de repérage et sont partis à Adlig pour les communiquer aux bouches à feu.

Eh bien, dans une heure, on sera fin prêts pour le tir ! Mais il est peu probable qu'on reste ici : on va encore changer de position.

Apparemment, il n'y aura pas de redoux. Pour rester ici toute la nuit, on n'a plus qu'à aller prendre ses bottes dans le traîneau et à se changer.

Toplev a bien dit : Toujours aucune liaison avec le QG de la brigade. Bizarre... Combien de temps mettent-ils pour venir jusqu'ici ? Les Allemands ne les auraient-ils pas interceptés en cours de route ?

Il se souvient : le commandant de la brigade est parti dans l'après-midi à l'hôpital. C'est donc Vyjlevski qui a là-bas la haute main sur tout ?

Boïev se tenait à l'écart de tous les commissaires politiques, quels qu'ils fussent ; il ne les aimait pas, surtout comme ne servant à rien. Mais ce Vyjlevski lui était spécialement antipathique, il y avait en lui quelque chose de malsain ; ainsi, dans ses fonctions de commissaire, il paraissait complètement vain. On chuchotait à la brigade qu'en 41 sa biographie laissait apparaître d'étranges lacunes : il s'était trouvé dans Odessa encerclée, puis, pendant deux-trois mois, un sombre hiatus ; ensuite, comme si de rien n'était, le voici gradé, sur le Front de l'ouest. Et Goubaïdouline ne semblait-il pas avoir sa part dans tout cela ? On se demandait pourquoi Vyjlevski était allé le chercher dans la réserve pour l'affecter aussitôt à la section politique et lui assurer un avancement rapide. (Il avait tenu à ce que Boïev le prenne en qualité de secrétaire du parti.)

De Toplev : toujours pas de liaison avec la brigade. Par contre, on a mis la main sur le commandant du régiment d'infanterie, il se rend au poste d'observation en suivant les traces des traîneaux.

Bon, enfin ! On va peut-être y comprendre quelque chose ?

13

« Camarade lieutenant ! Camarade chef !

– Qu'est-ce ? fait Kandalintsev d'une voix bien éveillée.

– Voici qu'un Allemand s'est aboulé ! Un transfuge. »

Le caporal Neskine l'annonce en franchissant le seuil de la grange. L'Allemand a été intercepté par le poste avancé alors qu'il traversait le champ en ligne droite.

Goussev l'entend. Ah, la divine nouvelle ! Les deux chefs de section sautent au bas du tas de foin.

Ils vont voir au-dehors. La lune éclaire et permet de discerner l'uniforme allemand, qu'il n'a pas d'arme et porte un bonnet fourré.

En voyant les officiers, l'Allemand met ostensiblement la main à la tempe.

« Herr Oberleutenant ! Diese Nacht, in zwei Stunden, wird man einen Angriff hier unternehmen[1] *! »*

Pour ce qui est de l'allemand, tous deux, hé-hé, n'étaient pas très fortiches. On avait beau connaître chaque mot séparément, mis tous ensemble, on ne pigeait pas.

Lui, a l'air tout remué.

De toute façon, il faut l'emmener au QG de la division. On lui fait signe d'avancer. Neskine le précède ; derrière, c'est le petit Iourch avec son fusil, toujours là où il se passe quelque chose ; chemin faisant, il rapporte aux officiers : J'ai essayé de bavarder avec lui, et patati, et patata... Il sait parler avec des mots plus proches des nôtres, n'empêche qu'on n'y entrave que dalle.

Il en est un qu'il répète distinctement :

« Angriff ! Angriff ! »

Celui-là, nous avons l'air de le connaître : une offensive ? une attaque ?

C'est bien à quoi il fallait s'attendre.

Dans la voiture du QG, le radio ne dort pas, il réveille le planchétiste qui a fait de l'allemand. Mais pas beaucoup non plus. Il déboule prestement, se met à parler avec l'Allemand et traduit, sans hâte à comprendre, mais non plus mot à mot.

Voilà : c'est un Allemand des Sudètes. Il parle un peu le tchèque. Il est venu nous avertir : d'ici une heure ou deux, les Allemands

---

1. « Lieutenant-chef ! Cette nuit, dans deux heures, une offensive va être déclenchée par ici ! » *(NdT.)*

vont lancer sur notre secteur une offensive généralisée de très grande ampleur.

Est-ce qu'il ne nous mène pas en bateau ?

Pour quoi faire ? Ce sera pire pour lui.

La voix de l'Allemand est larmoyante, pitoyable, suppliante même.

Et il est avancé en âge, plus âgé encore que Pavel Pétrovitch.

Kandalintsev se prend de compassion pour lui. Il en a assez de faire la guerre, le malheureux !

Et qui n'en aurait pas assez, après tant d'années ?

Pauvre de toi ! De chez nous, quand pourras-tu revoir les tiens ?

Il expédie le véloce Iourch à Adlig à la recherche du capitaine Toplev pour lui rendre compte.

14

Ayant interrogé le transfuge grâce au concours du planchétiste, ayant écouté attentivement sa voix, s'étant pénétré de ses dispositions amicales, Toplev a confiance : l'autre ne ment pas. Passer de notre côté ? rien de bien difficile. À travers le champ vide, sans une seule ligne de feu, il suffisait de marcher, tout simplement.

C'est bon, le transfuge, on le garde auprès de la voiture du QG.

Mais, s'il ne ment pas et ne se trompe pas, cela veut dire que nos canons sont sans défense aucune : l'infanterie n'est toujours pas là !

Toplev est un exécutant modèle : en ligne, au garde-à-vous ! Et il a toujours cherché à savoir, à entrer dans les détails, à trouver le temps.

Mais que fallait-il, que pouvait-on faire maintenant ?

Ah, si on pouvait retrouver en cinq sec le QG de la brigade !

Il taraude le radio : appelle-les, appelle-les !

Toujours aucune liaison.

Qu'est-ce qu'il leur arrive donc ? C'est inexplicable !

Il s'empare du combiné pour demander au commandant du groupe : qu'est-ce que cela signifie ? Là non plus, pas de liaison. Il n'y a pas eu de bombardement, d'où vient alors la rupture ? Il envoie le préposé aux lignes en l'abreuvant d'injures, mais pas de mots orduriers – cela, jamais. Le téléphoniste – une nouille ! Il faut procéder aux vérifications à tout instant !

Comment le dire par radio ? En clair, impossible ; et on n'a prévu aucun code pour une telle éventualité. Au radio :

« Appelle le 10 ! »

À entendre la voie de Boïev, dense, ferme, rassurante, il se calme quelque peu. Lui, va nous trouver la solution. Et, sans quitter du regard le petit lumignon rouge de l'émetteur, Toplev s'est mis, avec force circonlocutions, à expliquer :

« Voilà, nous venons de recevoir la visite d'un gus... Non, pas du tout des nôtres... Oui, de l'autre bord... Ça n'a pas l'air d'un menteur, j'ai vérifié en long et en large. Il a dit : d'ici une ou deux heures – et maintenant, ça fait déjà moins –, ils vont y aller. Et massivement. Oui, ils vont déferler... or Oural continue de se taire... Quels ordres donnez-vous ? »

Boïev attend pour répondre. Il n'est pas disert. Il réfléchit. Il demande une nouvelle fois :

« Oural aussi reste muet ? »

Toplev, presque au bord des larmes :

« Pas le moindre son ! »

Il réfléchit encore.

« Voilà ce qu'on va faire : transfère tout l'appareillage de Kassianov derrière la rivière. Immédiatement. Qu'ils prennent là leurs positions...

– Et pour les deux autres ? »

On a même pu entendre Boïev pousser un soupir contre le clapet du combiné :

« Pour les deux autres ? Qu'ils restent là où ils sont. Demeure bien sur le qui-vive. Et la ligne, que lui est-il arrivé ?

– J'ai envoyé voir, je ne sais pas.

– Que tous soient en ordre de combat, à regarder, à écouter. Dès qu'il se passe quelque chose, préviens-moi. »

Peu après, le préposé aux lignes rapplique en courant. Il jure ses grands dieux :

« Dans le bosquet, là, on a coupé un bout de ligne grand comme ça, comme qui dirait avec un couteau. Et des traces à côté. »

Les Allemands ? !

Déjà là ?

15

En suivant les ornières laissées par les traîneaux, Balouïev arrive avec ses deux éclaireurs jusqu'à un petit groupe sombre qui se détache sur le terrain enneigé.

Il décline son identité, son affectation.

Plus petit de taille, le commandant Boïev est vêtu d'une courte pelisse blanche.

Ils se prennent la main. Balouïev passe pour la serrer avec énergie, mais Boïev a une pince encore plus forte.

Et, avec cette simplicité des gens du front :

« Où est ton régiment ? »

Son régiment ! Il n'a pas encore eu vraiment l'occasion de le voir.

En guise de répartie :

« Mais qui donc a disposé vos canons de cette façon-là ? »

Boïev, voix bouillonnante et sourire moqueur :

« Essaie donc de ne pas les disposer ! Il y a eu un ordre. »

Il lui expose la situation, ce qu'il en sait.

Malgré la lune, ils utilisent encore une fois la lampe de poche pour scruter la carte.

« Petersdorf ? On me l'a pointé du doigt, pour le QG. Là, vous ne serez pas loin pour la liaison, et moi je me rendrai ici, à ce PO. »

Le beau PO, en rase campagne, dépourvu de la moindre protection…

« Mais, avec ces deux heures de sursis, je dois moi-même partir en reconnaissance : où se trouve l'Allemand ? où placer la première ligne ? »

Ça, c'est ce qu'on aimerait bien savoir !

Boïev est appelé à l'émetteur-récepteur. Il s'y accroupit.

Balouïev continue de déplacer le point lumineux sur la carte. Si tout ce lac est à nous, à quoi bon y prendre nos positions ? Il faut le faire plus en avant.

Boïev revient et, de sa voix de basse, doucement, pour que les soldats n'entendent pas, transmet à Balouïev la nouvelle :

« C'est tout à fait vraisemblable. »

Sans hésitation, Balouïev reconnaît le bien-fondé d'une telle éventualité :

« C'est précisément dans les premières vingt-quatre heures qu'ils vont y aller, tant que nous n'avons pas de couverture. C'est précisément par désespoir qu'ils vont foncer ! »

Alors, autant mettre la première ligne de résistance sur le tracé d'ici.

Soit, mais comment avoir le temps de faire venir jusqu'ici ne serait-ce qu'une compagnie ?

Sans compter que, pour Boïev avec ses canons lourds, c'est incomparablement plus dur.

Pourtant, aucune inquiétude.

Balouïev, avec sincérité :

« Cela fait un an que je n'ai pas été au front et je m'étonne : en cette quatrième année de guerre, on n'a toujours pas changé. Comme avant, on n'arrivera pas à nous flanquer la frousse ! »

Balouïev n'en était qu'à son quatrième jour en Prusse mais ne faisait déjà qu'un avec l'atmosphère du front.

« J'irai tout de même vers l'avant, du côté droit du lac. Sitôt que j'ai du nouveau, je te le fais savoir. Là où j'établirai mon QG, fais venir ta ligne. »

Ils se sont concertés en plein champ, l'espace d'un quart d'heure. Ils se séparent là, jusqu'à ce que le câble soit posé, jusqu'à leur première liaison. Et sans doute pour ne plus se revoir – il en va toujours ainsi.

« Comment dois-je t'appeler ?

– Pavel Afanassiévitch.

– Et moi, Vladimir Kondratitch. »

Et les chaudes paumes de leurs mains se joignent.

Balouïev s'en va avec ses éclaireurs.

La lune se couvre de nuées.

16

Même dans la IIe armée de choc, au printemps 42, Volodia Balouïev était resté en vie, il avait réussi à sortir de l'encerclement. Tout le mois de novembre, ils avaient croupi sur le champ de bataille de la Soj, et c'est deux heures avant le retrait complet des Allemands, alors qu'ils commençaient déjà à se replier, qu'il avait été blessé. Mais cette blessure ne l'avait pas empêché de revenir à la vie : deux mois d'hôpital à Samara. Et puis un an d'études à l'Académie.

À l'Académie, tous ou presque avaient subi le baptême du feu, étaient passés par la moulinette, tous connaissaient le prix de la guerre. Cependant, une année d'études, c'est un tout autre monde : c'est la guerre sublimée jusqu'à être belle, rationnelle, intelligible. Et puis, on a du mal à s'empêcher de penser que, d'ici un an, la guerre pourrait être terminée, qui sait, pour moi ça a peut-être suffi ?

Non, elle ne s'est pas achevée. Mais comme son issue est proche ! À travers le nord de la Pologne, à travers la Prusse, il avait rejoint le front grâce à des voitures de passage, pleines, à partir du point de contrôle filtrant, de militaires de toutes sortes. Il était arrivé à temps, content de s'immerger dans l'atmosphère familière du front. Et à un moment aussi solennel que la prise de toute la Prusse orientale ! (Et avec cette sourde extension du front...)

Ils enfoncent dans la neige molle, vierge. Ses éclaireurs suivent en silence.

Il les mène au compas.

Si cela doit commencer sous peu, Petersdorf ne servira plus à rien : trop en saillie. Comment avoir le temps de disposer si ce n'est d'une compagnie, au moins d'une section pour protéger les canons sous Adlig ?

Une compagnie, fût-ce une seule, saura-t-elle se traîner jusque-là ? Recrue de fatigue, ne se sera-t-elle pas plutôt affalée jusqu'à ne plus pouvoir se relever ?

Il faudrait tenir au moins une nuit ; demain, ça ira déjà mieux.

Tiens : à main gauche, vers le nord-est, à quatre ou cinq kilomètres, sans bruit, est apparue, sans qu'il ait remarqué à quel moment, une lueur d'incendie. Ça brûle.

On n'entend pourtant aucun bruit de mitraille.

Il s'arrête pour braquer ses jumelles. Oui, c'est bien un incendie aux flammes régulières. Une maison ?

À la guerre, il n'y a pas d'incendie sans raison. Cela ne s'enflamme pas *tout seul*, on se demande pourquoi, y compris même en pleine action.

Ou serait-ce déjà du côté des Allemands ? À moins que ce soit un des nôtres qui s'est introduit là-bas et a commis une bêtise ?

Ils continuent leur marche vers l'est.

Encore un rêve. Sa maman...

La mère de Volodia est morte jeune, toute jeune. Volodia a vingt-huit ans, et cela fait de nombreuses années qu'il la voit en rêve, sans pouvoir s'en rassasier. Elle a été malheureuse, or en rêve elle lui apparaît toujours gaie. Mais elle n'est jamais à proximité ; quand elle paraît, c'est pour s'en aller ; elle va bientôt revenir ; elle dort dans la chambre voisine ; là, elle passe à proximité, fait signe de la tête, sourit. Mais jamais de tout près.

Cependant, à partir d'autres exemples, de récits, de rapprochements, Balouïev a acquis la conviction que, quand viendra pour lui l'heure de mourir, sa mère viendra tout près de lui et l'embrassera.

La nuit passée, c'est ainsi qu'elle lui est apparue : sa maman lui a soufflé en plein visage et l'a étreint très fort – où est-elle allée chercher cette force ?

Et il a eu si chaud au cœur, il s'est senti tant de joie dans son rêve. Mais, au réveil, il s'est souvenu de ce présage…

17

Quatre obusiers de la 6e batterie sont sortis en file de Klein Schwenkitten, rompant par le rugissement des tracteurs le silence absolu qui régnait alentour. Sans allumer leurs phares, ils ont repris le chemin bordé d'arbres par lequel ils étaient venus quelques heures auparavant. Les remorques à obus sont suivies par la roulante du groupe et par le trois tonnes de l'Intendance – eux aussi ont reçu l'ordre de départ. (Et, avec eux, le transfuge allemand.)

Comme à l'accoutumée, le lieutenant Goussev se tient dans la cabine du premier tracteur de la 2e section. Ce repli ne lui dit rien qui vaille : quelles que soient les considérations tactiques, ça n'en est pas moins une retraite. Ainsi, il n'aura pas l'occasion de prendre part à l'une des phases les plus intenses du combat.

Oleg a toujours conscience qu'il n'est pas seulement un jeune lieutenant qui se suffit à lui-même, mais le fils d'un chef d'armée réputé. Chaque jour de combat, chacune de ses actions guerrières se doit de justifier une telle filiation. Déshonorer son père serait pour lui une catastrophe. Pour toute décoration, il n'a pour le moment que celle de la Guerre patriotique, du second degré, un petit ruban clair reçu pour une action bien concrète. (Son père veille à ce que son fils ne soit pas surestimé par protection.)

Il y a là peu de route à faire, un kilomètre et demi, et les voici au pont en béton armé sur la Passargué qu'ils ont franchi la veille au soir.

L'un après l'autre, les imposants engins tirés par leurs tracteurs gravissent la pente raide, une fois passé le pont.

Il y a un flottement, quelque chose devant a dû gêner. Puis le rugissement reprend de plus belle. Mais non, ils descendent.

Oleg saute à bas du tracteur, va en avant aux nouvelles.

Kandalintsev est en grande discussion avec un colonel de haute taille, coiffé d'un bonnet de laine. Ce dernier est excité à l'extrême et, semble-t-il, ne s'aperçoit même pas qu'il tient obstinément à la main un parabellum tiré on ne sait pourquoi de son étui.

Il l'a apparemment dégainé pour mettre fin à l'insubordination. Il exige que les canons soient sur-le-champ, à cet endroit-là, déployés en ordre de bataille, les tubes braqués vers l'est. Prêts au tir tendu.

Plus loin, derrière le colonel, l'automitrailleuse Sou-76 a sorti son canon effilé. Quelques combattants sont juchés sur le blindage, d'autres se tiennent à côté.

Kandalintsev explique posément que les 152 millimètres ne sont pas faits pour le tir tendu : il faut une bonne minute pour les recharger, ce ne sont pas des armes antichars.

« Mais il n'y en a pas d'autres ! hurle le colonel. Ne discutez pas ! »

Le problème n'est pas dans le parabellum. Dans une situation de combat, en l'absence de son supérieur, chacun est obligé de se soumettre au plus gradé, là où il se trouve. Le déplacement les a séparés du leur.

En fait, il n'y a pas grande différence : ils pensaient occuper des positions quelque deux cents mètres plus loin. Avec son bon sens et son flegme habituels, Kandalintsev fait remarquer au colonel que là, près du pont, l'emplacement est trop étroit pour disposer quatre pièces de front.

Tout excité qu'il soit, le colonel donne en partie raison au lieutenant et ordonne de ne placer près du pont que deux canons, de part et d'autre de la route.

Rien à faire.

D'une voix qui n'a rien d'un commandement, le ton impérieux ne lui réussissant guère, Kandalintsev :

« Oleg ! L'un de tes engins à gauche, l'un des miens à droite. »

On commence à se déployer, à se séparer.

Goussev met en position de combat le 3e servant, le sergent Petia Nikolaïev. Kandalintsev désigne le 1er, le sergent-chef Koltsov, un cosaque du Don du même âge que lui, dans la quarantaine.

Les autres pièces et les camions sont déplacés de deux cents mètres en arrière, là où s'élève la masse noire de la maison de maître Pittenen, avec ses dépendances. Et va encore falloir veiller sur le transfuge.

Kandalintsev lui pose étrangement la main sur l'épaule et lui dit :

« *Gut, gut*, tout sera *gut*. Va avec les nôtres, et dors. »

18

Le sectionnement du fil n'a pu être fortuit, si on en a arraché deux mètres. Il est clair que, pour ceux d'en face, la région est familière, ils en connaissent tous les chemins, ils y ont leurs guides, leur renseignement, et, çà et là, profitent du couvert des bois et des taillis. Nous ne pourrons jamais les apercevoir, mais eux nous épient.

Boïev n'avait jamais connu situation pareille. Il avait traversé des rivières sous les bombes, il était resté à son PO sur des champs de bataille ensanglantés par les coups de bec réitérés des projectiles et les morsures des mines allemandes, ou encore allongé sous les raids aériens dans un trou creusé à la hâte, mais toujours il se savait faire partie de sa brigade d'artillerie, dans le voisinage sûr de l'infanterie, il savait que, tôt ou tard, une main amie se porterait vers lui, ou un câble de liaison, ou bien un ordre de ses supérieurs, et qu'il pourrait aussi leur faire part de ses réflexions à lui.

Mais de la sorte ?... Pas un bruit, pas un projectile. Présente à tous les instants, la mort ne l'approche ni ne se manifeste en rien. Et pas d'infanterie, elle ne sera pas là avant l'aube, encore bien beau si elle arrive. Et son QG comme mort déjà toute une moitié de la nuit. Qu'est-ce que cela peut être ? L'émetteur serait-il tombé en panne ? mais ils en ont en réserve...

Les nuages couvrent à nouveau le ciel, la lune est à son déclin. Un champ de neige sans vie, une visibilité voilée. Avec un chef de batterie sous la main, les deux autres chacun de leur côté, rester tapi dans de petites fosses, mais à attendre quoi ? Il se peut bien que les Allemands passent à l'offensive, mais on n'entend pas un seul bruit de moteurs, qu'il s'agisse des tracteurs ou des camions, ce qui signifie que l'artillerie ne s'est pas jointe à eux. Et s'ils nous contournent à pied, puis droit sur nos canons ? Lesquels sont sans défense.

À quoi bon tenir ici ? Sur qui ouvrir le feu ? Pourquoi sommes-nous là ?

Boïev a déjà retiré une batterie de son propre chef. Et n'aurait pas de peine à s'en justifier. (Mais voilà : puisqu'il n'a plus de liaison avec sa batterie, Kassianov n'a qu'à décamper : qu'il retourne à ses canons, sur l'autre rive. Il en donne l'ordre.)

Et si on retirait les deux autres batteries et les faisait passer de l'autre côté de la Passargué ? Là, ce serait changer carrément et arbitrairement de position : une retraite. Or l'Armée rouge a un principe sacro-saint : pas un pas en arrière ! Dans notre armée, une retraite qui ne serait pas autorisée ? Non seulement le cœur n'y est pas, mais c'est là une chose absolument impossible ! Ce serait trahir sa patrie. Vous serez jugé pour cela, et, si ce n'est passé par les armes, condamné au bataillon disciplinaire.

Quel sentiment d'impuissance.

Le sens est clair, obvie : bien entendu qu'il faut reculer ! il faut que le groupe se replie !

Mais plus clair encore : c'est tout à fait illicite.

Mourir, mais que la mort ne vienne pas des siens.

De Balouïev, depuis que ce dernier est parti, rien. Mais des renseignements filtrent. Du chef de la batterie de gauche : à près de trois cents mètres, sur un chemin vicinal, un cavalier solitaire a été vu se dirigeant vers l'est. On n'a rien pu distinguer de plus. Ni pris le temps de tirer.

Sans doute est-ce, du côté allemand, des gens du pays qui assurent les liaisons, le renseignement ?

Le chef de la batterie de repérage par le son appelle Boïev en passant par le PO de gauche et par son poste d'écoute. Ces deux-trois relais font que le son n'est pas très bon. Il annonce : sitôt passé le lac, les Allemands ont tiré sur le poste avancé, tuant un combattant.

« Sacha ! Qu'entends-tu, que vois-tu encore ?

– À gauche, deux nouvelles lueurs d'incendie.

– Et près de toi, y a-t-il quelqu'un des nôtres ?

– Personne. Nous avons occupé là un magnifique château.

– J'ai été averti qu'ils sont sur le point d'attaquer. De ton côté, si tu as dispersé les instruments, ramasse-les tant que les tirs n'ont pas encore commencé.

– Faut-il vraiment ?

– Allons, que veux-tu qu'ils nous permettent encore d'écouter ? »

Toplev rapporte : lui aussi aperçoit la même lueur sur sa gauche. Oural ne répond toujours pas. Est-ce qu'ils dorment ? Mais ils ne se seraient quand même pas tous assoupis ?

Toplev – un jeunot, plutôt malingre. Ils peuvent prendre les canons à revers. Il le presse : Réveille tous les servants, que personne ne roupille, qu'on se munisse de fusils et de grenades.

Ostankine revient :

« Camarade commandant ! J'ai trouvé une belle ferme, toute vide. À cinq cents mètres d'ici ! On s'y installe ? »

Est-ce que ça a encore un sens ? Le temps de poser la ligne, il peut s'en passer, des choses !

19

Une nouvelle demi-heure s'écoule.

Côté nord, les lueurs d'incendie se font plus nombreuses. De proches il y en a déjà trois, une très grande s'élève nettement plus loin.

Mais on n'entend ni canons, ni mortiers. Les coups de fusil pourraient bien ne pas parvenir jusqu'ici.

Sur la droite, d'où il a levé le PO de Kassianov, aucun signe particulier, mais le relief – ce vallon qui contourne – peut faire craindre le pire.

À cet instant, Ostankine revient de la partie avancée du vallon ; en son âme et conscience, il ne peut tenir en place. Il dit que sur l'autre versant, il a vu deux-trois silhouettes qui s'affairaient. On aurait pu à coup sûr les dégommer, mais il s'en est abstenu. Sans doute a-t-il eu raison.

Avec leurs guides locaux, les Allemands peuvent retrouver n'importe quel sentier, et le relief leur permettra de faire passer tout un bataillon avec des traîneaux.

La visibilité est de moins en moins bonne. On envoie quelqu'un – à quelque cents mètres, sa silhouette se distingue encore, plus exactement on la devine, puis plus rien.

Dans le noir, de toute la masse de leur infanterie, et sans le moindre bruit ? Dans la guerre moderne, ce genre d'attaque ne se fait pas, ça semble impossible. Organiser une offensive aussi silencieuse est plus difficile encore qu'en lancer une à grand tapage.

Mais, dans la guerre, tout est possible.

Si les Allemands sont isolés depuis vingt-quatre heures, comment en vérité ne passeraient-ils pas à l'offensive ?

Les pensées tournent vite. Le QG de la brigade ? Comment ont-ils pu nous lâcher ainsi ?

Reculer ? pas question... Mais tiendrons-nous jusqu'au matin ?

Il ne sert à rien de stationner ici. Il faut sauver les canons.

Prendre le risque de retirer encore une batterie ? Ça ne passera pas pour une manœuvre, mais pour une reculade décidée unilatéralement.

En attendant, au moins : la binoculaire, la radio, les bobines en trop, il faut les charger sur les traîneaux et que ceux-ci rejoignent les batteries. À Miagkov :

« Prends les chargeurs de mitraillettes. Distribue toutes les grenades dont tu disposes. »

Parler le plus bas possible pour que le bourdonnement ne se répercute pas à travers champ.

Bien sûr, un char risque de débouler à tout instant. Contre un char, nous ne pouvons rien. Quant aux tranchées-refuges, elles sont bien étroites.

Le téléphoniste hèle Boïev. Il se tient tout près de leur tranchée. À deux pas.

C'est à nouveau le chef de la batterie de repérage par le son. Des nouvelles alarmantes : le poste de gauche a été enlevé par les Allemands. Ils ont eu juste le temps de dire : « **Nous sommes encerclés !** » Ceux d'en face portent des tenues de camouflage blanches. C'est tout.

« Et par chez vous, Pavel Afanassiévitch ?

– En attendant, rien d'évident.

– Au central, pour le moment il n'y a personne. Mais je vais ramasser les appareils pour qu'ils ne soient pas perdus. Restez donc sur le qui-vive. Et ramenez votre fil. »

Boïev garde quelques instants en main le combiné comme s'il s'attendait à entendre encore quelque chose.

Mais silence complet.

C'est qu'ils se battent.

À Miagkov :

« S'il te plaît, tous ceux que tu trouveras aux avant-postes, disperse-les en demi-cercle à quelque deux cents mètres. Laisse un homme au téléphone et un autre pour les traîneaux. »

Miagkov s'en va donner les ordres à voix basse.

Déployer des avant-postes est risqué : on sera renseigné plus tôt, mais pas moyen d'ouvrir le feu, d'ici, sans atteindre les nôtres.

Mais si nous restons groupés, ils nous prendront comme des moutons.

Pas d'angoisse : sa raison est calme, nette.

… Il voit défiler dans sa tête : les combats autour d'Orel, sur la Desna, Starodoub, aux bords de la Retchitsa. Partout des combats différents, des morts différentes. Mais ce qui ne lui est jamais arrivé : jamais il n'a dépensé des obus pour rien, bêtement.

Jubilation dans la fournaise de Bobrouisk. Course effrénée à travers la Pologne. Cruel champ de bataille sous Poultousk.

Or, partout on a eu le dessus !

… Tenir jusqu'au matin.

Vers le nord-est, à deux kilomètres, crépitent des rafales de mitraillette. Puis se taisent.

Ce doit être là où s'est dirigé Balouïev.

20

Sur la ligne de feu, chez Toplev, les projectiles sont empilés près des canons. Mais on n'aura sans doute pas l'occasion de tirer avant qu'il ne fasse jour, demain. Le chef de groupe a donné l'ordre à tous les servants de préparer les mousquetons, d'habitude on ne les prend jamais avec soi, ça ne sert à rien, et ils restent entreposés dans les caisses à obus. Pour les servants des canons lourds, on ne prévoit pas de combat d'infanterie. Les mitraillettes, ce sont les éclaireurs et les sections administratives qui en possèdent, et ils se trouvent tous au PO.

On ne voit plus ni devant soi ni de côté ; partout une espèce de demi-brume.

Dans son inquiétude et son irrésolution, Toplev faisait déjà les cent pas avant même que le chef de groupe n'ait donné l'ordre de distribuer les mousquetons.

Il y a là huit canons disposés en rang d'oignons, comme on le fait rarement, les batteries se tenant toujours à l'écart l'une de l'autre. Toplev marche nerveusement, tout petit, le long de ces mastodontes.

Chaque pièce n'a au mieux que la moitié de ses servants, les autres s'étant dispersés dans de proches maisons et y dormant : au sec, au chaud. Et d'aucuns y ont goûté l'alcool pris à l'ennemi. Les chauffeurs, eux aussi, roupillent quelque part.

Il enjoint vertement aux quatre chefs de section de distribuer les armes et de se préparer à une défense directe.

Certains se ressaisissent, d'autres n'y mettent aucun empressement.

S'il y avait seulement eu auprès du groupe un vice-commissaire politique, comme il s'en trouve habituellement, on aurait eu peur de lui ; mais le commissaire de la brigade l'a gardé avec lui pour affaires jusqu'au matin.

Ils ne vont pas nous attaquer sans une préparation d'artillerie, ils nous flanqueront bien quelques pruneaux, quelques obus de mortier en guise d'avertissement.

Mais c'est le silence. On n'entend pas le vrombissement des chars.

Il est tout ouïe. Et n'entend rien.

Il se peut que tout finisse par s'arranger.

Il s'en va à Klein, jusqu'à la voiture du QG. Il y a de tout, là-dedans, des documents divers. S'il advient quelque chose ? que faire, dans ce cas ?

Il ordonne au chauffeur de se tenir près de la voiture. Au radio, de continuer à interroger Oural.

Il s'en revient à Adlig, sur la ligne de feu.

« Cam'rade capitaine ! – c'est le téléphoniste qui l'appelle d'une voix sourde, du seuil où il s'est blotti. Le chef du groupe vous demande. »

Il prend le combiné.

Boïev, d'une voix terrible :

« Toplev ! **Nous sommes là, encerclés !** Prépare-toi à te défendre ! »

Et sans doute n'a-t-il pas eu le temps de lâcher le clapet du combiné que retentit un coup de feu, puis un autre.

Ensuite – plus rien. La liaison est interrompue.

Et Toplev sent dans son corps quelque chose d'étrange : ses rotules se mettent à trembler toutes seules, indépendamment du genou, elles se mettent à trémuler de bas en haut, de haut en bas.

Comment faire entendre sa voix sur toute la ligne de feu ? Il court le long de la rangée des canons et ordonne aux chefs de sections : Préparez-vous au combat ! Le chef du groupe a déjà été attaqué !

Cette fois, tous se mettent de la partie.

Et la voiture du QG ? s'il se passait quelque chose ? Il y envoie un soldat : l'arroser d'essence, avec les bidons.

Si nous n'arrivons pas à en sortir, incendier la voiture.

21

La fidélité au père, voilà la clef qui permettait de comprendre l'âme d'Oleg. Aux yeux du garçon, personne de plus sacré, de plus grand que son père. Il avait tant souffert pour lui : au cours d'une des fameuses années 30 (Oleg n'avait qu'une dizaine d'années, mais il avait compris), on avait dégradé son père sans motif, de général de brigade il était redevenu colonel, les rhombes avaient laissé la place aux stries. Ils s'étaient relogés dans les deux chambres d'un appartement communautaire (la troisième étant occupée par une taupe). Le prétexte était qu'un de ses voisins de service avait été coffré, mais cela, le garçon ne devait l'apprendre que plus tard. Une fois grand, entrera-t-il lui aussi dans l'armée ? À seize ans (dans les mois les plus chauds de la bataille de Stalingrad), il finit par obtenir l'assentiment de son père : il revêt l'uniforme.

Fidélité au père – cela signifiait que là, auprès de ses deux canons, il ne se couvrît pas de honte, qu'il ne fût pas reproché au fils d'être indigne de son géniteur – plutôt mourir. Oleg était presque content que les choses eussent pris cette tournure, qu'ils eussent été placés sur le pont pour protéger l'incroyable pointage direct, le tir tendu des 152 millimètres ! Si seulement les chars allemands pouvaient déboucher plus tôt que prévu de cette demi-brume !

Aujourd'hui la nuit sera pour lui unique, c'est qu'il en veut toujours plus et mieux !

Bien qu'au total chaque pièce ait droit à soixante projectiles, on en a grappillé moins de la moitié sur les deux autres canons de la section. Et les servants au lieu de huit ne sont que sept. (Ah, ce Lépétouchine !...) Mais le lieutenant ne croit pas opportun de prélever un servant sur l'autre demi-section, car celle-ci aura aussi beaucoup à faire. Il préfère leur donner un coup de main lui-même.

Et alors que l'automitrailleuse et le colonel menaçant ont depuis longtemps disparu, les pièces de la 6e batterie installées près du pont y font le guet.

Devant – un espace vide et ténébreux – on n'y a, semble-t-il, plus aucune unité, et pourtant des hommes en refluent.

Quelques topographes du groupe de renseignement, l'un boite, l'autre a l'épaule luxée. On les avait envoyés faire des relevés alors que la lune éclairait bien, ils sont restés dans l'obscurité, attendant que ça se dissipe. Ils racontent en s'interrompant les uns les autres :

une offensive singulière, ils ne surviennent qu'en catimini, qui avec une pelle, qui avec un couteau, de temps en temps un coup de feu ou deux.

D'autres topographes sont encore par là-bas. Un traîneau de la batterie de repérage passe avec tout son matériel ; on a réussi à le ramener. Ce sont les chevaux de trait pris à l'ennemi qui les ont sortis d'un mauvais pas : leur véhicule s'était enlisé, ils ont essayé de le dégager.

Combien en reste-t-il encore de la batterie de repérage par le son ?

« Pavel Pétrovitch, comment allons-nous ouvrir le feu si les nôtres continuent ainsi de rappliquer en masse ? »

Il va falloir se retenir.

Là-bas, sur la rive est, en profondeur, la fusillade s'enflamme, puis retombe.

Kandalintsev ordonne aux deux groupes de servants désoccupés de se préparer à un combat d'infanterie. Et envoie aussitôt des avant-postes à droite et à gauche.

Les nôtres continuent à remonter du pont.

Là on transporte un blessé sur un brancard. Les agents de liaison du régiment. Exténués, ils ont du mal à le transbahuter. Si quelqu'un pouvait le prendre en voiture ?

On va voir, on va essayer d'organiser ça.

Oleg se penche sur le blessé. Un commandant. Des cheveux de lin.

Immobile.

« C'est le vôtre ?

– Celui du régiment. Un nouveau. On ne nous l'a envoyé qu'hier.

– Grièvement ?

– À la tête et à l'abdomen.

– Mais où se trouve donc l'ensemble du régiment ?

– Fichtre, allez savoir ? »

Nos servants relaient les brancardiers jusqu'à la maison de maître.

Kandalintsev leur dit :

« Qu'on l'emmène sur un de nos traîneaux jusqu'à Liebstadt, mais qu'on en revienne aussitôt ! »

Le bourg de Liebstadt se trouve à l'intersection de six routes ; le groupe d'artillerie l'a traversé hier soir sans encombres. Si on y laisse pénétrer les Allemands, tous les chemins leur seront ouverts.

« Pavel Pétrovitch, notre transfuge n'avait pas menti.

– J'ai donné l'ordre de lui donner à manger », grommelle Kandalintsev.

Et notre chef de batterie ? Répond toujours pas par radio ?

Et qu'est devenu le groupe entier ?

Les lointaines lueurs d'incendie déversent un peu de clarté. Les yeux se sont faits à la brume. On voit là-bas se détacher en noir un petit groupe des nôtres.

Et par ici.

Et par là.

Non, pas moyen d'ouvrir le feu.

Tout à coup : à droite, devant – là où sont nos 4e et 5e batteries ! –, claque un tir nourri de mitrailleuses.

Puis une gerbe de feu, une autre, suivies d'explosions répétées !

22

Dans l'opaque scintillement de la nuit, en plein silence, voici la 5e batterie subitement arrosée à partir de la forêt, sur sa droite, non par des mortiers, mais par trois ou quatre mitrailleuses de gros calibre, et uniquement, on se demande bien pourquoi, par des balles traçantes ! En jets de javelots incandescents, la mort avertisseuse s'abat d'en haut, rare occasion de l'apercevoir un peu avant qu'elle ne t'atteigne.

Aussitôt après, de cette même forêt s'élève un énorme « hourrah ! hourrah ! », poussé pour le moins par deux cents gorges : les Allemands. Ils foncent par vagues sur les pièces, à peine parvient-on à les distinguer dans le clignotement des traits rouges.

Quelques coups de feu partent du côté des canons, mais pas le temps de faire davantage. Les traits rouges ont pris pour cible la batterie de gauche, la 4e, tandis que la 5e se fait arroser de grenades. Des éclairs jaillissent de toutes parts.

L'attaque a surpris Toplev à l'extrémité de la 4e batterie. Ils s'y sont préparés, il les a lui-même préparés, mais ils n'y ont pas vraiment cru. Et puis, ils étaient aux aguets depuis le début de la nuit, ils se sont relâchés, certains se sont même assoupis.

Ah mais – ils sont trois fois plus nombreux que nous !

Crier ? donner des ordres ? La voix ne portera plus, il ne pourra pas les réveiller.

Tout cela en un rien de temps, pareil qu'un coup de poignard en pleine nuit.

Toplev ne peut rien... faire... du... tout ! Sinon courir ? Courir vers Klein, jusqu'à la voiture, pour y mettre le feu.

Il y fonce à toutes jambes.

Il entend les explosions derrière lui, et, à travers les explosions, des cris – les nôtres ? les leurs ?

On peut encore distinguer : si ce sont des coups de fusils, il s'agit des nôtres.

Près de la voiture, le planchétiste et le radio n'attendaient que cela : ils aspergent d'essence la cabine du véhicule, en approchent une étoupe enflammée.

Ah, ça a pris des quatre côtés à la fois ! Écartez-vous !

Éloignez-vous !

Vous n'aurez pas notre planchette ! Vous ne mettrez pas votre nez dans nos documents !

On ne lance plus de grenades sur la batterie. On s'achève à coups de fusils.

Il en vient par ici, attirés par les flammes, les balles sifflent à ses oreilles, le prenant pour cible.

Toplev se met à courir avec ses soldats du QG.

Il court, ne sachant quelle direction prendre, tout en ayant perdu le sens de ce qu'il fait…

Il y en a encore un de la batterie qui court à ses côtés, mais pas possible de voir qui c'est.

Dans sa tête, tout s'est mis à défiler : enfance, école – et avec quelle densité, comme d'un seul tenant.

Le soldat ralentit un peu pour rester au niveau du capitaine.

Hors d'haleine, il ne dit rien, mais ça va de soi : par la route, vers le pont. En ayant retiré la 6e, on l'a sauvée. Encore un kilomètre.

Ils s'arrêtent, se retournent. Là-bas, au-dessus des arbres, rougit le brasier de la voiture.

Le commandant du groupe l'avait bien dit : elle ne tiendrait pas jusqu'en Allemagne.

Là où sont restés les canons, on ne tire plus qu'au fusil-mitrailleur.

23

Plus tard, ensemble, Kandalintsev et Goussev ont beau s'aider mutuellement, ils n'arrivent pas vraiment à se souvenir comment les choses se sont exactement déroulées. Dans quel ordre ? À qui, le canon qui a atteint le premier char ? et le troisième ? et pour quelle raison le transport blindé a-t-il pris feu ?

Jusqu'à six heures du matin, on n'avait pu tirer : en face, sur l'autre rive, les fusils-mitrailleurs crépitaient, sans cesse des hommes à nous sortaient de l'encerclement. On avait pu croire que nous n'y avions plus d'unités, mais que d'hommes avaient fini par se rassembler dans cette brume neigeuse !

Ensuite, sur la route de gauche, venant de Ditrichsdorf, on a pu voir clignoter les feux de position des chars et des transports blindés. Les Allemands avançaient ! Parfois, l'espace d'un instant, les faisceaux des phares giclaient, ils ne pouvaient s'empêcher de les allumer : toute une colonne motorisée s'était mise en marche. Le bruit s'en faisait entendre de plus en plus distinctement à travers le crépitement des armes automatiques.

Tiens, la première gueule s'est pointée ! Il est temps de frapper.

« Les pièces en position de combat ! » monta de la droite, à travers la chaussée, la voix à peine audible de Kandalintsev.

« Tir tendu ! hurla Goussev d'une voix de stentor à ses servants. Feu ! »

Il revint à Pétia Nikolaïev de pointer. Notre pièce rugit. Celle de Koltsov aussi.

Oleg se rua à l'aide des servants pour l'obus suivant, tout était maintenant dans la rapidité !

L'Allemand ne s'attendait certes pas à essuyer le feu à cet endroit-là.

Et fit des embardées d'un côté et de l'autre.

Mais nous, on ne rate pas nos cibles ! Une gerbe d'étincelles sur le blindage ! Par conséquent, c'est bien visé avec notre obus à mitraille.

Le char s'arrête net.

Derrière lui, quelque chose s'embrase, sans doute un véhicule blindé.

La colonne continue d'avancer en plein milieu de la route.

Et nous de tirer – jusqu'à deux obus à la minute.

Et nos obus font même reculer le « Tigre royal » !

On a beaucoup de chance : on détruit un char juste devant le pont, un autre sur le pont, ce qui permet de le boucher.

Le plus étonnant, c'est que le pont lui-même ait tenu le coup.

Les chars allemands nous tirent dessus, mais, comme notre rive est plus élevée et qu'ils se trouvent en contrebas, leurs obus ricochent et filent plus haut. Les servants se jettent à plat ventre dans les cuvettes puis se relèvent aussi sec pour recharger. Nikolaïev et Koltsov, eux, n'ont pas quitté leurs pièces et sont restés indemnes.

... Quand on ne pense pas à soi, à rien ni à personne, uniquement à en enfourner, en enfourner...

Les Allemands font alterner obus explosifs et non explosifs, comme ils font depuis l'automne : manqueraient-ils à ce point de projectiles ?

Or, avec les non-explosifs, il n'y a pas de blessures par éclats, il faut qu'ils vous tombent en plein dessus.

Ils ont quand même blessé le remuant Iourch et deux servants de Koltsov.

Sur la pièce de Nikolaïev, un obus tiré par un char a tordu la colonne d'équilibrage...

Voilà les souvenirs qu'ensemble ils s'évertueront à réunir plus tard, mais sans parvenir à bien reconstituer la succession des événements ni la part prise par chacun.

... Ensuite ç'a été la confusion. Notre section d'infanterie a fini par rappliquer on ne sait d'où, et a pris position sur la rive.

Le pont est à portée de fusil. Entre les chars amochés, les Allemands cherchent un à un à passer, mais là, on les allonge.

Devoir passer sur la glace puis grimper en enfonçant dans la neige ne permet pas de s'emparer de l'escarpement.

Mais nous non plus, nous n'avons plus la possibilité de tirer sur la colonne motorisée, sur l'autre rive, nos projectiles étant épuisés.

À cet instant, par la route restée libre, dans notre dos, survient notre char d'assaut avec son rostre anguleux, un IS[1], un nouvel engin doté d'un blindage à toute épreuve : à faire tirer sur lui les pièces de notre groupe, ce serait comme lui jeter des graines. Il se place entre les canons et fait feu, en guise d'avertissement, par trois fois sur la colonne motorisée, puis par deux fois sur la route d'Adlig.

Là-bas, les autres ne se montrent plus.

Les Allemands ramènent leurs moteurs en forêt.

Puis, de derrière, arrivent encore deux autres IS...

On peut dire que là, nous fûmes enfin soulagés.

---

1. Le char Iossif Staline. *(NdT.)*

Plus tard encore, en amont ou en aval, en prenant par les glaces, puis en escaladant la pente neigeuse, nos combattants sont sortis de l'encerclement.

Parmi eux, notre chef de batterie, Kassianov, avec son bras blessé.

Et, parmi les soldats des 4e et 5e batteries capturées par l'ennemi, ceux qui ont pu s'enfuir et parvenir jusqu'à nous. Mais ils ne sont pas bien nombreux.

Et le capitaine Toplev, parfaitement indemne.

Mais du chef de groupe il ne peut donner aucune nouvelle, si ce n'est qu'il a été encerclé.

Pourvu qu'il ne soit pas mort...

En consultant sa montre, Oleg n'en crut pas ses yeux : où étaient donc envolées ces trois dernières heures ? Comme compactées, volatilisées ? Comme englouties par le combat.

L'aube pointait.

24

La roulante servait à manger à ceux des nôtres qui se trouvaient là.

Un peu honteux et hagard face aux chefs de section, le capitaine Toplev. Mais aurait-il pu faire mieux ? Il ne tarissait pas, racontait tout sans relâche à Kassianov, comment les choses s'étaient passées, la façon inopinée dont les Allemands s'étaient insidieusement approchés, l'impossibilité où lui-même avait été de sauver les canons...

Le capitaine Kassianov se sentait comme coupable, bien qu'il ne le fût en rien.

Moins d'une heure après, de Liebstadt, par derrière, rappliquèrent deux voitures légères. À bord de la première, une Opel-blitz prise à l'ennemi, un commandant, le chef en second du QG de la brigade, le responsable du renseignement de la brigade, un commandant lui aussi, et, du QG, quelques officiers moins gradés. Ils n'arrivaient pas à y croire : tout ça en l'espace de quelques heures ? depuis la calme soirée de la veille ? et que cela ait pu se dérouler ainsi ?

Ils s'empressèrent de transmettre par radio les nouvelles au QG de la brigade.

De la seconde voiture descendit le suppléant du commissaire politique, Konoptchouk, et le secrétaire du parti, Goubaïdouline, sobre et bien reposé.

Et puis le représentant du Smersch pour la brigade, le capitaine Tarassov.

Les officiers s'attroupèrent : comment ça, que s'était-il passé ? Ils s'indignaient, en voulaient à Toplev, à Kassianov : comment avaient-ils pu se planter ainsi ? !

Tarassov tançait vertement :

« La notion même de surprise ne doit pas avoir cours. Nous devons toujours nous tenir prêts… »

Toplev, à bout de nerfs, perdit la tête :

« Mais on le savait, on avait été avertis !

– Ah ? Comment ça ? »

Toplev leur conta l'histoire du transfuge.

Tarassov comprit en un éclair :

« Et il se trouve où ? »

On le conduisit à la maison de maître.

Les autres nouveaux arrivants firent le tour de la situation et comprirent : holà, ici, aujourd'hui, ça va encore sentir le roussi. Mieux vaut s'éloigner.

Au QG de la brigade, on avait déjà été informé, d'*en haut*, de la vaste offensive que les Allemands avait lancée de nuit – au nord, elle était encore plus ample que de notre côté. Le troisième groupe d'artillerie était entièrement encerclé. Ordre à tous les rescapés de se replier immédiatement par Liebstadt sur Herzogwald…

… On amena le transfuge à Tarassov.

Malgré le branle-bas de la nuit, il avait peut-être dormi ? Il essayait de sourire. Pacifique. Inquiet. Dans l'expectative.

« Komm ! » lui fit Tarassov d'un brusque geste de la main.

Et l'entraîna derrière la grange.

Il le suivait et, tout en marchant, tira son TT de l'étui.

Derrière la grange – aussitôt deux coups de feu.

Mais ils ne firent pas beaucoup de bruit après le tonnerre de cette nuit-là.

ÉPILOGUE

Dès la soirée du 25 janvier, quand les premiers chars soviétiques avaient atteint la Baltique, du côté de la baie de Frisch-Haf, et que la Prusse orientale s'était retrouvée coupée du reste de l'Allemagne, la contre-offensive allemande en réplique à notre percée avait été préparée en vingt-quatre heures, soit pour le lendemain soir. Leur division blindée, deux divisions d'infanterie et une brigade de chasseurs commencèrent à faire mouvement vers l'ouest, du côté d'Elbing. Durant la nuit du 26 au 27 janvier arrivèrent en renfort trois autres divisions d'infanterie et les chars « La Grande Allemagne » occupèrent alors, par un mouvement tournant de l'aile gauche, Wormditt et Liebstadt.

Comme notre avancée en saillie vers la mer s'était étirée sur une centaine de kilomètres, nos divisions de tirailleurs n'eurent pas le temps de créer une ligne de front, même approximative ; sur nos trois divisions, l'une se trouva encerclée. Mais les Allemands, confrontés à notre 5e armée de la Garde motorisée, ne purent atteindre Elbing ; ils s'emparèrent pour quatre jours d'une portion de territoire allant de Mühlhausen jusqu'à Liebstadt. Dans le sud, ils furent stoppés par notre brigade de chars et par le corps de cavalerie venu d'Allenstein ; dans cette neige, les cavaliers démontrèrent une dernière fois leur utilité.

Le 2 février, nous reprîmes Liebstadt, et les éclaireurs de la brigade d'artillerie pénétrèrent dans Adlig Schwenkitten. Les canons des deux batteries anéanties se trouvaient à leur place, à l'extrémité du village, mais toutes les culasses, et dans certains cas les tubes eux-mêmes avaient été dynamités de l'intérieur par des pots de trinitrotoluène. Irrécupérables. Entre les pièces, et plus loin vers Adlig, gisaient les corps non ramassés des servants de la batterie, plusieurs dizaines. Certains avaient été achevés à l'arme blanche : les Allemands économisaient leurs cartouches.

On se mit à la recherche de Boïev et de ses chefs de batterie. On retrouva quelques soldats et le chef de batterie Miagkov étendus, raides morts, à côté de Boïev. Lui-même, atteint à la racine du nez et à la mâchoire, gisait sur le dos. Sa courte pelisse avait été arrachée, emportée, ses bottes retirées elles aussi, et pas de bonnet non plus ; de surcroît, l'un des Allemands avait fait main basse sur ses médailles pour pouvoir ensuite se prévaloir d'un tel exploit : il avait découpé en rond avec une lame, dans la vareuse, ses brochettes de décorations, et sur la poitrine du défunt se voyait encore la trace de la blessure au couteau.

On l'enterra à Liebstadt, sur la place où s'élève le monument à Hindenburg.

La veille, le commandement de la brigade avait proposé au QG de l'Artillerie une liste d'hommes à décorer de l'ordre du Drapeau rouge pour l'opération du 27 janvier. En tête de liste figuraient le suppléant du commissaire politique, Vyjlevski, le commandant en second, Veresevoï, le chef du renseignement de la brigade, et, plus bas, on pouvait trouver Toplev, Kandalintsev avec Goussev, et le chef de la batterie de repérage par le son.

Le commandant de l'artillerie de l'Armée, un général de division de haute taille, sec et efflanqué, avait parfaitement conscience d'avoir agi avec légèreté en permettant prématurément le déploiement, dans un vide opérationnel, d'une brigade d'artillerie lourde sans défense aucune. Mais, là, il explosa. Et, d'une épaisse croix oblique, il raya tous les gradés de la brigade qui figuraient en tête de la liste, tout en ajoutant un commentaire rédigé dans les termes les plus crus.

Bien des jours plus tard, en mars, on proposa de décorer également le commandant Boïev de l'ordre de la Guerre patriotique du premier degré. Accordé. Mais cette médaille, toute d'or, personne n'en vit jamais la couleur, et sa sœur, Praskovie, ne l'a pas non plus reçue.

Mais ajoutait-elle encore quelque chose à celles qui avaient été découpées au couteau ?

De même, dans ses mémoires d'après-guerre, le général-lieutenant de la division d'infanterie n'a pas fait mention du commandant Balouïev, chef de régiment d'un seul jour.

Passé à la trappe, comme s'il n'avait jamais existé.

1998.

AU HAMEAU DE JÉLIABOUGA

traduit par Nikita Struve

I

Nous sommes au quatrième jour de notre participation à la percée sur Néroutchi. Toute la journée d'hier, le central de ma batterie a été installé dans l'espèce de boyau qui passe sous la voie de chemin de fer, une maçonnerie solide qui protège bien des bombardements. Avant nous, des paysannes s'y étaient entassées avec leurs gosses, deux dizaines de tziganes y nichaient aussi, hommes et femmes venus d'on ne sait où, cela nous faisait drôle après deux mois passés sans voir un seul civil. Puis, cette nuit, sur le coup de 3 heures, ma batterie a reçu un contrordre : avancer. À peine avions-nous levé tous les postes qu'il faisait déjà jour. Avant que ne vienne l'heure des avions, nous avions déménagé jusqu'au hameau de Jéliabouga.

Déménager – c'est beaucoup dire. Une batterie de repérage par le son a réglementairement droit à six cars spécialement équipés ; nous, nous avions un trois-tonnes et une camionnette d'une tonne et demie délabrés, juste pour transporter appareillage et nourriture, ainsi que quelques convoyeurs, et le reste de la brigade les rattrape à pied. Habituellement, elle est conduite par le lieutenant Ovsiannikov, le chef de la section des transmissions, alors que

Botnev, qui commande la section des mesures, et moi-même fonçons à l'intérieur de nos cabines pour choisir l'emplacement du central. C'est le moment le plus prenant : tout l'ordre de bataille dépend du choix de la position du central. Plus vite c'est fait, plus rapide et plus sûr est le déploiement des autres postes. Mais ce choix se doit d'être infaillible, car là est le cœur de la batterie ; un éclat en plein cœur et toute la batterie est comme foutue. Creuser un trou et le recouvrir d'une bâche au beau milieu d'un champ de seigle, cela nous est déjà arrivé, mais c'était faute de mieux, pour parer au plus pressé.

Voilà quatre jours que je suis comme en feu, tourneboulé, incapable de recouvrer mon calme. Tout me donne de la joie. Notre grand mouvement commun en avant, et tout près du saillant de Koursk – à pas de géant !

Et quel sentiment poignant de connivence avec ces lieux et leurs dénominations. Sans même y avoir jamais mis les pieds, que de fois nous y sommes déjà allés, que de cibles nous avions visées aux abords de Néroutchi, comme nous mangions des yeux la carte pour fixer sur notre rétine chaque bosquet, chaque ravine, chaque demi-monticule, le ruisseau de Bérézovets, les villages de Sétoukha (nous y avons fait halte avant-hier), de Blagodatnoïé (nous allons le dépasser par la gauche, nous ne le verrons pas), de Jéliabouga, puis son hameau. Dans le moindre de ces villages nous connaissions à l'avance la disposition des maisons.

C'est bien cela : le hameau se trouve sur le tracé en pente douce d'un ruisseau, le Panikovets. Voilà, nous y sommes, quittant la route, bien secoués par les fondrières du terrain que nous dévalons. Tant que les avions ne sont pas là, nous restons à découvert. Aux gars qui sont dans les camions :

« Douguine ! Pétrykine ! Kropatchev ! Chacun de votre côté, cherchez s'il n'y a pas une cave ! »

Ils sautent telle une poignée de pois, se dispersent. Au hameau il y a déjà du monde : ici ou là, des camions avec leurs nez enfoncés dans des excavations creusées à mi-pente, des mortiers (ils partent à l'avant) ; les obusiers du groupe sont plus à droite, de l'autre côté du vallon. En attendant, je ne cesse de scruter la carte : où envoyer les postes ? Devant nous à l'ouest, un gros bourg, Mokhovoïé ; la semaine passée, par fer, des convois y parvenaient encore et les Allemands les déchargeaient. Ils vont essayer de tenir Mokhovoïé, et sans doute allons-nous stationner là quelque temps.

Je dispose les postes approximativement. (Seul Ovsiannikov choisira le sien de façon sûre.) Le long du front, ils doivent couvrir environ cinq kilomètres (selon le règlement, jusqu'à sept, mais ce règlement, nous l'avons amendé depuis belle lurette ; faute de temps, nous ne déployons jamais six postes, c'est trop, mais guère plus de quatre, aujourd'hui cinq). Tout en avant, il faut trouver un emplacement à notre guetteur, pour le poste avancé. Il doit être là (bien souvent, c'est dans les tranchées de l'infanterie) où il pourra entendre tout son en provenance de l'ennemi avant les autres postes périphériques, afin de décider de sa propre initiative – là gît toute la difficulté – à quel signal sonore il appuiera sur le bouton mettant en action la batterie, et à quel autre il s'abstiendra.

« J'ai trouvé-é ! » nous crie en accourant… qui donc ? notre « pupille du régiment », Mitka Pétrykine, un garçon de quatorze ans que nous avons recueilli à Novosil entièrement dévastée par la guerre, jadis chef-lieu de district, aujourd'hui sentinelle muette de pierres blanches juchée sur une colline au confluent de la Néroutchi avec la Zouch. « Cam'rade lieutenant… une cave ! Et une belle ! »

Avec Botnev nous y allons d'un bon pas. Une construction comme on les fait par ici, non pas sous la maison, mais à part, avec un surplomb de briques, puis une douzaine de marches conduisant à l'intérieur. L'atmosphère n'y est pas très fraîche, lourde de l'haleine de ceux qui y ont séjourné une, deux, trois nuits – propriétaires ou voisins ? Ils s'y sont réfugiés en y entassant leurs affaires. En revanche, sa voûte de briques en arc de cercle, on ne trouve pas mieux.

Nous sommes étonnés et tout contents de voir des paysans russes bien en vie près de leurs maisons, des potagers vivants et, dans les champs, des blés. Du côté soviétique du front, tous les habitants, par méfiance, ont été déplacés vers l'intérieur d'au moins vingt kilomètres ; depuis plus de deux ans, pas âme qui vive, pas de semailles, les champs ne sont plus que friches, comme au temps des polovtsiens[1].

Mais cette terre dépossédée de ses fruits, dépeuplée, elle vous fend encore plus le cœur. On le ressent clairement : pour cette Russie centrale-là, on n'aura pas regret de mourir. Surtout après les marais du Nord-Ouest !

Sitôt entrés du côté allemand, nous le voyons bien : les gens vivent !

Dans le sous-sol, on nous regarde avec crainte. Non, nous ne les chassons pas, nous sommes des leurs :

« Il va bien falloir, mes amis, vous serrer un peu dans le fond. Nous, nous occuperons le devant. »

Des paysannes, pas un seul homme, si ce n'est un vieillard décrépit, des enfants qui soupirent doucement : où qu'on se met ? Mais tous les visages nous sont si familiers. Ils sont heureux qu'on ne les flanque pas carrément dehors. – On va vite empiler en hauteur vos sacs et paniers. Allez-y, les gars !

On a beau se tasser, il en faut, de la place : et pour l'appareil lui-même, et pour les quatre tables pliantes. Apparemment, on y arrive.

Choisir un emplacement pour le central – c'est comme une première bourrasque qui vous propulse. La seconde : le descendre au plus vite dans la cave. Mais nous avons amené les forces nécessaires pour cela : Douguine et Blokhine, les deux opérateurs qui se relaient à l'appareil, et ceux de la section des mesures.

Je remonte là-haut.

Du levant, le rosissement promis a gagné tout le ciel. Ce qui laisse apparaître quelques rares filaments de nuages invisibles jusqu'alors.

Mais aussi, comme prévu, s'élève le ronflement des avions. On en a assez de ces maudits qui nous font ployer l'échine !

---

1. Ethnie d'origine turque qui, du XIe au XIIIe siècle, occupait les steppes du Sud et dévastait périodiquement les confins de la Russie de Kiev. *(NdT.)*

Mais non. Non, non… Ce sont les nôtres !

Depuis ce printemps, les nôtres, on les voit dans le ciel plus souvent. Et nous relevons la tête. Quand nous étions sur la défensive, durant des nuits entières des groupes compacts de forteresses volantes, avec leur vrombissement pesant, passaient au-dessus de nos têtes pour aller bombarder au loin. (De quoi nous réjouissons-nous ? Elles s'en vont frapper nos villes russes !) Quand c'était sur Orel, nous l'apercevions à plus de soixante kilomètres : les faisceaux croisés des projecteurs ; les tirs argentés de la DCA ; les fusées rouges et les explosions foudroyantes des bombes. Récemment, nous avons appris à reconnaître le retour victorieux à basse altitude d'un raid opéré dans les parages – IL(iouchine) et avions de combat ; sous leurs ailes, nous poussions des hourras, car c'est un sacré coup de main pour nous autres, et tout proche.

Nos zincs passent haut dans le ciel. Bien calculé : pour que les Allemands soient aveuglés à l'instant précis où émerge un bout de soleil.

Les hommes des mesures travaillent en bonne entente, ils ont l'habitude. Ils sortent avec précaution l'appareil du camion et le portent en bas. Puis les tables, et tout ce qui sert aux calculs et aux plans. Ceux qui sont en charge des transmissions entassent dehors, à proximité de la cave, les bobines avec indication des postes correspondants : nous allons établir les liaisons en posant toutes les lignes à partir d'ici. L'adjudant-chef Kornev, passé maître dans l'art de la débrouille, a choisi pour la roulante un endroit en contrebas, dans les buissons, guère protégé, mais à l'écart des isbas : le long des habitations, ils pourraient bien nous faucher d'en haut à coups de mitrailleuses. Non loin des buissons, il a donné ordre aux chauffeurs d'aménager des excavations pour les véhicules, et, costaud comme il est, il leur prête main-forte : faut avant tout et autant que possible enfouir les moteurs sous terre. Et qu'on ait le temps d'y parer au plus vite.

Je marche, m'énerve, fume. Je déploie inutilement la planchette et à nouveau, à nouveau je scrute la carte, bien que je la connaisse presque par cœur.

Le soleil s'est levé à plein. Les nuées fondent.

Non loin de nous monte une des rues du hameau, fraîchement labourée de trous d'obus tout noirs. Derrière la ravine à droite, une seconde rue rectiligne. Là s'est déployée la batterie de 76. Les isbas sont comme mortes : qui s'est réfugié dans les sous-sols, qui dans les sous-bois. Pas une fumée.

Allons, allons, Ovsiannikov, ce n'est pas une si longue trotte !

Mais les voilà qui arrivent ! en file, à découvert, remontant la ravine. Sans sortir les jumelles, je sens que ce sont les nôtres. D'un pas gaillard, Ovsiannikov réglant la marche. À leur approche, dans quelques instants, ce sera la troisième bourrasque : chaque poste de repérage embarquera ses appareils, ses bobines, ses sacs, ses rations de biscuits, et, durant ces quelques minutes comptées, Ovsiannikov doit, sur la carte, à son seul jugé, préciser les emplacements des postes en évaluant la capacité des équipes, attribuer à l'une le premier, à l'autre le second… jusqu'au cinquième, et indiquer à chaque chef de poste la bonne direction, comment tenir, pour ne pas se tromper, l'azimut. Et, pour le poste avancé, davantage de détails encore. Ces dix-quinze minutes, alors que toute la batterie est regroupée, sont les plus dangereuses. Une fois dispersés, quand nous ne serons pas tous les soixante les uns sur les autres, ça ira mieux.

Ils arrivent, les nôtres, ils arrivent, et tout se passe ensuite comme une leçon écrite apprise par cœur. Les postes se préparent énergiquement à se déployer.

Avec Ovsiannikov, nous nous asseyons sur un tronc d'arbre abattu pour situer les emplacements avec plus de précision encore.

On se chamaille pour des bobines : l'un s'est emparé d'une bonne, laissant à l'autre des fils rafistolés.

Tous les visages trahissent l'insomnie, l'épuisement. Les calots sur les têtes sont mis de traviole. Mais les gestes sont vifs, tous soutenus par le sentiment qu'il ne s'agit pas d'une opération locale et anonyme – nous sommes dans la Grande Offensive ! Voilà qui donne des forces.

Les hommes en charge des liaisons en ont fini avec les épissures et déploient les lignes à deux fils.

Les Allemands nous expédient déjà un gros obus qui, avec un noble bruit de ventouse, passe au-dessus de nos têtes et s'abat ! Sans doute sur Setoukha, près de la grand'route.

Puis encore quelques lourds obus, toujours à destination de Setoukha.

Tant que la matinée est fraîche, nous devrions procéder aux repérages. C'était vraiment pas le moment de nous demander de bouger !

Pour chaque poste il y a quatre à cinq hommes et les charges à porter sont aussi nombreuses que lourdes, l'accumulateur à lui seul vous ankylose l'épaule ; il faut bien huit bobines, parfois plus de dix ; le récepteur n'est pas très pesant, mais c'est un cube encombrant, il faut en prendre soin plus que de ses propres oreilles, tu risques d'amocher la grande membrane, et si jamais un éclat venait à la transpercer ? Et puis il y a le transformateur, le téléphone, d'autres menus accessoires. Et puis le fusil-mitrailleur, d'aucuns ont une carabine, des pelles de sapeurs – tout cela, il faut le trimbaler. (Cela fait un bail que nous ne transbahutons plus les masques à gaz, nous les avons tous planqués au fond du camion.)

Bourlov, le court-sur-pattes, emmène les siens au premier poste, celui de gauche ; le compas à la main comme une montre-gousset, il vérifie toujours l'azimut, et avance de façon sûre. Il compte dans son équipe Ermolaïev, un Sibérien droit comme une perche, toujours imperturbable, supportant tout – pour les postes les plus avancés, Ovsiannikov choisit les plus solides. Chmakov aurait pu écoper du disciplinaire : dans un combat antichars, il n'a pas supporté l'assaut à découvert, il s'est carapaté à toutes jambes pour tomber sur notre dispositif. Or, nous avions aussi pas mal de vides à cause des déserteurs, le commissaire a fermé les yeux et dit « Prends-le ! ». Depuis, il est fidèle au poste.

Le perspicace Choukhov (nous l'avons élevé au grade de caporal à la place d'un sergent blessé) conduit les siens au second poste. Toujours sombre et maussade, Volkov est chargé du cinquième, loin à droite, du côté nord. Les postes intermédiaires ont une ligne plus courte, il leur faut moins de bobines, quatre hommes suffisent.

Émelianov a le visage buriné, renfrogné ; je lui demande conseil en lui montrant la carte (quand il s'en trouve un exemplaire supplémentaire, il est pour lui). Le poste avancé requiert un travail délicat qui demanderait un officier, mais, règlement oblige, il ne peut que stagner au grade de sergent-chef tout en étant toujours placé en avant de tous. À chaque bruit utile, il ne doit pas perdre une demi-seconde, et déterminer le calibre à l'ouïe. (Ensuite, celui qui est plus près de l'impact apportera ses correctifs.)

Les premières lignes s'animent – les mortiers s'ébrouent de part et d'autre. Depuis notre hameau, les 76 se mettent à tirer – et nous, alors, quand serons-nous prêts ? Les demandes ne vont pas se faire attendre.

Les jambes d'Ovsiannikov sont impatientes d'aller au-devant du poste de guet : ce qui importe, ce n'est pas seulement le choix final d'un trou pour l'appareil de réception (les soldats, eux, chercheraient plutôt l'endroit le plus confortable, au plus près d'un point d'eau), mais aussi celui de l'environnement immédiat : ce dernier ne doit pas faire écran. (Ça nous est déjà arrivé : il pleuvait, nous avons mis le récepteur à l'abri d'un hangar, pour nous étonner ensuite : diantre, toutes les réceptions sont floues !) Et de presser le pas pour rejoindre Bourlov.

Derrière nous, un autre groupe à pied. Aux perches rayées, aux trépieds, on reconnaît les topographes. Allez, grouillez-vous, voilà ce qu'il nous faut. C'est le lieutenant Koukline, chef de section, qui nous amène ce petit groupe ; lui est si gentillet, avec son visage et sa taille de jeune garçon. Mon Botnev, à peine plus âgé que lui, le morigène.

« Qu'aviez-vous à roupiller si longtemps ? Sans vous, nos coordonnées sont au pif, à qui voulez-vous qu'elles servent ? »

C'est vrai, on nous a rudement à l'œil, toute erreur dans la détermination des cibles ou le réglage des tirs nous est imputée. Mais qui va se risquer à contrôler les topographes ? Ça ne s'est jamais vu. Or, pour peu qu'ils se trompent dans les données, toutes nos indications à nous seront erronées.

Je m'assieds avec Koukline pour lui indiquer où seront disposés les postes. Je le supplie :

« Non, Iourotchka, ne te hâte pas. Occupez-vous d'abord des trois postes les plus proches, ne serait-ce que pour un premier repérage. Et envoie-nous tout de suite les chiffres.

– On a vu notre troisième bataillon de feu faire mouvement vers ici, tout près, me répond-il, mais il n'occupe pas encore ses positions. »

Koukline emmène sa colonne vers le premier repère, le plus évident ; de là, il ira rejoindre celui de Choukhov. (Un repère est relevé sur la carte, et n'est donc qu'approximatif. Mais, dans la guerre de mouvement, le canevas trigonométrique est toujours plus que nécessaire.)

Difficile de dire qui, dans les affrontements, a le plus dur boulot. Les topographes ne font pour ainsi dire pas la guerre, mais ils ont à porter les théodolites, les niveaux, à dérouler leurs rubans à travers champs – ils se déplacent comme volètent les corneilles : ne va pas demander où c'est déminé, où ça ne l'est pas, et puis tu risques à tout moment d'être pris sous le feu.

Les gars de la section des transmissions nous ont déjà dégottés. Ils posent le câble pour le central, les préposés aux bobines montent vers nous depuis le ruisseau qui est barré.

Mais qui au juste nous a trouvés ? Ce n'est pas le groupe de feu avec lequel nous devons travailler : il est en mouvement. Le câble est tiré du QG de la brigade, c'est sûr – c'est de là qu'on va exiger de nous qu'on indique des cibles.

Nous aurions dû entamer nos repérages dès l'aube, tant que l'air ne s'était pas échauffé. Les Allemands nous pilonnent : là un tir de canon, plus loin des pièces envoient jusqu'à dix obus alors que nous ne sommes pas encore déployés. Le travail de jour va être cette fois médiocre : il fera chaud, on le sent déjà, ce qui va susciter une *inversion thermique* : le réchauffement va raréfier l'air en altitude et les signaux sonores ne vont pas s'infléchir vers le bas, du côté du sol, mais se perdre vers le haut. On le perçoit à l'oreille : les obus tombent, mais les explosions se font entendre de plus en plus faiblement. Pour le repérage, les conditions les plus favorables sont l'humidité, le brouillard, et immanquablement toute la durée de la nuit : les réceptions sont alors exceptionnellement nettes et les cibles, que ce soient les canons qui tonnent ou les obusiers au bruit plus sourd, sont immédiatement localisées.

Mais le commandement n'arrive pas à faire sienne cette loi ! S'ils avaient un peu de jugeote, ils nous déplaceraient de jour, et non pas de nuit...

Nous, groupe instrumental de reconnaissance, sommes une unité autonome mais toujours stratégiquement soumise à l'artillerie lourde – en l'occurrence, à la brigade de canons. Aujourd'hui, nous allons avoir fort à faire : servir deux bataillons de combat à la fois, le 2e, plus à droite du côté de Jéliabouga, le 3e plus à gauche, du côté de Chichkov.

Dans la cave à Botnev, tous ont trouvé leur place : on branche, on vérifie. Le camerton zonzonne dans le tremblement continu des pattes. Les aiguilles des instruments frémissent à peine. Les six styles de verre des oscillographes, cerclés par les anneaux électromagnétiques, sont prêts à fournir leur transcription à l'encre sur le ruban. C'est Douguine – efflanqué, prompt dans ses mouvements, qui veille pour l'heure sur l'appareil. Il est habile de ses dix doigts : dès qu'il a un instant de liberté, il vous fabrique un objet – à l'un un embout, à l'autre un porte-cigare (pour moi, il a eu l'idée d'utiliser le ruban audiométrique pour coudre avec soin les blocs-notes qui me servent à tenir mon journal de guerre).

Tout à côté de l'instrument s'est installé sur un petit banc le téléphoniste, le déluré Enko. À ses oreilles, deux écouteurs reliés sur l'occiput par un cordon. Dans l'un, il a le poste de guet ; dans l'autre, tous les autres postes à la fois peuvent être écoutés, mais quand ils se mettent à brailler un peu fort, le central s'emploie à les assagir ; il est vrai que lui-même est friand de nouvelles, d'apprendre tout ce qui se passe, jusqu'au point de savoir qui a eu son seau renversé par un éclat d'obus.

Derrière l'appareil, la table du déchiffreur, et juste derrière elle, là où il y a à peine où s'asseoir, une table pour relever les calculs. Adossée au mur latéral, celle du calculateur et des planchettes est posée à l'oblique sur des tréteaux inclinés. Dans la pénombre du sous-sol, trois ampoules de 12 volts, l'une suspendue au-dessus du papier Watman soigneusement quadrillé. Nous sommes fin prêts.

Fédia Botnev n'est ni très débrouillé ni très hardi au combat, mais, puisqu'il appartient à la section des mesures et des calculs, il n'a nul besoin de l'être. Par contre, il est d'une exactitude vétilleuse, vigilant quant au moindre détail, et c'est ce qu'il faut. (Il est même curieux de toutes les unités voisines, de leur technique, et s'y rend à l'occasion pour l'étudier. Il est diplômé de l'Institut des arts et métiers.) Il aime bien se mettre lui-même aux planchettes, tracer les trajectoires à partir des repères.

Mais la bonne marche de tout repérage dépend du déchiffreur. Chez nous, c'est Lipski, un ingénieur-technicien que nous avons promu sergent. Quand le travail n'est point trop pressé, il est le seul qu'on appelle à la fois par son nom et son patronyme. (J'en ai d'autres qui ont achevé des études supérieures, comme Pougatch, le juriste. Un juriste très convaincant, car il trouve toujours le bon prétexte pour se tirer d'affaire. Mais il n'est pas disponible pour n'importe quelle tâche : tantôt il « donne un coup de main à l'instructeur politique », tantôt il « publie le *Feuillet du combattant* ».)

Du fond de la cave, on entend murmurer sourdement :

« Oh, que ça tape ! Oh, que ça frappe !...

– Ah, si je pouvais y aller jeter un coup d'œil : chaparde-t-on chez moi, ou pas ? J'y ai laissé une cuvette éma-ée, qui vaut les yeux de la tête.

– Allons, Aréfievna, tu ne réussiras jamais à prendre tout ton barda avec toi. Un bon coup, boum, et tu ne retrouves plus ton isba !

– Dieu fasse que ça passe à côté ! »

Dehors, dans une teinte déjà jaune clair, la journée s'enflamme, chaude, ensoleillée. Les mini-nuages se sont dissipés, le ciel est pur-pur. Eh bien, il va nous en tomber sur le râble, aujourd'hui !

Issakov dans les fourrés fait déjà fumer sa roulante.

Les chauffeurs achèvent de terrer leurs véhicules, chacun d'eux aidé par un soldat disponible. Grand et flegmatique, Liakhov ne laissera jamais paraître le moindre signe de fatigue. Quant au petit et replet Pachanine, originaire de Nijni-Novgorod, il s'est mis torse nu, mais sa poitrine velue et son dos restent couverts de sueur, et il s'essuie le front du revers de la main. Il a eu l'imprudence de raconter dans la batterie son infortune : sa femme bien-aimée, une chanteuse d'opérette, l'a laissé tomber ; le voici devenu objet de compassion générale, mais aussi de risée.

Ah oui, j'ai encore dans ma batterie le commissaire politique Kotchégarov, un lambin, celui-ci : quand la tension monte et que tous sont dispersés, pas moyen de l'occuper et de le mettre à l'ouvrage. Lui-même a été chauffeur dans le civil, mais d'un comité régional du parti, et l'idée ne lui viendrait pas, là, d'empoigner une pelle pour venir en aide à Pachanine.

Le premier signal émane du troisième poste, le plus proche : bien arrivés, la ligne est branchée, on se terre. À nous, cela permet de vérifier notre appareil : Tapez, là-bas (en avant de la membrane). C'est bon ! Il enregistre les tirs. Ça marche.

Mais qu'un avion vienne à passer au-dessus d'un seul poste et c'est, de proche en proche, l'enregistrement de trois postes à la fois qui sera brouillé.

De la cave, les lignes partent en éventail : on les enterre, chacun la sienne. Sur une cinquantaine de mètres, afin qu'on ne s'y prenne pas les pieds, et pour les protéger, ne serait-ce qu'ici, des éclats d'obus.

Voici que rappliquent six avions Heinkel. D'abord ils volent haut, puis plongent en arc sur notre gauche. Clac, clac, c'est la DCA qui tire. Raté… Eux lâchent leurs bombes et puis s'en vont.

Nos forces sont concentrées sur plusieurs kilomètres carrés le long des premières lignes : mortiers lourds et légers, canons de 45 et de 76, obusiers de 107, toutes sortes d'engins à demi enfouis, camouflés. Tape au petit bonheur sur toute cette superficie et tu y trouveras ton compte.

Entre-temps, dans la cave, il faut faire encore de la place pour trois : le téléphoniste branché sur la brigade, et deux autres détachés des groupes. D'un tilleul abattu, les nôtres, avec une scie passe-partout – nous en emportons toujours une avec nous – ont découpé trois billots qu'ils roulent jusqu'en bas.

Liakhov a enfourné son ZIS presque vide à l'abri dans son terrier.

Le GAZ de Pachanine, on l'enfouit aussi, ouf ! ça va mieux.

Du second poste, Choukhov nous communique en grésillant : sommes arrivés !

Nous les vérifions à leur tour : ça marche.

En fait, ils rejoignent parfois leur position de façon approximative ; de surcroît, ils aiment bien s'en écarter pour avoir plus de commodités, et tant qu'Ovsiannikov ne les a pas contrôlés, mieux vaut qu'ils ne commencent pas à s'enterrer.

De la cave, un cri :

« Cam'rade lieutenant-chef, on vous appelle ! »

Ça y est, c'est la brigade : la 42, donnez-nous des cibles !

Je regimbe : laissez-nous un peu le temps de nous déployer, de nous relier, vous n'êtes pas des êtres humains, vous autres. Ah, si l'on pouvait dormir encore un peu, on tombe de sommeil ! Je regarde les gars dans la cave, ils aimeraient bien roupiller, eux aussi.

« Allez, tant qu'il n'y a pas de boulot, posez vos têtes sur les tables. »

L'invite est presque de trop, ils la posent instantanément. Ultime et brève demi-heure de répit.

Le soleil monte – et la chaleur avec.

Le quatrième poste a lui aussi établi la liaison, ainsi que le poste avancé. Trois peuvent donc déjà indiquer en gros de quel carré partent les tirs.

Dès le début du travail, au central, deux hommes se tiennent prêts à courir le long des lignes, et, s'il y en a une de sectionnée, à la rabouter. Des postes on court à sa rencontre : pour chaque coupure de ligne, il faut deux hommes, car on ne sait jamais qui s'en trouvera le plus près. Réparer les lignes présente le plus de risques : tu as beau te plier en deux, tu es à découvert ; s'il y a un raid aérien, aplatis-toi. Quand aucune attaque ne semble venir du ciel, celui qui est de faction y court spontanément : il sait ce qu'il y a à faire. Quand ça chauffe dur, il faut une décision pour désigner qui envoyer. Quand Ovsiannikov est sur place, celle-ci lui revient ; sinon, c'est à moi. Mais la portée même de la tâche implique qu'on peut se passer des officiers ; le sergent responsable du central y dépêche lui-même qui il veut, c'est lui le responsable : si des postes viennent à faire défaut, s'il n'y a plus de repérages, les dégâts seront encore plus lourds. Chacune de ces courses peut coûter la vie à qui l'effectue ; nous avons déjà perdu Klimanski de cette façon. Mais, quand des lignes sont sectionnées, que les obus pleuvent, c'est alors que les repérages sont justement nécessaires.

Là, c'est Andreïachine qui est de service. Il est assis par terre, adossé aux briques de la voûte. Un brave gars au teint basané, leste, pas bien grand, pourvu de petites oreilles. Il vient tout juste d'être recruté, il est de 25. Je passe, il se met sur-le-champ au garde-à-vous.

« Rassieds-toi ; à ce compte, tu n'en finiras pas ! »

Mais, une fois debout, il me lance de ses yeux sombres des regards qui supplient :

« Cam'rade lieutenant ! Quand nous serons à Orel, me donnerez-vous quartier libre pour trois petites heures ? »

Il est originaire d'Orel. Il a grandi en enfant abandonné, mais qu'il est appliqué à la tâche ! Il n'a pas de famille, mais lui aussi connaît là-bas des gens qu'il voudrait rencontrer, retrouver.

« Il faut encore, Vania, qu'on y arrive, jusqu'à Orel. Patience !

– Et quand donc est-ce qu'on y arrivera ? Je vous rattraperai, je vous rattraperai, n'en doutez pas !

– D'accord, je te laisserai aller. Et pour un peu plus longtemps, peut-être. On va bien faire halte à Orel, non ?

– Bourlov aussi ! » crie-t-on vers moi de l'intérieur de la cave.

C'est le poste installé le plus à gauche.

Nous sommes maintenant au complet.

Douguine se frotte les mains :

« Hé, hardi les gars ! C'est la fê-ête ! »

Du fond de la cave, en écho :

« Drôle de fête que par chez vous ! »

Désormais, nous sommes parés, nous pouvons enregistrer. Mais il nous faudrait des coordonnées plus précises. (Sans quoi, les postes sur la planchette restent situés très approximativement, comme indiqué sur la carte.)

En première ligne, une fusillade désordonnée crépite. Mais par salves. Si d'aventure un tir d'artillerie s'entend dans l'intervalle, nous l'enregistrerons par la même occasion.

Le gruau est prêt chez Issakov. Ceux du central y courent par petits groupes.

Le ciel est de plus en plus strié d'ailes, que ce soient les nôtres ou celles des Allemands ; mais les nôtres sont plus nombreuses. Pas de prises de bec entre les appareils : les uns et les autres attaquent en piqué les premières lignes. Là, l'empoignade est féroce, les explosions ébranlent le sol, il ne te reste plus qu'à les localiser.

Émélianov, du poste avancé :

« Pour l'instant, nous sommes terrés avec l'infanterie, nous n'avons pas creusé notre trou, pas moyen. Et on n'a rien non plus pour le recouvrir...

– Ptachinski, vous dites qu'il n'a pas été égratigné ?

– Non, une balle lui a arraché l'épaulette ! »

Ptachinski, c'est son suppléant au poste avancé – un garçon net aux yeux clairs, très au fait du combat.

Nous avons tout de même réussi à localiser deux cibles par les cinq postes à la fois : la 415e et la 416e. Notre tâche essentielle, ce sont les coordonnées ; le calibre, on peut le deviner grâce à une ouïe bien entraînée, et d'après la distance.

De la brigade on me tarabuste :

« Laquelle vient de tirer sur le village d'Arkhangelsk (tout près du QG) ?

– D'après le troisième poste, celui de Zolotarev, c'est la 415e.

– Donnez-nous les coordonnées !

– À défaut d'indications plus précises, elles ne sont pas encore exactes... »

Ils me répondent par une bordée de jurons.

De son pas assuré, Ovsiannikov s'est tapé la tournée des postes, une bonne dizaine de kilomètres. Nous allons ensemble boire un coup de chaud. Nous nous asseyons sur le tronc du tilleul.

J'aime Ovsiannikov comme un frère, sa bonhomie, son parler en « o » de la région de Vladimir. Nous avons suivi les cours d'instruction militaire ensemble, mais nous ne sommes devenus amis qu'une fois dans la même batterie. Sur le front du Nord-Ouest, une heure avant que la Lovat ne débâcle, il a rendu un fier service à la batterie en la faisant passer sur l'autre rive sans qu'il y ait la moindre casse.

Ou encore, c'est le hameau de Grimov qui nous a unis : entièrement calciné, seuls les conduits de cheminée s'y dressaient encore, et balayé d'un bout à l'autre par les observateurs allemands depuis le haut du clocher. Le central, tout comme ici, se trouve alors dans une cave ; lui et moi sommes assis en haut, au niveau du sol, nos jambes pendant à l'intérieur de l'abri ; entre nous, une gamelle que nous partageons, et pendant que nous lapons cette soupe à la viande, par trois fois nous dégringolons dans l'abri pour nous protéger, laissant la gamelle en surface. Sitôt remontés, nous reprenons nos cuillerées.

Ici, par contre, la pente ne permet pas aux Allemands de voir directement, si ce n'est depuis les airs, le hameau de Jéliabouga.

Je roule une cibiche, Victor ne fume pas du tout. Il me raconte comment il a rectifié l'emplacement des postes. Qui chemin faisant il a vu, où stationne telle ou telle unité. À Mokhovoïé, chez les Allemands, on aperçoit un grand incendie que les nôtres ont sans doute allumé.

« On maintient la pression. On va pousser plus loin encore, sans nous attarder. »

Je n'ai pas fini ma cigarette que, venant de la gauche, de la grand-route, bringuebalent vers nous, secoués par les fondrières...

holà, il y en a, ce sont nos lance-roquettes, les fameuses *katiouchas* !

Huit engins, tubes chargés, tout un groupe d'artillerie, ils ne se déplacent jamais autrement. Vers nous, vers nous ! Ce n'est sûrement pas par hasard qu'on a choisi pour eux cet emplacement. Et tous les huit se mettent en ligne, les bouches à feu pointées vers les Allemands. À vingt mètres de nous : jamais nous ne les avons vus tirer d'aussi près. Mais nous savons qu'ils ne faut pas se placer juste derrière eux, nous nous rangeons de côté. J'avertis les nôtres en faisant signe de la main à ceux qui sont sortis pour les regarder de tous leurs yeux.

Feu ! Ça part de la plus éloignée, mais se transmet aussitôt à toute la rangée ; la première n'a pas fini que tire aussi la huitième. Mais « tirer » n'est pas le mot juste. C'est un sifflement ininterrompu, semblable à celui d'un serpent, non, plutôt à celui, assourdissant, d'un dragon. Derrière chacune, des gerbes de feu se fichent à l'oblique en terre, brûlant jusqu'à la racine tout ce qui pousse, et l'air et le sol – cependant que par l'avant et vers le haut s'envolent par dizaines les fusées que, d'ici, à proximité, on voit encore, mais que, plus loin, on ne distingue plus, jusqu'à ce qu'en éventails de flammes elles se déversent sur les tranchées allemandes. Quelle puissance, quel monstre ! (Dans la cave, au sifflement des *katiouchas*, les femmes se figent, comme mortes.)

La plus éloignée vient à peine d'achever son tir qu'elle fait demi-tour pour repartir, suivie de la seconde, de la troisième… Les huit s'en vont aussi précipitamment qu'elles sont venues, nous pouvons tout juste voir les pointeurs libérés se balancer au gré des fondrières de la route.

« Ça va se mettre à chauffer, par chez nous ! » fait l'un des nôtres.

Mais non, ça ne chauffera pas ; les Allemands savent fort bien que les *katiouchas* s'éclipsent en un clin d'œil.

Ovsiannikov et moi revenons nous asseoir sur le tronc du tilleul.

Dès qu'il y a répit, les pensées gagnent le large.

« Oui (je me prends à rêver), nous irons encore de l'avant, de l'avant, et en Europe le ressort comprimé donnera un de ces reculs, non ? Après une telle guerre, la révolution est inévitablc, n'est-ce pas ?... C'est conforme à ce que disait Lénine. Et la guerre dite "patriotique" va se transformer en guerre révolutionnaire ? »

Ovsiannikov a un regard placide. Il ne réplique guère. Depuis qu'il a trouvé chez les Allemands de l'essence en poudre, il ne croit plus, comme disent les journaux, que ceux-ci vont bientôt caler faute de carburant. Son souci à lui, c'est le poste avancé.

« Pour eux, pas moyen de sortir la tête, pas question de boire du chaud. Ça va mal pour eux, là-bas. De combien je pourrais les déplacer de côté ? ou en arrière ? Je le ferais vite fait, sans même couper la liaison... »

Nous mesurons avec le compas. De trois à quatre cents mètres, pourquoi pas ?

Et il s'en va, marcheur infatigable.

Quant à Mitka Pétrykine, je le vois bien, il cherche un moyen d'aller se baigner dans l'étang. Il fait appel aux calculateurs désoccupés pour qu'ils lui fraient des passages.

Voilà que nous sommes rejoints, côté droit, par le 2e groupe, côté gauche, par le 3e. Eux aussi enterrent leurs fils. Notre central, pour ce qui est des lignes, ressemble à présent à un important QG : il rayonne en tous sens ! Les gars des trois groupes se sont installés dans la cave, sur les billots, avec leurs combinés sur les genoux.

Aussitôt, on m'appelle au téléphone. Du 3e groupe, le commandant de la 8e batterie, Tolotchkov. Il me plaît bien, lui. Râblé, intrépide, habile à la tâche à laquelle il s'adonne jusqu'à tout oublier. Avec lui, on a plaisir à tirer.

« Donne-moi des cibles, des cibles ! Je me morfonds...

– Patience, tu en auras bientôt. Nous attendons les coordonnées. Nous sommes en train de tâter la 418e. »

Sans la reconnaissance acoustique, il est rare qu'on puisse localiser une cible d'artillerie – si ce n'est dans l'obscurité, à la lueur de la déflagration, et encore, lorsque la pièce à feu est située à découvert.

Puis, du 2e groupe d'artillerie, on me passe un combiné. À la voix, je devine : c'est le commandant du groupe, Boïev.

« Sacha, nous aurons à travailler dur, aujourd'hui, ne flanche pas.

– Nous allons vous indiquer à l'instant quelques cibles, mais, pour le moment, sans grandes précisions.

– Donne-les quand même. Et puis, dans la soirée, viens-t'en chez moi, dans ma *maisonnette.* »

Autrement dit, au QG du groupe.

« De quoi s'agit-il ?

– Tu verras sur place. »

J'allais remonter au-dehors quand survient en dévalant les marches Ioura Koukline. Il me tend une feuille avec toutes nos coordonnées.

« Si vous restez là encore, nous vous fournirons d'autres précisions.

– Merci, entendu. »

Je la transmets d'emblée au planchétiste Nakapkine.

Aussitôt, celui-ci transcrit les données avec un mesureur, à un mètre près, grâce à une équerre métallique au linéament oblique, et il place sur la planchette, avec son grand quadrillage kilométrique bleu, les x et les y correspondant à chaque poste de repérage par le son, en corrigeant les précédentes positions qui n'étaient que provisoires.

Puis il relie à nouveau les points représentant les postes par des droites, à nouveau trace les lignes qui leur sont perpendiculaires, et à nouveau, à partir d'eux, les axes rayonnant vers les cibles. À commencer par la 415e, toutes ont désormais des positions rectifiées.

Sur le ruban central de l'appareil, correspondant à chaque récepteur, se dessine à l'encre une ligne régulière. L'ondulation de la membrane, là-bas, à chaque poste, se traduit ici sur le ruban par des oscillations de l'enregistreur. Le décalage entre les oscillations sur les récepteurs voisins permet de déterminer la direction de la trajectoire sur la planchette. Dans les conditions les meilleures, la nuit ou par temps froid et humide, les trois-quatre axes convergent en un seul point : là est l'emplacement de la pièce ennemie, il ne reste plus qu'à le dicter à nos bouches à feu !

Mais, lorsqu'il y a de nombreuses gênes acoustiques, avec par-dessus le marché cette inversion due à la chaleur, qui dévie le son, alors toutes les variations sonores sont diffuses, déformées ou mal perçues, l'instant de l'oscillation est imprécis – d'où faire partir le calcul ? Et si ton calcul est mal goupillé, les axes sur la planchette ne vont pas aller dans le bon sens. Le point recherché échappe, il s'est étalé sous la forme d'un triangle étiré. Vouloir le rechercher est peine perdue.

Il semble, là, qu'il en soit ainsi. Botnev se penche sur Nakhapkine, se renfrogne.

Botnev et moi, nous en avons aussi pas mal bavé ensemble. Comme à l'accoutumée, nous avons pris ce jour-là deux véhicules. Au lieu fixé, on ne peut accéder que par le chemin vicinal qui conduit à Biéloоussovo. Mais halte ! près de la route, un pieu fiché en terre porte une pancarte : « Présence de mines possible ». L'inscription semble ternie. Emprunter des routes latérales nous conduirait trop loin, voire franchement ailleurs. Allons, advienne que pourra : au petit bonheur la chance, à la russe ! Avec le trois demi-tonne de Pachanine, je fonce en avant. J'appuie de tous mes pieds sur le plancher comme pour repousser la mine afin qu'elle n'explose pas, et de tous mes yeux je vrille la route devant moi : ne serait-ce pas sous cette motte ou sous ce monticule de terre retournée ? On roule sur quelque trois cents mètres – on entend à l'arrière une explosion. On s'arrête, on saute à terre, une mine antichar ne présente pas de dangers pour qui est à pied, nous regardons derrière nous : le véhicule de Liakhov a la roue avant droite arrachée, mais le reste est sauf ; à l'intérieur de la caisse, Liakhov et les soldats sont indemnes – Botnev, c'est de son côté que l'explosion s'est produite, est également indemne, mais il court, court, remonte une butte, et là il se ressaisit comme après un accès de folie, sans trop bien comprendre, mi-choqué. (Cependant, le premier véhicule a poursuivi sa route et atteint sa destination ; tout le reste, nous avons dû le porter à bouts de bras.)

Hé oui, cette fois, ça dessine un triangle considérable. La 415e se trouve bien quelque part par là-bas, mais ne se laisse pas fixer. Et il s'agit manifestement d'un cent-cinquante, et même de plus d'une seule pièce. Il faut continuer le repérage ; des enregistrements obtenus, parvenir à tirer la substantifique moelle. Je m'absorbe dans l'examen des rubans de la 415.

À partir de données aussi indistinctes, pas moyen de prendre des relevés ; peut-être faudrait-il chercher un talus ou quelque autre accident de terrain, et essayer d'en prendre à partir de là.

Les gens d'ici, dans le sous-sol, nous ne les regardons plus guère, quitte à les tranquilliser de temps à autre. Mais voici qu'un garçon d'une dizaine d'années cherche à nouveau à se faufiler vers les marches.

« Où tu vas ?

– Pour voir. »

Il a l'air décidé.

« Et un feu roulant d'artillerie, tu sais ce que c'est ? Tu n'auras pas le temps de rebrousser chemin, qu'un éclat t'aura troué la peau. Tu es dans quelle classe ?

– Dans aucune, fait-il en reniflant.

– Pourquoi ça ? »

C'est la guerre. Inutile de s'étendre : la question est stupide. Mais le mioche s'explique en maugréant :

« Quand les Allemands ont rappliqué, j'ai enterré tous mes manuels. – Il a l'air prêt à tout. – Je ne veux pas étudier tant qu'ils sont là. »

On voit à quel point il les déteste.

« Et c'est ainsi depuis ces deux années ? »

Il renifle un bon coup :

« Maintenant, je m'en vais les déterrer. »

À peine me suis-je détourné de lui qu'à quatre pattes il passe sous la table du calculateur, s'échappe et file vers son village.

Moi, on m'appelle au téléphone. Le commandant en second du QG de la brigade, avec impatience :

« Quelle est cette cible indiquée par Zolotarev, qui frappe ? Donnez-moi cette cible ! »

Mais c'est précisément celle que je cherche ! Qu'on me laisse réfléchir ! Il me serait plus facile de planter au petit bonheur l'aiguille dans la planchette : ils balanceront une dizaine d'obus et se calmeront. Mais je ne suis pas du genre à faire ça.

Pour la énième fois, je leur explique les contretemps, les avions, l'inversion... Patientez un peu, nous travaillons !

On m'appelle sur un autre téléphone. Du 3e groupe, le chef du QG. Même question, même impatience.

Celui-ci, le capitaine Lavrinenko, j'ai bien appris à le connaître. Un Ukrainien fûté. Une fois, il m'a demandé de l'aider dans les tirs :

« Nous envoyons un premier obus, à vous de nous corriger... » Je leur communique l'impact : « Il faut maintenant que vous visiez deux cents mètres plus à gauche et cent cinquante plus en profondeur. – Nous envoyons le second, repérez-le. – Pas d'explosion. – Comment ça ? Nous avons bien tiré ! – Ah, voilà : nous avons enregistré un impact, mais un demi-kilomètre plus à droite. Où tirez-vous ? Vous n'avez pas bu un coup de trop, là-bas ?... » Il bougonne : « Ouais, on s'est légèrement trompés, mais poursuivez vos repérages ! »

Cette première fois n'a pas suffi pour mériter sa confiance. Une autre fois, il a appelé aussi la 1re batterie acoustique – la mienne est la 2e – et il s'est adressé aux deux séparément : « Enregistrez nos tirs !... » Et, de nouveau, les deux batteries ont fourni des indications identiques. Maintenant il fait confiance. Mais là, il me houspille : Quand donc me donnerez-vous des coordonnées ?

C'est qu'il en met, le canon lourd de 150 ! Les explosions sont à notre gauche, entre le QG de la brigade et le QG du 3e groupe ; il s'agit sans doute de la 415, mais le combat gronde tellement, à la fois dans les premières lignes et entre les deux artilleries, qu'on n'arrive plus à enregistrer : à chaque repérage, la cible sur la planchette se dérobe, le triangle en se dilatant prend des formes nouvelles.

Le poste avancé ne cesse de faire défiler notre ruban. Un ruban décroché par mégarde a recouvert les jambes de Douguine jusqu'aux genoux. Nous avons déjà remplacé une grosse bobine.

Il faudrait qu'on puisse dormir un peu à tour de rôle :

« Fedia, va dans l'isba, pique un somme. En attendant, je vais continuer à débusquer la 415. »

Avec ses deux écouteurs sur la tête, Enko est un joyeux luron. Il a repéré, assise tout au fond du sous-sol, une jeune fille, et des plus ravisssante.

« Et toi, ma beauté, tu t'appelles comment ? »

Ses bouclettes claires lui retombent d'un côté sur le front. Et des yeux vif-argent :

« Iskiteïa[1].

– Pourquoi un nom pareil ? »

La vieille à ses côtés :

« Çui que le prêtre lui a donné. Nous, nous l'appelons Iskorka[2].

– Et tu as quel âge ?

– Vingt, répond-elle avec entrain.

– Et tu n'es pas mariée ? ?

– C'est la gue-erre, rétorque la vieille à la place de la jeunette, et tu parles mariage ! »

Enko a failli ne pas entendre ; il décroche l'un des cornets de son oreille et me le passe :

« Lieutenant Ovsiannikov. »

C'est Victor, du poste avancé, qui rend compte : Ils ont dû ramper à terre. Il les a déplacés quelque peu en arrière :

« Il y a là deux grandes pierres, nous y creusons une petite tranchée. Mais, de toute façon, l'endroit est chaud…

– Et dans l'ensemble ?

– Dans l'ensemble ? À droite, vers le village de Podmaslovo, nos chars ont fait deux incursions. Ils ont réussi à percer, mais là, ils sont arrêtés. On les arrose copieusement.

---

1. Prénom rarissime qui ne figure dans aucun calendrier courant. *(NdT.)*
2. *Étincelle*, en russe. *(NdT.)*

– Bien, tu en as assez fait. Reviens, repose-toi un peu. Qui sait quelle nuit nous attend !

– Non, je reste encore un brin avec eux. »

Toutefois, les cibles commencent peu à peu à s'accumuler. De tout à fait précise, pas une seule. Pour certaines, le triangle n'est pas grand, nous pointons dans son centre de gravité et dictons les coordonnées aux deux groupes. Mais à chaque coup la 414 se dilate différemment et ne veut pas se laisser fixer.

Cette Iskorka non plus ne tient pas en place, et cherche à gagner la sortie. Sa robe est pincée à la taille, mais, plus haut et plus bas elle flotte.

« Où vas-tu ?

– Je vas y voir si on n'a pas ratiboisé par chez nous. Vont nous bousiller tout notre bien.

– Mais qui donc ?

– Allons bon ! Les vôtres aussi piquent nos poules ! fait-elle en nous vrillant des yeux.

– Elle se trouve où, votre isba ? »

Elle fait signe de sa main légère vers le haut, comme dans une figure de danse :

« Dans cette rangée, c'est la dernière, près des osiers.

– C'est bien loin. »

Je la retiens par le coude.

« C'est qu'y faut…

– Alors, sois prudente. Si un obus survient, flanque-toi vite fait à terre. Je reviendrai voir si tu es saine et sauve. »

Une, deux pirouettes, et notre mignonne par les marches lestement disparaît.

Nous continuons à dérouler du ruban. Dans le ciel, un même grondement des nôtres et des leurs. Rugissements, glapissements stridents des évolutions aériennes, va savoir qui va trinquer. Sans compter qu'ils se mitraillent les uns les autres.

D'en haut, de l'entrée, un cri d'orfraie :

« Où est votre chef de batterie ? »

Notre agent de liaison lance dans l'escalier :

« Camarade lieutenant-chef ! On vous demande. »

Je remonte.

Un sergent, propret comme on l'est dans les états-majors, la mitraillette à l'épaule, canon pointé vers le bas, rapide et tout essoufflé :

« Cam'rade lieut'nant-chef ! Vous êtes mandé par le commandant de la brigade ! Et vite !

– Où donc, mais où ?

– Au plus vite ! Courons, je vous emmène ! »

Eh bien, courons ! À toute allure ! Mon pistolet me tape contre la hanche, je le maintiens.

Par les fondrières d'un chemin vicinal vers le hameau. Tiens, j'aperçois là-bas la Willis à remorque arrêtée sur la route. Elle n'aurait pas pu pousser jusqu'à notre poste ? Ou c'est pour me faire la leçon ? Nous courons.

Nous y sommes. Dans la voiture, le colonel Aïroumetov, flambant-noir.

Je me présente, main à la tempe.

M'anéantissant de son noir regard :

« Chef de batterie ! Pour un tel travail, je vous expédierai dans un bataillon disciplinaire ! »

Me voilà échaudé. Qu'ai-je donc fait ? Et il m'y enverra : chez nous, ça ne traîne pas !

Les mains le long du corps, je baragouine à propos de l'inversion atmosphérique. (Ils ne l'avaleront jamais – et pourquoi devraient-ils y comprendre quelque chose ?) Quant à la mitraille extérieure, il serait ridicule de s'y référer. Dans notre travail, en plein combat, on n'évite jamais tous les autres bruits.

Il relâche un peu son air menaçant et sourit :

« Faut se raser, lieutenant-chef, même au combat. »

Qu'aurait-il aimé dire encore ? Mais, rappliquant d'on ne sait où, du haut de la forêt jaillissent deux monomoteurs Junkers. Comment ne pas remarquer une Willis isolée sur la route, autant dire le poste de commandement ? Hé oui ! Ils obliquent, amorcent un piqué.

L'agent de liaison est déjà fourré dans la remorque. Quant au chauffeur, sans même attendre la décision du commandant de la brigade, il fait demi-tour, demi-tour !

Le colonel n'a pas eu le temps d'en finir avec moi.

Le premier Junkers pique déjà. Chez lui, les roues avant sont comme des serres dardées vers toi ; la bombe, il la lâche de son bec comme une goutte. (Puis, au sortir du piqué, quand il redresse l'échine, on dirait qu'il frémit de plaisir.)

Puis-je disposer ? Je cours rentrer chez moi. Et vlan, dans un creux.

Derrière moi, une explosion ! assourdissante ! Je sors la tête en me contorsionnant : la Willis détale, déguerpit dans un tourbillon de poussière.

Et le second ? Le second Junkers continue la boucle qu'il a amorcée. Se dirige-t-il droit sur moi ? Il doit deviner que, me tenant auprès de la Willis, je ne suis pas non plus du rang ? Ou est-ce par défi, pour se venger ?

Pas le temps de réfléchir, trop tard pour fuir, et je n'ai pas la force de lorgner en haut. Je me blottis à nouveau dans le creux, face contre terre ; pour me protéger le crâne, je n'ai que le revers de mes mains. Se pourrait-il que ça m'arrive précisément ici, par un hasard aussi stupide ?

Un fracas terr-rrifiant ! Une odeur de brûlé. De plus en plus forte. Et me voici couvert de terre.

Suis-je indemne ? ? Il leur arrrive souvent de rater leur coup. Dans ma tête un bruit horrible ; elle est bizarre, ma tête.

Fuir ! courir en trébuchant par ces damnées fondrières ! Au surplus, ça monte !

Pourvu qu'ils n'écrasent pas le hameau sous les bombes, nous y avons toutes nos lignes déployées en éventail. Et la cave, résistera-t-elle ?

Non, les Junkers nous lâchent : là-haut, ils mènent leur vie à eux, elle s'anime, ils se donnent la chasse, le ciel commence à se désintéresser de la terre.

Et ce grondement où tout se fond ne permettra de rien enregistrer. Te voilà bon pour le disciplinaire.

La batterie voisine des 76 quitte le hameau, on la déplace en avant, là où ça chauffe davantage.

Oh, que la tête me brûle ! Comme enflée, de plomb. Il aurait d'ailleurs suffi pour cela de toute la tension accumulée de ces derniers jours, qui étaient non pas de 24, mais de 240 heures !

Pourtant, par delà toutes les insomnies, tu sens monter en toi une disposition d'une puissance extrême, qui te dépasse, voire une légèreté de mouvements, comme si tu étais porté par des ailes...

« Mikhaïl Léontiévitch, passez-moi tous les rubans de la 415, je vais chercher moi-même ; et vous, prenez les autres. »

J'envoie Mitka me rapporter ma table pliante, il y en a encore une, en sus des réglementaires. Je la place non loin de la cave, à l'ombre d'un saule.

« Trouve-moi un tabouret dans une quelconque isba. »

Il me le procure en un clin d'œil.

Je reste assis à scruter les rubans. Je réfléchis.

La méthode en vigueur veut qu'on fasse le relevé à partir de la première oscillation de chaque poste de repérage. Mais, quand ces premières indications sont floues, impossible de les corriger ; aussi avons-nous appris à travailler selon des procédures différentes. On peut comparer les points les plus hauts des oscillations : le premier point maximal, le second, etc. Ou, au contraire, les plus bas. Ou bien rechercher dans cinq séries d'oscillations les éléments convergents, les moindres inflexions, et faire les relevés à partir de ces endroits-là.

J'essaie l'une, j'essaie l'autre – Mitka descend les rubans à la cave pour qu'on travaille dessus. Quand, aux intersections, le triangle rétrécit, Nakapkine m'invite à venir regarder la planchette...

Entre-temps, voici que le second groupe nous réclame des corrections. Non loin de nous, à droite, on entend le bruit sourd des canons de la 4ᵉ et de la 5ᵉ batteries.

Dans la mesure où nous arrivons à les distinguer, nous isolons leurs explosions des autres bruits, et dictons les coordonnées. Ils ajustent, nous vérifions à nouveau.

Ceux de la 5e batterie ont quand même réussi à viser et dégommer la 421e. Miagkov téléphone du poste avancé, satisfait, et me dit : « Elle s'est tue. »

Quelle reconnaissance n'éprouve-t-on pas envers une section de mesures aussi diligente !

Les mains molles et blanches de Lipski sont posées sur le ruban déroulé sur la table ; de la gauche il le tient, de la droite, avec un crayon taillé comme une pique, il vise, vise où pointer infailliblement, où indiquer par un très fin bâtonnet tracé à la verticale le début de l'oscillation. (Il arrive que ce ne soit pas le bon. Il arrive qu'on n'ait même pas trente secondes pour réfléchir – or de cela peut dépendre que l'affaire tourne bien ou mal.)

Appliqué, les épaules légèrement voûtées, Ouchatov promène le viseur sur la règle de Tchoudnov, relève les lectures au millième près.

D'après les tables, le calculateur Féniouchkine apporte des correctifs en tenant compte du vent, de la température, de l'hygrométrie (nous la mesurons nous-mêmes à proximité du poste) – et transmet les chiffres amendés au planchétiste.

Retenant son souffle, le planchétiste (Nakhapkine a été relayé par le perspicace Kontchits) teste ces chiffres à l'aide du mesureur sur les bords striés du goniomètre. Il reporte l'angle du relevé à partir de la perpendiculaire de chaque poste de base. Il va tracer les droites et nous verrons dans quelle mesure ça coïncide.

De l'exactitude scrupuleuse de chacun dépend le sort du canon allemand ou de ceux des nôtres qui se trouvent sous le feu.

(Nakhapkine, relayé, trouve un coin pour remplir, en utilisant l'encre de l'instrument, une lettre-type du front, autocachetée, au dos d'une image de guerre terrible sur laquelle on voit les combattants de l'Armée rouge enfoncer leurs ennemis – qui sait s'il la destine à des proches ou à sa petite amie ?)

Tous nos postes de repérage sont pour le moment intacts. Près de celui de Volkov a eu lieu un bombardement, mais ils ont tenu et les voilà bien enterrés. Il y a eu deux ou trois coupures de lignes, mais on les a toutes rafistolées.

Le temps sec a ses avantages : nos fils, enrobés de toile, ne sont pas mouillés. Le caoutchouc n'est pas très épais : l'humidité provoque tantôt des fuites en terre, tantôt des courts-circuits : rétablir la tonalité des lignes sous le feu est une plus rude besogne encore. Les Allemands ne connaissent pas ce genre d'ennuis : leur gaine d'isolation moulée est en plastique rouge. Un fil récupéré à l'ennemi vaut chez nous de l'or.

Entre-temps, Kontchits m'interpelle : ma 415 donne une intersection valable, proche du point. Je me décide. J'appelle Tolotchkov :

« Vassia ! Voilà pour toi la 415. Ne cherche pas à viser en plein dedans, nous ne pourrons pas faire mieux. Sans tarder, arrose-la d'obus, flanque-leur la trouille ! »

Ça, c'est à la russe ! Tolotchkov envoie une bordée de feu : vingt obus d'un coup, cinq de chaque canon.

Alors, ça va mieux maintenant ?

Nous poursuivons nos observations.

À ce moment, ça barde furieusement sur notre versant. Je vois : là où se trouvent les isbas, en haut de notre rue, et le boqueteau de saules blancs aux larges branches, là où s'est dirigée Iskiteïa, – et tout à proximité, sur la même crête, je vois jaillir en bon ordre deux dizaines – on dirait – de geysers d'eau noire ; ils mettent le paquet ! Des 105, sûrement. Sans doute avons-nous des unités par là-bas ? ils ont dû les repérer ou bien les ont aperçues du ciel.

Encore que, dans le ciel, les nôtres apparaissent aussi plus fréquemment. Ce qui nous fait redresser l'échine.

Je descends à la cave, on me dit : « On vient de ressentir une secousse. » Les paysannes se disaient déjà : pourquoi rester ici inutilement ? allons sauver nos biens ! À présent, les voilà blotties tout au fond…

Et puis, de nouveau, de nouveau un tremblement dans les entrailles de la terre – là, pour sûr, c'est plus près que la petite crête.

Douguine hurle comme un fou à ceux d'en-haut :

« Le second ne répond plus ! Le troisième non plus !! Ni le quatrième !!! »

C'est donc tout près d'ici, là où les lignes se séparent. Des postes, comme ils ne savent pas, ils vont envoyer pour rien les préposés aux lignes.

Mais voici qu'on m'empoigne, qu'on me tire par derrière, c'est le téléphoniste branché sur la batterie. Comme terrifié :

« On vous demande à l'échelon le plus haut ! »

Allons donc ! Plus élevé que la brigade, c'est le QG de l'artillerie de l'Armée. Je prends l'écouteur :

« La 42e, répondez ! »

On entend mal, de très loin, mais la voix est menaçante :

« Nos chars sont arrêtés dans le carré 74-41 ! »

De la main gauche, je déploie fébrilement la planchette sur mes genoux, cherche des yeux : oui, c'est aux abords de Podmaslov.

« De Kozinka, nous encaissons des obus de 150 millimètres... Pourquoi vous ne nous communiquez rien ? »

Que puis-je leur dire ? Même le bouc ne saute pas plus haut que ses cornes ! Nous faisons de notre mieux ! (Leur parler à nouveau de l'inversion ? Dans leur haut et savant QG, ils devraient tout de même comprendre !)

Je réponds, brode comme je peux.

Tout près de nous, à nouveau une explosion, puis une autre !

Suivie d'un cri d'en haut :

« Andreïachine a été... !!! »

Dans l'écouteur (je me bouche l'oreille gauche pour mieux entendre) :

« Écoutez bien, la 42e. Nous allons avancer et envoyer une commission spéciale pour vérifier la présence de canons allemands. S'ils ne s'y trouvent pas, vous en répondrez en cour martiale ! Point final. »

Qui était-ce ? Il ne s'est pas nommé. Non, ça ne peut tout de même pas être le commandant de l'Artillerie en personne ? Mais j'en ai la gorge sèche.

Entre-temps, ici, c'est le tohu-bohu, on crie, on court en bas, en haut.

Je rends le combiné, redresse la planchette déployée qui me tombe des genoux, sans parvenir à réaliser ce qui se passe sur place.

Enko et Douguine d'une seule voix :

« Andreïachine a été blessé ! »

Je me rue en haut. Je vois : Komiaga et Loundouchev avec le brancard remontent déjà la pente. L'instructeur sanitaire les suit, comme s'il claudiquait, sans trop se presser, avec sa trousse.

Et, là-bas, à quelque cent cinquante mètres, oui, il gît sans mouvement.

Et s'ils reprenaient le feu ? Seraient fauchés tous les trois.

Je crie :

« Allez chercher Pachanine ! Préparez la bagnole ! »

C'est une question de secondes : ah, si vous ne bombardiez pas ! oh, ne bombardez pas ! Non, pour le moment, ils ne reprennent pas leurs frappes.

En dépit du règlement, Douguine quitte l'appareil, le regard désemparé, les bras écartés :

« Cam'rade lieut'nant-chef ! Seuls les postes les plus extérieurs restent encore, nous ne pouvons plus rien faire ! »

Ils sont arrivés là-bas, se penchent sur Andreïachine.

Ah, ne tirez pas ! Du moins pas maintenant !

Du blanc entre les mains de Tcherneïkine. Il applique le pansement, aidé par Loundouchev. Komiaga déploie le brancard.

Les secondes passent lentement.

Pachanine rapplique en courant, encore tout ensommeillé, son visage hérissé de poils mal rasés.

« Sors la bagnole. Vous allez partir. »

Là-bas, à trois, ils le déposent sur le brancard.

Deux d'entre eux le portent.

Tcherneïkine, derrière eux, semble porter quelque chose qu'il tient nettement à distance comme pour ne pas se salir.

Ce ne serait pas la jambe, qu'il coltine séparément ?...

Oui, la jambe à partir du genou, avec sa chaussure, les bandes molletières flottant autour.

Ils le portent d'un pas lourd.

Galkine, Kropatchev courent les aider.

Mitka les suit : le jeune garçon a envie de voir le sang de près.

Et un gosse d'ici, qui ne tient pas en place, le suit.

On me parle de Galkine :

« Oui, il a un peu tardé. Il y serait allé aussi : sa ligne a également été coupée. »

Andreïachine s'est donc élancé tout seul, comme à tire d'ailes.

Les voilà, son quartier libre à Orel, ses visites à...

Jeune comme il est, il va devoir vivre avec une seule jambe. Lui qui n'a ni père ni mère.

On l'apporte, on l'entend gémir :

« Les gars, redressez-moi ma jambe droite ! »

Celle-là même...

Les compresses de coton contiennent à peine le sang du moignon. Tcherneïkine remet des bandes.

Loundouchev :

« Il a d'autres blessures encore. Regardez les taches sur le côté, la poitrine. »

Par des éclats.

La voilà, sa permission... !

Le visage de notre brave jeune basané devient plus noir que jamais.

« Hé, les gars, supplie-t-il, ma jambe, redressez-la-moi ! »

Celle qui a été arrachée...

Ce corps douloureux, flasque, rétamé, il est difficile de le soulever sans heurts. De le hisser dans la caisse.

Le sang dégoutte sur le sol, sur le hayon abaissé.

« Oui, et elle aussi – je lorgne du côté de la jambe – emportez-la ! Qui sait, elle peut servir aux médecins. »

Ils la prennent.

« Et maintenant, Pachanine : vite et en douceur ! »

Droit par les fondrières.

Pachanine a beaucoup de délicatesse, il conduira comme s'il était lui-même le blessé.

Les deux autres montent dans la caisse avec Andreïachine.

On relève le hayon – la voiture démarre. Il survivra, qui sait, mais nous, il nous a quittés.

Tandis que vers sa bonne ville d'Orel nous allons foncer tout droit, de front.

Nous nous dispersons tous d'un air sombre.

Puis, ça me revient : répondre en cour martiale…

Douguine a l'air au bout du rouleau :

« Cam'rade lieut'nant ! Alors, faut rabouter ? On le fait ? »

Les préposés aux lignes sont sur le départ, fin prêts. Non sans suer de peur, comme ce Galkine qui s'en est déjà tiré par chance.

Là-bas, on tire sur nos chars.

Qui faut-il épargner ? Là-bas ? ici ?

« At-ten-dez, leur dis-je en martelant. Nous allons patienter encore un peu. »

Je l'avais bien pressenti ! Les tirs se perçoivent à peine à cause du bruit ambiant, de la chaleur, mais, se bousculant l'un l'autre, une quinzaine d'obus de 150 s'abattent de nouveau sur nous ! là où a été cloué Andreïachine, et plus près encore – tourbillons noirs sur la pente.

Une isba part en fumée, l'autre voit son toit arraché.

Ne leur dites rien, en-bas, dans la cave.

Il les auraient atteints là au moment précis où ils ramassaient le corps.

Mitka, d'en-bas, avec un message de Douguine :

« Le poste avancé est lui aussi foutu ! » – il crie fort, comme s'il n'en était pas mécontent.

Alors, temporisons d'autant plus !

Comme me disait mon grand-père dans son patois méridional : « Qui diable achète, diable doit vendre ! » Du pareil au même…

Je n'ai pas à répondre pour toute l'armée. Le commandant-en-chef non plus. Ma responsabilité, ce sont ces soixante têtes. Comme le répète Ovsiannikov : « Il nous faut épargner des vies, des vies, oh que oui !... »

Nous attendrons encore.

Je fume bêtement, mais mon âme ne s'en trouve pas soulagée.

Une sorte d'hébétude me saisit tout entier, comme si ma cervelle avait disjoncté ; les choses les plus simples m'échappent.

Vingt minutes se sont écoulées, l'attaque a cessé. J'envoie alors Galkine et Kropatchev procéder aux réparations. Si les postes ont tous été atteints d'un coup, les sectionnements ont eu lieu ici même, à deux pas du central, autant dire sous nos yeux. Au flanc, chacun d'eux porte un combiné pour appeler et essayer les lignes.

Aux téléphones de la cave, on me mande à nouveau.

Aux chefs des batteries voisines, j'explique : Tous nos postes sont muets.

Tolotchkov estime : La 415 a dû être écrabouillée, elle ne se manifeste plus.

D'attaque, toujours pas. Les réparations ont été faites. Y compris là où se voit encore le sang d'Andreïachine.

Ils sont de retour. Bravo, les gars !

Mais le son des canons allemands est toujours aussi indistinct. Le soleil tape – à n'en plus pouvoir. Des cumulus ont fait leur apparition mais n'arrivent pas à s'agréger.

Boïev me remplace au central.

Ovsiannikov est revenu. Il est recru jusqu'à être en nage, la sueur dessine sur sa vareuse de sombres zones mouillées. Pour Andreïachine, il savait déjà, à cause du fil. Sur le chemin du retour, il a subi lui aussi le feu. Il est resté sur le sol nu, sans protection aucune. Le poste avancé, bien qu'adossé à ses pierres, est dans une fâcheuse posture, ils ne peuvent même pas sortir la tête.

Lui – il a ôté son calot trempé, sa tête est toute ébouriffée, ses mèches indociles se hérissent – il raconte tout ce qui s'est passé, point par point, en appuyant sur les « o » comme on fait par chez lui.

« C'est bien, Vitia, va dormir un peu. »

Il s'éloigne.

Les heures s'écoulent, mais du fait de tout ce brouhaha, tout ce fracas, cette pagaïe et ces tiraillements, ta tension à son comble se mue en prostration. L'insomnie, la déflagration ont fait que l'âme est comme carbonisée, la tête enflée, et cette sensation ne veut pas passer, la tête penche en avant, les yeux te brûlent. C'est comme si les différentes régions du cerveau et de l'âme s'étaient dissociées, avaient dérivé, puis n'arrivaient plus à recouvrer leur place initiale. Or, la nuit, il faut avoir la tête particulièrement claire. Je m'en vais aussi dormir dans l'isba. Sur le lit, un couvrepied douteux, et l'oreiller qui n'est guère plus propre. Et puis des mouches.

Je pose la tête, et plus personne – comme mort.

Ai-je dormi longtemps ? Le soleil est nettement passé de l'autre côté, il décline.

Je me hâte vers le poste.

Là, je vois Pachanine avec sa gamelle, il a dîné.

Ils sont donc rentrés ?

D'une voix endeuillée, de condoléances, ou comme s'il en était lui-même responsable :

« Sitôt arrivé à l'infirmerie, il est mort. Criblé de partout. »

Eh bien, voilà ?

Voilà.

Je descends aux instruments, voir comment on travaille.

Tous les nôtres sont déprimés. La relève s'est déjà faite à toutes les tables.

Quant aux paysannes, elles ne braillent plus : il y a un défunt en la demeure.

« Il n'y aurait pas une cible qui ressemble à la 415 ? »

Kontchits à la planchette :

« Non, il n'y en a pas. »

J'apprends qu'entre-temps, les nôtres ont procédé à de gros bombardements sur les premières lignes allemandes, surtout sur Mokhovoïé. Moi qui n'ai rien entendu !

Des lignes ont été sectionnées ici et là, on a couru les réparer.

Et Ovsiannikov, où est-il ?

Il est allé aux postes de droite.

Infatigable.

Il semble qu'on ait cessé de nous houspiller.

Mais l'hébétude ne veut pas passer. Ah, si on pouvait nous laisser tranquilles encore un peu, le temps de nous remettre d'aplomb. Jusqu'à la tombée de la nuit !

Je n'ai pas dîné, je n'ai pas faim du tout.

On m'a téléphoné de chez Boïev pour rappeler qu'à huit heures pile, il attend le 42.

Ah oui, il y a encore ça... À guère plus d'un kilomètre, pourquoi ne pas y aller ?

Bientôt six heures passées.

La fusillade a perdu de son intensité. Tous sont recrus.

Nous n'avançons pas.

Pas un avion ni à eux ni à nous.

Je m'assieds contre un arbre : si je reprenais mon journal ? Depuis les tsiganes vus hier, je n'y ai pas ajouté une seule ligne.

Mais mes pensées ne bougent pas, comme engluées. Je n'ai même pas la force d'appuyer sur le crayon.

En l'espace de quatre jours, l'homme n'est pas fait pour subir tant d'épreuves à la fois. Quel jour était-ce au juste ? Tout s'est embrouillé.

Ovsiannikov est de retour, il s'écroule sur l'herbe à mes côtés.

Nous nous taisons.

Andreïachine ?

Un silence.

« Et quand Romaniouk s'est tiré dans le doigt, quel jour était-ce ?

– L'imbécile, il pensait se faire réformer. C'est le tribunal qui l'attend !

– Kolesnitchenko est plus malin, il s'est débiné bien avant l'offensive...

– Pour l'heure, ni vu ni connu ! »

Nous descendons vers le ruisseau, nous nous aspergeons le torse.

Allons bon, nous voilà déjà au soir.

Le soleil tombe derrière les isbas d'en haut, derrière la crête, encore un peu et il sera derrière les Allemands. En ce moment, il aveugle nos observateurs.

Sept heures et demie. Dans un peu plus d'une heure, nous commencerons à travailler pour de bon.

Sept heures et demie, et alors ?... J'avais bien noté quelque chose pour huit heures ? Ah oui : Boïev m'a invité. J'y vais, j'y vais pas ? Ce n'est pas mon supérieur, mais un bon voisin.

« Botnev, tu vas prendre ma relève en attendant. Je m'absente une petite heure. »

Mais ma tête n'est toujours pas dégagée.

Le chemin est simple : on suit leur fil. (Mais gare à ne pas se tromper aux intersections !)

Je plonge dans le vallon pour déboucher sur la rue rectiligne située en hauteur. Elle compte une dizaine de maisons, toutes intactes : les obus les ont manquées. Le soir, retrouvant espoir, les habitants réapparaissent çà et là, vaquent à leurs affaires domestiques ; d'aucuns possèdent encore quelques bêtes.

Plus loin, un petit champ de blé, un carré de pommes de terre. Puis ça descend de nouveau – et, dans les buissons, on aperçoit la voiture de l'état-major du groupe de Boïev, une ZIS, avec sa caisse sommairement bâchée. Apparemment, elle est arrivée jusque-là à travers le pré en friche, sans emprunter de chemin.

Le chef de bataillon Miagkov et le commissaire du groupe se tiennent près de la voiture et fument.

« Le commandant du groupe est-il là ?

– Il est là.

– Pourquoi m'a-t-il appelé ?

– Monte, tu verras. »

Pour eux aussi, il est temps d'y aller. Une échelle nous mène à l'intérieur par une basse porte en contreplaqué.

De la table de travail vissée en son milieu, planchettes, cartes, papiers, tout a été enlevé et dispersé aux quatre coins. On a étendu sur la table, en guise de nappe, deux serviettes brodées ; dessus, une curieuse bouteille blanche, des boîtes de conserve ouvertes – saucisses dans les américaines, poisson dans les nôtres –, du pain en tranches, des biscuits disposés sur une assiette. Et des verres, des gobelets, tous dépareillés.

Sur sa poitrine, Boïev porte à gauche deux Drapeaux rouges – il est rare de voir ça –, à droite la médaille de la Guerre patriotique, l'Étoile rouge ; quant aux diverses menues distinctions, il ne les met pas. Sa tête n'est pas très arrondie, mais comme retaillée latéralement, ce qui lui confère davantage de fermeté du côté du menton et du front. Et une façon déterminée, enveloppante, de vous empoigner la main : on est tout heureux de serrer une main comme la sienne.

« Alors, tu es venu, Sacha ? C'est bien. On t'attendait.

– Que fêtez-vous là ? Orel n'a pas encore été prise...

– Tu comprends, c'est mon anniversaire : trente moins une. Et cette "une"-là, qui sait comment elle va se passer ? On ne pouvait pas remettre à plus tard. »

Le chef du 4e groupe, Prochtchenkov, plus petit de taille, ne ressemble guère à Boïev, tout en lui ressemblant : une fermeté sans faille dans les maxillaires et les épaules. Un peu rustaud. Mais la simplicité même.

Au reste, qui d'entre nous ici n'a pas une âme simple ?

Grâces soient rendues à la guerre : j'ai appris à les connaître, et ils m'ont accepté. Avant guerre, je ne m'étais guère frotté à ce milieu-là.

Miagkov, lui, est tout différent ; c'est un tendre. Avec Boïev, il se conduit comme s'il était son fiston.

Tous les noms sont ici comme sur mesure[1], cela arrive parfois.

Le chef du 6e groupe est resté seul à remplacer les autres au poste de guet.

Mon âme se recharge ici. Je suis content d'être venu.

Aux flancs de la caisse, deux bancs sont vissés. Pour y dormir aussi.

---

1. Boïev, de *boï* : le combat ; Miagkov, de *miagki* : tendre ; Prochtchenkov, de *prostoï* : simple. *(NdT.)*

Nous nous asseyons tous les six, y compris le commandant en second, un capitaine.

Sans ôter nos calots.

Tous couverts de poussière, certains encore en sueur.

Boïev m'appelle par mon prénom ; moi, bien que de quatre ans seulement son cadet, je lui donne du « cam'rade commandant ». Je n'arrive pas à enfreindre ces usages militaires ; je ne le cherche pas non plus.

« Cam'rade commandant, si les toasts ne sont pas tous distribués, vous me permettez ? »

Non, ce n'est pas chemin faisant, mais au moment des poignées de main et au cours de ce repas inattendu en pleine offensive – comment savoir qui arrivera jusqu'où, où il se trouvera dans un an ; Andreïachine lui aussi y songeait – que je me suis senti comme libéré après une journée d'hébétude. Avec Boïev nous n'avons rien de proche, et pourtant nous sommes amis ; tous, ici, nous formons une fraternité.

« Pavel Afanassiévitch ! Deux années de guerre – et que je suis heureux de rencontrer des gens comme vous ! Des gens comme vous, on n'en rencontre pas tous les jours… »

Je regarde avec admiration sa silhouette toujours droite, je fixe son visage : d'où vient cette inflexibilité de fer dans l'oubli de soi ? Quand on semble ne pas tenir à la vie ? Quand, à chaque instant, les gestes révèlent le combattant.

« Comment donc avez-vous reçu un tel nom ? On ne pouvait mieux vous estampiller. Vous êtes comme incrusté dans la guerre. C'est comme si vous y aviez trouvé le bonheur. Aujourd'hui encore, je vous voyais tirer sur le clocher… »

… Près de la ferme où le clocher nous interdisait, à Ovsiannikov et moi, de relever la tête : ils ont allumé, je le vois, ah les rusés, les malins, une rangée de fumigènes. Tout un écran de fumée qui ondule, mais pas longtemps ! Boïev fait une sortie avec un seul canon pour tirer droit au but. Calcul des plus ingénieux, à condition d'avoir assez de temps pour passer de la position de campagne à la position de combat, de charger, réussir à discerner le sommet du clocher dès la première éclaircie, et vlan ! On recharge, et vlan, une seconde fois ! Il s'écroule. Et, au plus vite, revenir en formation de campagne, s'accrocher au tracteur et filer ! Les Allemands envoient leurs avions arroser l'endroit d'où il a tiré, mais trop tard. C'en est fini de leur poste d'observation…

« … Pour vous, la guerre, c'est l'existence même, comme si, en dehors des combats, vous ne viviez pas. Eh bien, puissiez-vous traverser sain et sauf toute… »

Boïev écoute, étonné, comme s'il n'y avait jamais lui-même songé.

L'on se lève. Et l'on trinque, verre ou fer, avec ce qui tombe sous la main.

Et tous de s'animer, de s'exciter.

De la vodka après une telle journée, holà, fais gaffe !

Quels jours éclatants, ébouriffés ! Où tout cela nous mène-t-il ?

Une grande offensive ! Pendant toute la durée de la guerre, c'est sur les doigts d'une seule main qu'on pourrait les compter. Un sentiment à vous donner des ailes. Nous en sommes si remplis que cela déborde. On nous en verse encore…

À nouveau, debout, nous trinquons, bien sûr, à la Victoire !

Miagkov :

« À imaginer la guerre finie, le cœur vous chavire… »

Et la conversation s'engage à bâtons rompus, fuse ici, puis là.

Boïev :

« Ils ont voulu nous mordre, ils le regretteront. Il leur en cuira ! »

Le commandant en second :

« On leur chauffera la plante des pieds. »

Le commissaire :

« Ehrenbourg écrit : "Les Allemands pensent avec effroi à ce qui les attend en hiver." Qu'ils pensent plutôt à ce qui les attend au mois d'août ! »

Et tous avec entrain, mais sans haine – laissons-la aux journaux :

« Tu essaies de parler aux Allemands dans leur langue, ils te répondent en russe. Ils en ont appris, en l'espace de deux ans…

– Va savoir si on nous comprendra, nous, quand nous reviendrons ? Peut-être personne…

– Représente-toi le morceau de Russie qu'ils détiennent encore : c'est monstrueux.

– Pourquoi n'ouvrent-ils pas un second front, ces fripouilles ?

– Ils tiennent à leur peau, planqués qu'ils sont à nos dépens.

– Mais, en Italie, ils progressent quand même. »

Le commissaire :

« L'Amérique capitaliste ne tient pas à ce que la guerre se termine rapidement : les profits baisseraient. »

Je cherche à le contrer :

« Mais nous aussi, nous temporisons par trop. C'est la faute à notre internationalisme. »

Lui :

« Pourquoi donc ? La dissolution de la IIIe Internationale a été un acte on ne peut plus juste.

– Au mieux pour faire écran, par pure tactique. » Mais je me dérobe : « Non, non ! » Je dois m'en tenir là car je vais avoir à reprendre le boulot.

Proschenkov raconte un épisode de la canonnade d'aujourd'hui. Il pense avoir démoli la 432 : de là, plus un seul tir.

« Et si elle n'avait fait que se déplacer ? »

À propos de ces engins qui *nomadisent*, qui sait comment font les Allemands ? Toujours est-il que chez nous, quand on ordonne à tel ou tel de nomadiser avec son engin, lui, l'écervelé, le paresseux, tire toujours depuis le même emplacement, jusqu'à ce qu'on l'écrabouille…

Que de bêtises faites ! Comme ceux qui tirent au jugé rien que pour dire qu'ils en ont dépensé, des obus !

Ça se fait…

Prochtchenkov :

« Ce soir, nous nous sommes bien enterrés. S'ils pouvaient ne pas nous déplacer, ne serait-ce que cette nuit… »

Par la lucarne du caisson, le jour ne passe plus ; nous allumons la lampe à accus du plafond.

« Elle est belle, notre guimbarde d'état-major ! fait Boïev en jetant un regard circulaire. Si elle pouvait durer jusqu'en Allemagne… »

Nous passons en revue ceux d'entre nous qui n'ont pas « duré » : un premier, un second, un troisième… Le quatrième a été condamné au bataillon disciplinaire où il s'est fait tuer.

J'ai connu des compagnons plus éclairés, mais des cœurs aussi purs, jamais. Avec eux je me sens bien.

« Oui, nous aurons encore à nous souvenir des uns et des autres… »

On entend l'horrible râle d'un lance-roquettes à six tubes.

Les projectiles rugissent. Entre les six explosions successives, dans l'affairement :

« Allez, mes amis, merci et adieu ! Pour moi, il est urgent de rentrer. »

De fait, dehors, c'est déjà le crépuscule ; il faut que j'arrive avant la nuit noire si je ne veux pas m'égarer.

Nos lignes sont toutes intactes.

Émélianov, du poste avancé :

« Maintenant, nous allons nous terrer comme il convient. Il faut dire que l'Allemand en balance, des fusées ! »

Elles nous éclairent nous aussi de leurs longues lueurs tantôt rouges, tantôt blanches et dorées.

Nous avons relevé le six-tubes, mais sans grande précision : les lance-roquettes sont toujours difficiles à repérer. Quant au canon, sans doute un soixante-quinze – un seul tir, but 4287 : nous l'avons bien repéré, dans le mille.

L'appareil est en ordre, toutes les aiguilles sont en position normale. Le nouveau rouleau de ruban est en place, les rainures sous les capillaires ont reçu leur encre. Et la relève a bien dormi, elle est d'attaque. Trois ampoules de faible voltage éclairent l'avant de notre cave. Les papiers blêmissent, le métal brillant luit.

Les deux préposés aux lignes sont là aussi, avec combiné à la ceinture, câbles de rechange, torches, pinces coupantes, ruban isolant. La nuit, leur lot est le plus dur : tu te portes le long d'un des bouts sectionnés, mais vas-tu trouver l'autre, celui qui a été arraché ?

Au fond de la cave, c'est le noir, les enfants dorment, les paysannes s'installent, on ne distingue pas les visages. Mais je reconnais à sa voix l'instructeur politique de ma batterie. Je ne vois pas où il s'est blotti, mais de sa voix onctueuse et chantante, il explique :

« Oui, camarades, l'Église aussi est désormais autorisée. Le pouvoir soviétique n'a rien contre Dieu. Laissez-nous seulement libérer notre patrie… »

Une voix incrédule :

« Se peut-il que vous enfonciez le bélier jusqu'à Berlin ?

– Et comment donc ! Et nous y détruirons tout. Et ce que l'Allemand a ravagé chez nous, nous le reconstruirons. Et notre pays brillera de tous ses feux, encore mieux qu'avant. Après la guerre, c'est la be-elle vie qui commencera, camarades kolkhoziens, une vie comme on n'en a pas connu ! »

Le ruban défile. C'est le poste avancé qui a entendu.

Les autres postes aussi se manifestent, écrivent.

Et voilà que parvient jusqu'à nous un tir roulant. Allons-y, au boulot !

II

Cinquante-deux ans après, au mois de mai 1995, j'ai été invité à Orel pour les festivités du cinquantenaire de la Victoire. Vitia Ovsiannikov, lieutenant-colonel à la retraite, et moi, nous avons eu la chance de reparcourir à pied ou en voiture le chemin de notre offensive : depuis Néroutchi, depuis Novosil, de notre cote 259-O jusqu'à Orel.

À Novosil – naguère amas de pierres désertiques sur une colline constamment soumise aux tirs, à ne pas s'y reconnaître aujourd'hui –, nous avons rendu visite à notre ancien « pupille du régiment », Dmitri Fiodorovitch Pétrykine : il est sorti à notre rencontre, coiffé d'un feutre, et nous nous sommes fait photographier avec toute sa famille, enfants et petits-enfants.

Notre petite cité souterraine, sur la cote 259-O, est aujourd'hui sous les labours : aucune trace d'elle, l'accès même est impossible. Mais, non loin, un ravin boisé où nous avions notre roulante, notre maintenance, et où l'infortuné Dvoretski fut tué (venu même pas pour chercher du gruau, mais pour montrer un bobo à l'infirmier) par un tout-tout petit éclat, mais en plein cœur. Le ravin lui-même, avec ses deux lobes et son bois, s'est bien conservé et dans sa forme et dans son aspect : le labourage annuel n'a pas permis aux drageons d'en déborder.

Par contre, comme il a changé, le défilé de Kroutoï Verkh ! Avec ses trois à quatre kilomètres de long, ses cinquante mètres de dénivellation, légèrement sinueux comme une rivière assurée d'elle-même, son parcours nous donnait accès aux toutes premières lignes – un accès dégagé, commode et invisible aux observateurs postés au sol. Si bien que les troupes à pied, les chevaux, les chariots y passaient toute la journée sans même se cacher, et la nuit cédaient la place aux camions chargés d'obus ou de ravitaillement, ces derniers repartant au matin vers l'arrière ou se fichant, nez en avant, dans les bas-côtés du ravin, puis se camouflant à l'aide de branchages verts et de filets. Après un ultime tournant, l'orée du défilé donnait directement sur Néroutchi : c'est là que s'est préparée et concentrée la percée de notre 63e armée aux alentours du 12 juillet 1943.

Mais comme Kroutoï Verkh a changé en un demi-siècle ! Où sont les escarpements, la profondeur, cette fermeté des pentes et du fond envahis par des herbes auxquelles on s'agrippait ? Il s'est ensablé, s'est affaissé, il semble plus chauve, privé de contours nets, ce n'est plus du tout le défilé menaçant d'antan. Et pourtant, comme il nous est cher ! Mais, bien entendu, plus aucune trace des excavations destinées à abriter les véhicules, ni des gourbis.

Passé Néroutchi, dans la montée, s'étendait la ligne fortifiée des Allemands, et comme ils l'avaient fortifiée ! Quels blockhaus impénétrables ! que de cloches blindées plantées séparément en terre ! Et voilà ce qui ne s'oublie pas : le passage a été déminé sitôt après la percée ; des dizaines et des dizaines de tués, des nôtres et des leurs, les nôtres plutôt face contre terre, couchés : ils rampaient, les Allemands plutôt à la renverse : ils se défendaient ou se redressaient pour fuir, dans des attitudes qui expriment la terreur, des visages défigurés, des têtes mi-arrachées – là, un mitrailleur allemand tué a sa mitrailleuse à laquelle il s'agrippe encore. Çà et là, des monceaux de métal calciné : des tanks, des chenillettes – avec des traces de brûlures rougeâtres comme sur un corps vivant.

Quant à leurs abris, ils n'étaient pas comme chez nous, tu te souviens ? Qu'ils étaient profonds ! Sous dix couches de rondins, une lucarne : derrière elle, des fleurs ; pour parfaire le paysage, on a même creusé un puits étroit. Dans les abris plane une odeur désagréable, de chien mouillé, dirait-on – en fait, de l'insecticide en poudre. Ici et là traînent des revues en couleur sur papier glacé comme les Soviétiques n'en ont jamais connu, et, dans ces revues, des articles sur le courage et l'honneur, mais aussi des photos de jolies femmes – un univers étranger, du jamais-vu.

Dire comment, pour contenir ne serait-ce qu'une seule journée notre offensive sur Orel, on a lancé sur nous, de l'aube au couchant, coup sur coup, deux armées aériennes ? Cela ne s'oublie pas. Pas un seul instant le ciel n'est resté vierge d'avions allemands : à peine une volée, après avoir lâché ses bombes, s'éloignait-elle, qu'une autre se mettait à ronfler, tenant le même cap, suivant le même cercle. Et nous le constatons : il en va de même dans les secteurs voisins. Une noria permanente d'avions d'un bout à l'autre de la journée. Où sont nos appareils, ce jour-là ? pas un seul. D'une vague à l'autre, à peine as-tu le temps de bondir pour voir un peu où se déployer. J'ai quand même réussi à parcourir le village de

Safonov, en quête d'un emplacement où enfouir notre poste. Je fais halte dans un gourbi des plus précaire ; là, trois agents de liaison viennent d'ouvrir une boîte de saucisses américaine, ils se la partagent en se chamaillant. Quelle poisse ! je cours plus loin. Dix minutes après, je reviens sur mes pas : plus de gourbi, il a été frappé de plein fouet.

Mais cela, ça s'est passé quelques jours plus tard. Avant, une jeep bâchée – identique à celle du chef de batterie qui m'avait agressé (en un demi-siècle, le bâti n'a d'ailleurs guère changé) – nous emmène au hameau de Jéliabouga. À bord d'une autre jeep au toit métallique ont pris place les responsables de l'administration du district et de la commune – hospitalité oblige.

Assurément, aucun autre type de véhicule n'aurait pu nous conduire jusqu'au hameau. La route n'est que fondrières heureusement durcies, car il n'a pas plu depuis longtemps. Nous ne roulons pas : comme toute la voiture, nous bringuebalons d'un côté à l'autre, agrippés aux poignées.

Tiens, voilà le versant resté dans notre mémoire, lui n'a pas changé. En haut, sur la crête, les saules se dressent aujourd'hui comme jadis. Et là, près d'eux, trois isbas. Par contre, en bas, la rangée d'habitations bordant la rue est bien espacée : certaines ont été emportées par la guerre, d'autres par les longues années ; pas une seule construction nouvelle. La rue n'est pas vraiment une rue – quelques isbas éparses – ni vraiment une route : le milieu est envahi par l'herbe et les ornières ont laissé de part et d'autre comme deux sentiers parallèles.

À droite, derrière la ravine, en hauteur, la seconde rue a respecté le tracé de l'ancienne. Mais on n'y voit aucun signe de vie.

Sur la partie dégagée du versant, à l'écart de la route, un chariot défoncé, désormais inutilisable : trois roues, un limon de travers, le coffre en morceaux. Et la jeune herbe envahit les roues.

Et notre central ? Il devrait se trouver là, juste là.

Mais on ne voit pas le surplomb et sa voûte en briques, ni aucune trace de l'orifice. On a sans doute récupéré toutes les briques. Et comblé le trou.

Nous quittons la voiture. Les responsables de l'administration restent dans la leur, il ne viennent pas nous importuner dans nos souvenirs.

En bas voici l'étang, un lieu qui attire le regard.

Nous descendons vers l'eau.

La rive est drapée d'une herbe drue, coupante.

Un cheval efflanqué erre seul, sans bride, comme s'il n'avait pas de maître. Il semble mélancolique.

Un peu à l'écart, un squelette de chevrons et lattis – serait-ce une cahute ? – tout de guingois.

Une eau stagnante, comme depuis de longues années. L'éclatante verdure de mai qui la borde la fait paraître plus bleue qu'elle n'est. Sur l'eau, une branche de bois mort, sans mouvement, des feuilles parsemées datant apparemment de l'année écoulée ? Il n'y en a pas encore de nouvelles. Personne ne se baigne plus ici.

Sur le ruisseau – une passerelle faite de dosses. Quatre ou cinq pilots : de quoi se cramponner.

Tiens, voilà du muguet. Qui en a besoin, qui le remarque ?

Nous en cueillons chacun un brin.

D'un pas lent, nous remontons à nouveau la pente, cette fois nous poussons plus loin, tout en haut. Nous dépassons le chariot…

Et l'endroit où Andreïachine…

Trois isbas d'affilée. L'une, blanchie à la chaux, plus propre. Quant aux deux autres, on se demande comment, avec leurs vieux rondins grisâtres, elles tiennent encore debout. Des toits à bardeaux, déjetés, délavés. On dirait de vilaines remises.

Un chien jappe faiblement. Ce n'est pas après nous.

Des poules passent à la recherche de quelques grains.

Mais pas âme qui vive.

Derrière ces isbas, à nouveau un terrain vague ; puis là, isolée, quelque chose qui n'est même pas une remise, une construction assemblée à la hâte : des murs revêtus de plaques d'ardoise mal dégrossies, et, par-dessus, une plaque de tôle ondulée ; toute de traviole, déjà, soutenue par deux billettes. On ne voit pas bien à quoi, à qui elle peut servir.

Dans le ciel – quel silence ! Sans doute aucun avion ne passe jamais par ici, le bruit des moteurs est bien oublié, tout comme celui des obus.

Alors que, dans le temps, qu'est-ce que ça tonnait...

Attachée par une longue corde à un pieu, une vache en train de paître ; à notre approche elle prend peur, se jette de côté.

Nous montons vers les isbas, plus haut.

Là, entre deux bouleaux voisins, une traverse a été clouée en guise de banc, renforcée au milieu par un étai. Sur ce banc, deux paisibles vieilles, chacune adossée à un bouleau, tenant chacune un bâton noueux écorcé.

Toutes deux portent sur la tête un épais fichu et sont vêtues d'habits sombres et chauds.

Elles sont assises sous les arbres, les feuilles des bouleaux sont encore menues ; du fait de la verdure encore rare, toutes deux sont en pleine lumière, au chaud.

Celle de gauche, au fichu gris sombre, couverte d'une sorte de vareuse, a improvisé avec de la feutrine ou quelque autre tissu un semblant de paire de chaussures. Pour temps sec, sans nul doute. Elle s'agrippe des dix doigts à l'extrémité supérieure de son bâton écorcé, et l'appuie contre sa joue.

Les deux vieilles ont le visage raviné, le menton saillant enserré entre les joues tombantes, les yeux eux aussi enfoncés dans leurs demi-fosses – rien ne permet de dire si elles nous voient ou pas. Elles n'ont pas esquissé le moindre mouvement.

La seconde, au fichu de couleur, tient ferme, elle aussi, son bâton et l'appuie contre son menton.

« Bonjour, grand-mères ! » faisons-nous gaillardement à deux voix.

Non, elles ne sont pas aveugles, elles nous ont vu approcher. Sans desserrer les doigts, elles nous répondent :

« Bonjour, vous.

– Vous habitez ici depuis longtemps ? »

Celle au fichu sombre répond :

« Ici ? Depuis toujours, depuis que nous sommes nées.

– Et pendant la guerre, quand les nôtres sont arrivés ?
– Là itou.
– Vous êtes de quelle année, ma brave mère ? »
La vieille réfléchit :
« Ça doit m'faire quatre-vingt et quatre bien sonnés.
– Et vous, brave mère ? »
Son fichu à elle est tout flétri : par endroits, du bleu ou du rose délavé. Elle ne porte pas de vareuse, mais une sorte de méchant manteau de peluche élimée. Aux pieds, non, pas de chiffons, mais des chaussures montantes.
Elle détache le bâton de son menton et lâche distinctement :
« Je suis de 23. »
Incroyable ! fais-je presque à voix haute. Et nous qui leur disons « grand-mères », « braves mères », oubliant de nous regarder, comme si nous étions de la première jeunesse.
Je me reprends.
« Je suis donc de cinq ans votre aîné. »
Son visage est en plein soleil ; ses joues rosissent sous l'effet de la chaleur.
En plein soleil, mais elle ne plisse pas les yeux : serait-ce parce qu'ils sont enfoncés et que ses paupières sont bouffies ?
« Tu n'en as vraiment pas la mine, fait-elle en remuant les lèvres. Nous, à soixante-dix ans qu'on ne marchait déjà plus, qu'on se traînait. »
Elle laisse apparaître tout en parlant ses dents du bas, mais il n'y en a plus, hormis deux chicots jaunasses.
« Moi aussi j'en ai vu, dans ma vie », lui dis-je.
Pourtant, je me sens comme coupable envers elle.
Ses lèvres se teintent à leur tour de rose et sourient avec bonté :
« Dieu fasse que tu vives encore des années !
– Et comment tu t'appelles ? »
Dans un susurrement :
« Iskiteïa. »
Mon cœur se serre.
« Et ton patronyme ? »

Que vient faire ici le patronyme ? Celle d'alors était bien ma cadette de cinq ans.

« Afanassievna. »

Avec un brin d'émotion :

« C'est nous qui vous avons libérés. Je me souviens même de vous. En contrebas il y avait une cave, vous vous y êtes réfugiée. »

Mais ses yeux errent dans la brume des ans :

« Tant de gens comme vous sont passés par là ! »

J'hésite. Étrangement, je voudrais lui communiquer quelque chose de la joie de ce temps là – mais de quelle joie pourrait-il être question, si ce n'est celle de la jeunesse ? Je répète stupidement :

« Je me souviens de vous, Iskiteïa Afanassievna, je me souviens bien… »

Son visage raviné est éclairé par le doux soleil ; sa façon de parler a les accents chaleureux de l'âge.

Et, de cette voix-là :

« Moi, même que le nécessaire, je l'oublie. »

Elle soupire.

Celle au fichu sombre est plus amère.

« Nous, on n'intéresse plus personne. Ce qu'il nous faudrait, c'est nous procurer du bon pain. »

Silence alentour. Les oiseaux pépient dans les bouleaux. Oh, le doux, le bon soleil !

De sous ses paupières gonflées, avec ce qui lui reste de vue affaiblie, Iskiteïa cherche à me dévisager. Voit-elle encore distinctement, est-elle dans le brouillard ?

« Pourquoi vous êtes venus nous voir ? Seriez-vous des oiseaux de bon augure ? »

L'autre :

« Des fois que vous pourriez aider à arranger notre petite vie de tous les jours ? »

Nous échangeons un regard avec Vitia : qu'y faire ?

– Non, nous ne sommes que de passage, nous visitons les lieux que nous avons connus jadis.

– Mais vos autorités responsables se trouvent là également. Peut-être qu'elles pourraient... »

Celle au fichu sombre, se ramassant :

« Où ça ?

– Mais là, quelque part... »

Tout près, un coq se met à chanter à plein gosier. Le chant du coq, quoi qu'il se passe autour, est toujours riche, joyeux, prometteur de vie.

Mais nous... sommes-nous concernés ? On continue ?

Nous faisons nos adieux, remontons plus haut et dépassons la crête.

Mais nous en avons gros sur le cœur.

« Notre hameau est resté dans la mouise », fait Vitia avec son accent si particulier.

Comme il l'a toujours été.

« Oui, de nos jours, on ne peut rien pour les gens, ou guère plus qu'avant... »

De tous côtés, le paysage est à découvert. Mokhovoïé n'est plus très loin ; à ses abords, de nombreuses constructions récentes.

Plus à droite, vers la seconde rue, broutillent cinq ou six brebis, sans personne autour.

Nous nous asseyons sur un tertre. Nous regardons devant nous.

« C'est là que se trouvait notre poste avancé. Comment se fait-il qu'il ait été épargné, ce jour-là ?

– Et dans la nuit, que de repérages effectués ! Que de pièces détruites !

– Pourtant, au matin, on nous a de nouveau déplacés.

– Vaine bougeote du commandement ! Ici, on aurait fait bien plus : à quoi bon nous avoir fourrés du côté de Podmaslovo ?

– Nous n'irons pas à Podmaslovo ?

– Sans doute pas. Le temps nous manque. »

Nous restons assis ; le brave soleil nous chauffe par derrière l'épaule gauche.

À les aider, on n'en tirera d'affaires aucune. C'est tout le dispositif du pays qu'il faudrait assainir.

Qui le ferait ? Des hommes qui en seraient capables, on n'en voit guère.

Il y a longtemps qu'il n'y en a plus en Russie.

Il y a longtemps.

Nous restons assis.

« Et quel imbécile j'étais, Vitia ! Tu te souviens : je te parlais de révolution mondiale ! ? Toi, tu connaissais notre campagne à fond... »

Vitia est modeste. On aura beau le louer, il ne crâne pas. La vie a eu beau le trimballer à travers de bien sévères épreuves, il est resté le même, avec son sourire patient.

« Là-bas, un peu plus à droite, nous nous réunîmes pour l'anniversaire de Boïev. Il disait : “Je ne sais pas si je vivrai jusqu'à mes trente ans.” Il n'a pas atteint sa trente et unième année.

– C'était une de ces damnées nuits prussiennes ! se remémore Ovsiannikov. Autour de nous, le vide total. On s'est demandé d'où pouvait bien venir l'offensive. J'ai traversé tout le lac, et, jusqu'au bout, personne, rien. Et c'est là que Chtchmakov a été tué.

– Comment avons-nous réussi à nous tirer de ce Ditrichshof ? Dieu nous a aidés ! »

Ovsiannikov, riant cette fois :

« Et d'Adlig, par le ravin, dans la neige... en courant avec force culbutes... »

Nous voyons, à gauche, contournant le hameau, nos deux jeeps qui cahotent sur la route inexistante...

Ils sont inquiets : où sommes-nous passés ?

Les deux responsables portent chemise blanche et cravate. Le municipal paraît nettement plus simple : il a passé par-dessus son costume une sorte de ciré. Le chef de district, lui, arbore une cravate bleu ciel, un superbe complet gris à rayures espacées – rien par-dessus. Son large visage aux pommettes saillantes est plutôt renfrogné. Ses cheveux : raides, denses et drus, d'un noir de jais, auquel le soleil arrache de noirs reflets.

Nous leur disons :

« Vous les délaissez complètement, par ici. »

Le chef de district :

« Qu'est-ce qui dépend de nous ? Les pensions, nous les payons. L'électricité, nous la fournissons. D'aucuns ont la télé... »

Le responsable municipal – équivalent de l'ancien « soviet de village » –, on voit bien qu'il est d'ici, qu'il a fait carrière sur place, il sent la campagne. Visage ovale, longues oreilles, cheveux clairs, sourcils roux, il ajoute :

« Certaines ont des vaches. Des poules. Chacune cultive son potager dans la mesure de ses forces. »

Nous remontons à bord des jeeps – les responsables les premiers – et suivons une route bosselée à travers le village proprement dit, tout en descendant notre versant.

Qu'est-ce donc ? Quatre paysannes plantées en travers de la route et qui font barrage. Elles ont amené en renfort un petit vieux efflanqué, coiffé d'une casquette.

De différents côtés, trois vieilles, armées de leur canne, les rejoignent en claudiquant. L'une d'elles prend appui sur une seule jambe.

Personne d'un tant soit peu plus jeune.

Elles ont eu vent de la présence des autorités. Et s'assemblent.

Pas moyen de continuer. Nous nous arrêtons.

C'est à peine plus haut que l'endroit d'Andreïachine, à une vingtaine de pas.

Le responsable local descend de voiture :

« Qu'est-ce donc ? Ça fait longtemps que vous n'avez pas vu de dirigeants aussi importants ? »

Elles font barrage, pas moyen d'avancer. Elles sont maintenant sept vieilles de front. Vous ne passerez pas !

Le responsable du district sort à son tour. Avec Vitia, nous faisons de même.

Les fichus, chez ces paysannes, sont de couleurs sombres, ou marronnasses ; un seul est vert chou. Chez l'une il est ramené sur les yeux, chez l'autre le front est découvert et l'on voit alors remuer la peau burinée. Derrière elles, plus haute d'une épaule, une grande campagnarde bien en chair, avec son fichu rouge-brun, se tient toute droite, immobile.

Le vieux, lui, est derrière tout le monde.

Les vieilles s'y mettent à qui mieux mieux :

« Nous, on va rester comme ça sans pain ?

– Faudrait bien voir à amener le pain !

– Qu'on vit seules, de plus, toutes une chacune pour soi.

– Avec ça qu'on n'en a pas pour bien longtemps. »

Le responsable de l'ex-soviet rural est troublé, d'autant plus que tout se déroule en présence du chef de district :

« Bon. Avant, c'est Andoskine qui vous l'amenait, du magasin. »

Celle au fichu gris lilas, dans sa douillette sans manches qui laisse entrevoir une blouse bleu vif :

« C'est qu'on le payait pas assez. Quand le prix du pain a encore augmenté, il nous a dit : À ce prix-là, je vous l'amène plus. Faire halte chez vous, qu'il a dit, j'en ai vraiment plus envie. Et il vient plus. »

Le responsable de l'ex-soviet :

« Et il a bien fait. »

La blouse bleue :

« Non, il a eu tort. »

Le type hoche de la tête :

« Si, je vous dis, ç'a été bien ainsi. Maintenant, pendant un certain temps, c'est Nikolaï qui doit vous livrer le pain. En fait, il vient chercher le lait – et il vous amène le pain.

– Mais lui non plus ne l'amène pas pour rien ! Aboule d'abord le lait, et la fois prochaine, je t'amène le pain ! »

Notre ancienne connaissance au fichu gris-sombre, toute tendue pour mieux voir, mieux entendre : que vont-ils raconter encore ? va-t-il y avoir une décision ?

Celle en marron :

« Et çui qu'a pas de lait à livrer, qu'est-ce qu'il aura, lui ? Tu le supplies : Kolia, apporte-moi une miche. Et lui : J'ai qu'un salaire, moi ; j'ai déjà tout chargé à qui faut en amener. »

Celle au fichu gris à carreaux :

« Nous, les habitants du hameau, on est à bout. C'est plus une vie : rien à se mettre sous la dent ! »

Celle en vert chou, toute menue :

« Vrai, il n'y a plus de passage, par chez nous... »

Pour le gars de l'ex-soviet, il est grandement temps de se justifier :

« Mais moi, je lui demande tous les jours : Nikolaï, tu leur en apportes ? Et il me répond : J'en apporte ! »

La blouse bleue riposte avec véhémence :

« Et nous autres, vous nous avez demandé quelque chose ? Êtes-vous jamais venu jusqu'ici ? Vous, le président du soviet rural, ne serait-ce qu'une seule, qu'une malheureuse fois... ? Ça fait belle lurette que personne n'a mis les pieds chez nous. »

Les autres de ronchonner :

« Ç'a empiré, jusqu'à n'en pouvoir mais...

– Ouais, on est tous oubliés... »

Le vieux au second rang, visage rasé, se tient coi. Sans trop s'y entendre, mâchonnant ou écartant les lèvres, il reste bouche bée.

Ovsiannikov laisse tomber sa tête clairsemée. Son âme de campagnard souffre.

« Un instant ! s'empresse le type de l'ex-soviet. Pourquoi n'avoir pas prévenu dès qu'il a cessé de vous en amener ? »

Celle au fichu couleur chou :

« On n'a pas su le dire. »

Iskiteïa :

« On avait peur. »

À ce moment, le responsable de district intervient à voix forte :

« C'est moi qui vous le dis : il faut parler ! Voilà : nous avons peur de parler à Nikolaï, puis à Mikhaïl Mikhaïlovitch, et nous avons peur de le dire à moi –, mais de quoi avons-nous eu peur ? »

La blouse bleue :

« Moi, j'aurais pas eu peur, j'y serais bien allée. Mais je ne vais plus nulle part. Et mon vieux, lui, encore moins. »

Quant à celle au fichu rouge-brun, elle s'appuie sur son bâton de tout son coude gauche, plaque son poing contre son épaule et fait, les yeux clos :

« Ah, si je pouvais ne plus vous voir, tous autant que vous êtes !...

– Mais, ne suis-je pas venu vous voir ? J'ai demandé à Mikhaïl : On leur fournit du pain ?... Oui, on en livre, et tous les jours... Pourquoi n'avoir rien dit ? »

Celle au fichu gris à carreaux bat de la main :

« Eh bien voilà, elle a volé en éclats, notre conspiration du silence !

– Tant de fatigue sur le dos qu'on ne la sent plus. »

L'autre, celle que nous connaissons, au fichu gris sombre, le noir de ses mains à jamais incrusté au plus profond de la peau, de noirs sillons cernant aussi ses ongles, – reste là, doigts noués sur son bâton. Des rides, des rides par dizaines, où trouvent-elles la place dans ce visage ? Maintenant elle semble éteinte, le regard perdu, figée.

Le responsable du district a pris sa décision :

« Entendons-nous bien : pendant une semaine, c'est Mikhaïl qui va venir jusque chez vous.

– Chaque jour ? Pour quoi faire ? Un jour sur deux, ça ira bien...

– Pour le pain, un jour sur trois suffirait même...

– Je ne dis pas qu'il vous amènera du pain tous les jours, mais, pendant une semaine, jusqu'à la fête de la Victoire, du cinquantenaire, il viendra chaque jour vérifier si vous avez tout ce qu'il vous faut... »

(Il faudrait mettre par écrit ce qu'il promet, sinon...)

« ... Nous l'avons élu aussi pour ici, nous avons voté pour qu'il soit dans l'administration rurale et fasse son devoir en tant que responsable de l'autoadministration locale. Qu'il vous assure au moins l'approvisionnement en pain. Nous ne disons pas qu'il doive construire des maisons – des maisons, ça, on ne peut pas en faire, rapport à nos conditions de vie.

– Des maison-ons, oh ça...

– De l'eau, vous en avez. Voilà, il vous faut du pain. C'est l'essentiel. C'est son devoir de vous en procurer. »

Concert de lamentations :

« Si seulement on avait du pain, on vivrait sans criailler...

– C'est le seul espoir qui nous reste...

– Le pain de seigle, sa pâte est bien serrée... »

Le type de l'ex-soviet se ressaisit à son tour :

« Entendons-nous : non seulement vous aurez du pain, mais, une fois par semaine, un magasin ambulant passera. »

Les paysannes s'ébaubissent :

– En plus, une voiture d'alimentation par semaine ? Allons bon !

Celle au fichu gris à carreaux ne perd pas le nord :

« Nous avons une autre requête. Une déjà ancienne... Pendant qu'il y avait la guerre, certaines d'entre nous ici ont eu l'occasion de travailler pour le front... »

Iskiteïa :

« À partir d'août 1943, quand le front est passé par là... »

Celle au fichu gris à carreaux est un peu moins âgée que les autres : ses paupières ne sont pas bouffies, ses yeux gris sont dessillés, vifs. Elle pérore à toute allure, laissant paraître au bas de sa bouche la seule dent qui lui reste :

« Moi, par exemple, j'ai travaillé bientôt trois ans dans une usine de guerre. Dans la ville de Mourom, province de Vladimir. Pour qui donc avons-nous trimé ? On ignorait les fêtes, on n'avait ni jours fériés ni congés. Que nous disait-on alors ? Votre travail sera aussi votre victoire, la guerre ne s'en terminera que plus rapidement, le pays connaîtra le repos... Pourquoi vous nous avez oubliées, nous qu'avons tant marné, hein ? Même les pensions que nous recevons, y a des vieilles qu'en reçoivent de bien plus grosses... »

Le chef de district lisse son toupet de jais :

« De fait, c'est la première fois, cette année, qu'on s'est souvenu de ceux qui ont travaillé à l'arrière. Maintenant, c'est presque chaque jour que je distribue des médailles commémoratives à nos mères. Elles en sont touchées aux larmes... Chaque jour, elles reçoivent des médailles jubilaires et pleurent. Enfin, disent-elles, on s'est souvenu de nous. C'est que nous avons porté tout le front sur nos épaules ! On a labouré, semé de nos mains ; nos dernières chaussettes, nous les laissions aux soldats… Bon, si vous avez réellement travaillé, conformément aux termes du décret, vous devez retrouver les documents correspondants, ou bien avoir au moins deux témoins…

– Mais là, nous sommes juste deux. Témoins l'une de l'autre…

– Il vous en faut une troisième.

– Il y en a une, à Podmaslovo.

– Si, jusqu'en 1945, vous avez travaillé à l'arrière pendant plus de six mois, et si vous trouvez les papiers correspondants ou des attestations de témoins, nous vous remettrons sans faute une médaille. Et, accompagnant la médaille, vous recevrez les avantages qui vous sont dus. »

Le gars de l'ex-soviet rural connaît apparemment mieux les lois. Avec moult précautions, il s'adresse au chef du district :

« Malheureusement, je dois vous interrompre. À moins qu'il y ait eu des correctifs, dans le texte actuel du Décret, les attestations de témoins ne sont pas prises en compte. S'il n'est pas fait mention dans le livret de travail, la médaille jubilaire n'est pas attribuée. C'est là un point que nous n'avons pas cessé de soulever… »

Le chef de district se renfrogne, un tantinet décontenancé :

« Il me semblait que des amendements avaient été apportés… »

Celle au fichu gris à carreaux, avec plus d'insistance encore :

« Comment ça ?? Nous avons été mobilisées par le bureau de recrutement, nous étions considérées comme personnel militaire. Celles des jeunes filles qui abandonnaient leur poste de travail étaient jugées en cour martiale. Vous réalisez ce que nous étions ? »

Iskiteïa opine du bonnet :

« Oui-da. »

Le type de l'ex-soviet :

« Alors, il faut faire une requête par l'intermédiaire du bureau de recrutement. »

Celui du district :

« Oui, nous dresserons des listes et nous ferons une réclamation officielle pour qu'ils recherchent les documents de 43. Ce genre de question revient sans cesse sur le tapis. »

Je remarque qu'Ovsiannikov est tout retourné : il écoute et baisse de plus en plus sa tête que, d'une main, il cherche désespérément à retenir.

Et celle au fichu vert chou, la toute menue, veut tant et si bien intervenir qu'on la laisse parler :

« Moi, j'ai la médaille pour les années de guerre. Bien sûr, je l'ai pas, mais j'ai le document en bonne et due forme. Et j'ai des avantages : je paie la lumière moitié moins. Bien sûr, on ne sait à quels autres avantages j'ai droit. Je m'en suis allée voir la direction, ils répondent : votre kolkoze est pauvre, vous n'en avez pas. Et même que mes semences, je les ai jamais reçues ; le président n'a pas fait venir la voiture des semis pour les pensionnés.

– Des avantages ? Actuellement, tout est inscrit au budget du district. C'est sur ce budget, bien sûr, que nous payons ce que nous vous fournissons à moitié prix. Mais il est évident que je ne peux pas venir vous voir tous les jours…

– Ça, nous le comprenons bien… », font-elles avec de larges sourires.

Là, Iskiteïa se décide. De sa douce voix de vieille, sans insistance, comme elle m'avait parlé sous le bouleau :

« Mon mari, lui, était ancien combattant. Un invalide. On avait des avantages. Mais, depuis qu'il est mort, je paie tout au prix fort. »

Le lieutenant-colonel Ovsiannikov tressaille d'indignation. Et, en appuyant fortement sur les « o » :

« Absolument ! Tous les avantages octroyés à votre mari, si vous ne vous êtes pas remariée… »

Toute étonnée, Iskiteïa esquisse des lèvres un timide sourire :

« Oh, ça non…

– … tous ces avantages vous restent acquis ! Peu importe quand il est mort.

– Ça va faire la huitième année qu'il n'est plus là…

– Bien ! fait le chef de district en sursautant après avoir consulté sa montre. Tous les problèmes qui vous concernent, vous autres, nos vétérans, nos mères, je vais les résoudre personnellement. Si je n'y arrive pas, nous nous adresserons à la région. Ceux de Moscou, nous n'irons pas les solliciter, ce n'est pas à nous de le faire. »

1998.

SUR LES BRISURES

traduit par Lucile Nivat

I

Qui mangeait à sa faim, cette année-là ? Le père avait beau être chef d'atelier, il ne *prenait* jamais rien en plus de son dû et n'autorisait personne à le faire. La famille, c'était la mère, la grand-mère, la sœur, et puis Dima, seize ans – les fringales qu'il avait !! Le jour il était à sa machine-outil, la nuit en barque avec un copain pour prendre du poisson.

L'atelier du père ? – des munitions pour les *katiouchas*. À « La Faucille et le marteau », son usine de Kharkov, ils avaient travaillé jusqu'à l'extrême limite – interdit d'arrêter ! Résultat : la ville était déjà en feu, c'est tout juste s'ils n'étaient pas tombés aux mains des Allemands, ils étaient partis sous le bombardement et avaient fui jusqu'à la Volga.

La guerre ? Elle semblait tout près de finir, les fronts s'éloignaient – mais, ensuite, on aurait quoi comme vie ? Et l'appel sous les drapeaux qui lui pendait au nez ! Alors, au printemps de cette année-là, 1944, Dmitri, déjà conscient de l'heureuse disposition de son caractère et de son intellect, sauta carrément les 9e et 10e classes et réussit en candidat libre l'examen de fin d'études secondaires, avec mention d'excellence par-dessus le marché. Il pouvait dès septembre courir à un institut. Mais où exactement ? Avec un ami il réussit à se procurer une brochure explicative : « Établissements d'enseignement supérieur de Moscou ». Aïe ! D'innombrables appellations, davantage encore de facultés, de sections, de spécialités – c'était le diable pour s'y retrouver. Comment trancher ? Comment se décider ? À « Institut de l'Énergie », Chaussée des Enthousiastes, voilà qu'ils lurent : « repas trois fois par jour » ! Et ce fut l'élément décisif. (De son propre chef il aurait opté pour le droit ou l'histoire.) Bref, la jeunesse donnant des ailes... ils filèrent !

Et on les prit. Le foyer était à Lefortovo. Seulement, parlons-en, des trois repas ! Une soupe avec du chou, et d'une ; une louche de purée de pommes de terre à moitié pourries, et de deux... plus 550 grammes de mauvais pain. Autrement dit : le jour tu étudies comme tu peux, le soir et la nuit tu décharges des marchandises. Paiement en cigarettes, au marché tu échanges tes cigarettes « Doukat » contre des patates. (Évidemment, son père l'aidait.)

Pendant ce temps, la classe 26 avait déjà toute été appelée. Pour la classe 27, on en prenait de ci, de là, puis ça se calma. Pourquoi ? La guerre se terminait, pardi !

La guerre se termina... sans vraiment se terminer. Staline déclara : maintenant *il faut reconstruire* ! Et la vie repartit sur les mêmes rails, avis de décès en moins : pendant un an, deux ans, trois ans, il fallait reconstruire ! C'est-à-dire travailler, vivre et se nourrir comme si la guerre continuait. Dima était en 4e année, il avait mis de côté 400 roubles pour s'acheter un nouveau pantalon. Une rumeur éclate : va y avoir la *réforme* ! Les gens se ruent dans les Caisses d'épargne, deux colonnes se forment, ceux qui déposent, ceux qui retirent, laquelle est la bonne ? Difficile à deviner. Et Dmitri se trompa, adieu le pantalon ! Mais, par ailleurs, il se retrouva très vite gagnant : ni les bourses ni les salaires n'étaient divisés par dix, et les cartes d'alimentation étaient supprimées. Du coup, avec la bourse de janvier, ils s'achetèrent des tonnes de pain de seigle, de quoi se rendre malades, et aussi du thé et du sucre. En plus, la directrice de leur école – une femme imposante et pleine d'autorité, l'épouse de Malenkov – usa de ses relations pour faire augmenter les bourses, Dima en bénéficia aussi.

Le jeune homme forcissait. Pas seulement parce qu'il mangeait mieux, et pas seulement du fait de ses études. (On leur avait donné deux options : soit l'énergie atomique, soit l'aéronautique ; il avait choisi la seconde – beaucoup plus tard, il comprendrait qu'eût-il choisi autrement il se serait retrouvé pour des années enfermé comme dans une prison.) Non, il s'affirmait aussi dans le travail social, au sein des Jeunesses communistes.

Les choses se font insensiblement et sans plan préconçu : ce que nous valons, nous l'apprenons seulement avec les années et à travers la manière dont nous perçoit l'entourage (« il sort du rang »). Tout le monde remarque que tu es dynamique de nature, que tu es le premier à émettre des propositions sur le comportement du collectif, que tes opinions sont celles qu'on retient. Alors... ta place est au présidium ! Tu feras bien le rapport ? Pourquoi pas... Et les mots du discours s'enchaînent avec aisance. Qui faut-il soutenir, qui faut-il démasquer ? Les étudiants applaudissent. Votent pour toi. Et, le plus simplement et le plus naturellement du monde, te voici responsable de groupe des Jeunesses communistes (le Komsomol) ; en troisième année, t'es secrétaire du Komsomol de ta fac ; en cinquième, vice-secrétaire général du Komsomol de tout l'Institut... (Oui, mais pour cela il faut être « candidat au Parti ». Oui, mais il y a aussi ce décret du Comité central : à partir de 1948, les admissions dans le parti doivent cesser – entendez : pendant les années de guerre, on a embrigadé à tout-va, ça suffit. Qu'à cela ne tienne, on propose « à titre d'exception » d'accueillir le camarade Iemtsov. Des anciens du front sont présents à la réunion du Parti, ils protestent : pourquoi lui ? Pourquoi cette exception (pour un blanc-bec) ? La salle est contre. Alors la directrice se lève, imposante, sûre d'elle – et épouse de qui ! Personne ne l'ignore – gravement, elle laisse tomber devant la salle : *« Nous avons nos raisons. »* Et l'affaire est bouclée. Les gars du front aussi ont voté pour.)

Peu après – l'institut pas encore terminé, encore aucune « affectation » –, on te prend dans le Comité de ville du Komsomol comme chef adjoint de la Section de la Jeunesse étudiante. (Les trajets jusqu'à ton institut, faut-il vraiment les faire en tramway ? un coup de fil au Comité de ville, une « Pobiéda » vient te prendre ; un deuxième, on te ramène à ton appartement – pas à ton ancien foyer – toujours en « Pobiéda »).

Oui, ton ascension est vertigineuse, mais tu ne ressens aucune gêne vis-à-vis de tes copains étudiants, parce qu'il n'y a dans ton parcours rien qui soit tortueux. Tu n'as rien demandé, tu n'as pas manœuvré dans l'ombre, ça s'est fait tout seul. Et puis, la cause des Jeunesses communistes est honnête, juste, sacrée même ! (La première fois, tu es entré au Comité de ville… comme un croyant à l'église, le cœur près de défaillir.) C'est qu'elle est, cette cause, la source vive et jaillissante de notre merveilleuse vie à tous ! Après une victoire mondiale, tout vient irriguer notre pays de flux régénérateurs ! De partout s'élèvent les grondements de nos succès, de nos grandioses chantiers ! Eh bien, tu es, toi, une parcelle de ce flot montant, et tu conduis ta génération d'étudiants vers ce but, à l'unisson de ces projets et de ces réalisations.

… Rempli de fierté, il écrivit à son père (qui était toujours dans son atelier, là-bas sur la Volga, on ne les avait pas « rapatriés » à Kharkov). Le père était bien placé pour savoir ce que c'était que de s'élever par ses propres moyens. Fils de forgeron, il était devenu ingénieur. Et il avait pris femme dans une famille noble de Poltava à la recherche – au début des années vingt – d'une aile prolétarienne protectrice. (Par la suite, il piquait des colères quand sa femme et sa belle-mère parlaient entre elles en français.) En 1935, il avait connu l'épreuve d'une arrestation sur dénonciation (l'appartement fut immédiatement réquisitionné, le piano à queue « Schroeder » se retrouva en position verticale dans la cave) – mais, au bout de six mois, il fut disculpé, et le miracle de cette libération raffermit encore la foi prolétaire du père en l'excellence de notre régime, et redoubla sa dévotion à la voie tracée par Lénine.

Oui, mais au sein du Comité de ville du Komsomol, justement, quelque chose ne commençait-il pas à changer ? Tous n'y entraient pas en tremblant de vénération. Chez d'aucuns, l'ardeur idéologique montrait même des lacunes, rien à faire, le ton était forcé. D'ailleurs, c'est vrai, à peine s'abandonne-t-on à ses propres intérêts qu'ils vous aspirent avec force. Tous se tirent dans les pattes pour décrocher un poste plus élevé. Un beau jour, on trouva le second secrétaire du Comité de ville des Komsomols dans un bureau sur un divan avec une secrétaire. Alors les résolutions, les avertissements sévères...

Ardeur ou pas, dans notre vie les *faits* interviennent aussi. Voici un de ces *faits* : à partir de chef adjoint et plus haut, chaque mois on te glisse entre les doigts une longue enveloppe couleur d'eau trouble, toujours la même. On l'appelle le *pli*. Et, à l'intérieur, un deuxième salaire mensuel, mais net, sans décomptes, redevances ni emprunts. Et tu mentirais si tu affirmais que ça n'est pas-agréable, pas-nécessaire, pas-acceptable. D'une certaine manière, c'est même précisément cela : acceptable – l'argent ne vient-il pas toujours à point ?

Dmitri a épousé une camarade de cours, mais pas question de lune de miel : chacun sait qu'au Comité de ville on est de service jusqu'à deux-trois heures du matin, tout comme reste à veiller toute la Moscou des fonctionnaires du Parti soumis à la volonté et aux habitudes de Staline. Dans la fameuse « Pobiéda », il rentre chez lui à l'aube – l'imagine-t-on réveillant sa femme ? Elle se lève à 6 heures pour prendre un train de banlieue et aller à son travail.

L'étendue de ses responsabilités et de ses obligations s'élargissait : l'Union internationale des étudiants se créait (là, il eut des contacts directs avec Chélépine), et on le fit entrer dans le combat mondial pour la paix, ce qui comportait, il faut dire, une fonction supplémentaire : rédiger pour sa hiérarchie des discours du genre : « Nous ne tolérerons pas que le ciel pur de la patrie soit à nouveau envahi par les tourbillons de la guerre ! » Quel que fût son travail, secret ou pas, lui était toujours en vue et marchait tête haute.

Là-dessus, le père vint passer son congé avec lui. Il resta huit jours, écouta et apprit beaucoup. Mais il n'exprima pas cette fierté paternelle à laquelle Dima s'attendait. Pis. Il soupira et lâcha : « Hé ! Te voilà parmi les *pousseurs de troupeau*. Ce qu'il te faudrait, c'est bosser toi-même, à la production. L'*essentiel*, c'est la production. »

Dmitri fut blessé, offensé. Il se sentait sur une trajectoire que rien n'arrêtait, et s'il touchait terre il ne rencontrait partout que considération. Et, tout d'un coup, *pousseur de troupeau* !

Bah ! Le père ne lisait que *Pour l'industrialisation*. Et il vivait « pour le bonheur du peuple », comme il répétait souvent.

Le fils rejeta ce qu'il mit sur le compte de l'acrimonie paternelle. Pourtant, les semaines passèrent, et quelque chose commença à le tarauder de l'intérieur et à l'accabler : cette réprobation du père, ça pesait comme un poids sur son cœur. Venue d'un autre, il aurait balayé la remarque. Mais de son père ?

Le père n'a-t-il pas raison quand il définit l'« essentiel » ? Tu le vois bien toi-même : ce ne sont que parlotes, coups par en-dessous, magouilles, saouleries. Les collègues autour de toi : de vraies bûches. Des ronds-de-cuir. Si toi, tu te sens des capacités, où iras-tu pour un avenir plus grand ? (Seulement, lequel exactement ? Ce n'était pas encore bien clair.)

Et puis… c'est devenu difficile de se séparer des « plis » et de la « Pobiéda ».

Tout cela le rongeait, véritablement… La décision n'était pas facile.

Brusquement – comme ça, sur un coup de tête – il jeta sur le papier une demande de départ. Et la présenta.

Mais, pardon, de quelle demande s'agit-il ? Depuis quand un membre du Parti rédige-t-il une *demande ? Contre* la volonté du Parti ? C'est donc qu'un élément instable se trouve en notre sein ! Et ce fut le signal d'une telle vague de dénigrements, on lui fit subir une telle avalanche de critiques, et il reçut une si mémorable dérouillée à la réunion du Parti… Assis, rouge comme une écrevisse, il battit sa coulpe interminablement.

Du reste, peut-être fût-ce pour un mieux. Sa carrière redémarra. (Il y avait des missions-rébus de ce genre : les étudiants d'un institut ont créé – pour s'amuser, assurent-ils – une « Société de défense des animaux rampants et reptiles en tout genre ». Mais qu'on y regarde de plus près… et il est clair que c'est une entreprise de sape politique.)

Survint alors un chambardement de taille à Moscou : au plénum du Comité de Moscou et des Comités de ville de Moscou, tout à trac, Popov, l'habituel Premier secrétaire, le solide, l'imposant, l'inébranlable Popov fut soudain déboulonné. (La manœuvre venait de Mékhlis, son ennemi, et la décision émanait de Staline, histoire d'épurer ceux qui, pendant la guerre, avaient « fait du lard ». Pour les accusations, on ne lésina pas : pourquoi la route asphaltée qu'il a fait tracer dans la banlieue va droit à la maison de sa maîtresse, et pas plus loin ?) En lieu et place de Popov, on nomma Khrouchtchev.

Là-dessus arriva la journée du jubilé du Komsomol. Réception de l'ensemble du personnel au Kremlin dans la salle Saint-Georges, banquet. Le vif et généreux Khrouchtchev, avec sa tête ronde qu'on aurait cru tondue, promit : « Ne ménagez pas vos efforts ! Donnez-vous de la peine ! – et tous vous serez secrétaires du Comité central ! »

Soudain, Dmitri Iemtsov sentit comme un diable qui lui titillait la langue et il lança témérairement :

« Nikita Sergueïévitch, je peux vous poser une question ?

– Oui, laquelle ?

– J'ai fini mes études supérieures depuis deux ans et mon diplôme n'est toujours pas sorti de mon tiroir. Est-ce qu'on ne manque pas de gens à la production ? Je suis prêt à aller là où m'enverra le parti. »

(C'est fou comme ses paroles sonnaient ! dans la salle Saint-Georges ! Il admirait presque sa propre audace.)

Khrouchtchev, sans longtemps réfléchir, leva vivement le menton :

« Camarade Sizov, je pense que cette demande peut être examinée ? »

« Examinée » ! – dans la bouche d'un dirigeant, ce mot-là équivalait à un ordre ! (Il ne s'attendait pas à cette sentence sans retour ! N'avait-il pas voulu faire le malin ?)

Sizov le fit venir pour un entretien et se montra particulièrement bien disposé : « Mais pourquoi donc as-tu agi de la sorte ? Tu aurais dû nous le dire. Nous t'aurions fait sûrement entrer au Comité central. » Bref, l'occasion était passée. « Et où veux-tu aller ? – Dans l'aéronautique. – Le VIAM ? Le TSAGUI[1] ? – Non, directement à la production ! »

L'affaire passa par les instances administratives du ministère et on le nomma en province. Il choisit en fait la ville d'où il venait et où vivaient ses parents. Il n'y a pas plus alambiqué et plus déguisé que nos appellations : « Usine d'agrégats » – allez donc déchiffrer ce qui se cache là-derrière ?... eh bien, ce qu'il y a derrière, c'est l'équipement électrique en aéronautique, ce sont les pilotes automatiques, c'est le dosage du combustible, mais il y entre aussi une commande de consommation courante : mettre au point notre production de réfrigérateurs, honte à nous d'être à la traîne de l'Europe avec un pareil déficit en la matière !

Sa réputation d'« envoyé de Khrouchtchev » fit qu'il se retrouva assez vite chef d'atelier. (Quant au salaire d'avant, assorti du fameux « pli », ce fut immédiatement la division par cinq, aïe ! Pas question de cracher sur les quelque trente roubles de « prime de pain »...) Seulement, c'est son atelier justement qui fut chargé de produire les frigos ! Voici devant vous un modèle anglais, il s'agit tout simplement d'en faire une copie exacte. C'est bien ce qu'ils firent, nom de nom ! Pourtant, certains secrets avaient dû leur échapper : tantôt un des tuyaux se bouchait dans le circuit, tantôt il gelait complètement du fait de son propre froid. Les clients renvoyèrent les achats avec plaintes et malédictions : « Ils ne refroidissent pas ! », les magasins multiplièrent les réclamations...

Néanmoins, le travail était facilité du fait qu'en ces années-là, au début des années cinquante, régnait encore à l'usine une discipline de fer, exactement comme si la guerre n'était pas terminée – y compris

1. Centres de recherche des matériaux de construction pour l'industrie aéronautique.

dans leur « usine saoule », comme on l'appelait en ville (on leur livrait pas mal d'alcool pour le nettoyage des divers appareillages).

La mort de Staline fut un choc ! Non qu'on Le considérât comme immortel, mais il semblait à tous qu'il était un Phénomène éternel, qu'il ne pouvait pas *cesser d'être*. Les gens sanglotaient. Le vieux père pleura (pas la mère). Dmitri et sa femme aussi.

Et tous comprenaient qu'ils avaient perdu un Homme Grandissime. Pourtant non, Dmitri, à l'époque, n'avait pas encore totalement compris ce qui faisait Sa Grandeur, – il lui faudrait encore de nombreuses années pour se rendre compte que cet Homme avait fait don au peuple tout entier du Grand Élan vers l'Avenir. La sensation d'une guerre dont la fin semblait sans cesse remise s'estomperait, le Grand Élan, lui, resterait et, grâce à lui et à lui seul, nous accomplirions l'impossible.

Sans aucun doute Iemtsov sortait du lot. Il était d'une intelligence et d'une énergie hors du commun. À l'usine, ce n'était pas tant le savoir universitaire qu'on réclamait ; par contre, on exigeait une rapide maîtrise des installations et des hommes. À nouveau le jeune ingénieur n'était presque jamais chez lui. Il avait pourtant eu un fils, mais où trouver le temps de l'éduquer ? Il n'avait pas une seconde à lui. Toutefois, c'est du directeur Borounov qu'il reçut sa plus importante leçon de vie.

Plusieurs directeurs s'étaient succédé, qui restaient un an, un an et demi. Le dernier, et avec lui l'ingénieur en chef, venaient d'être révoqués « pour production de mauvaise qualité » : des commissions débarquèrent – l'implacable contrôle d'État, le parquet ; on arrêta l'usine ; interrogatoires dans les divers bureaux ; tout le monde dans les transes. C'est à ce moment-là que Borounov fit son entrée de nouveau directeur – grand, beau, de noble prestance, la quarantaine. Sur son visage, moins dans son sourire qu'à travers un je ne sais quoi d'indéfinissable, se lisait une supériorité pleine d'assurance : lui saurait arranger n'importe quelle situation.

Et, en effet, ce fut renversant ! En deux à trois semaines, toute l'usine et l'atelier des réfrigérateurs se métamorphosèrent. Soudain, les gens semblaient soumis à un puissant champ magnétique : tous étaient tournés du même côté, tous regardaient dans une même direction et tous comprenaient de la même façon. Des anecdotes, des détails fabuleux commencèrent à s'échanger sur le nouveau directeur. (Iemtsov s'était offert à ce moment une semaine de détente, il était parti rejoindre des copains pour une partie de pêche hivernale et n'avait pas répondu à l'appel. « Il dit qu'il n'a plus besoin de vous », annonça la secrétaire à Iemtsov quand il revint. Et, pendant trois jours, Borounov lui refusa l'accès à sa personne !) Brusquement, en janvier, il déclara : « À partir du 1er février, l'usine marchera au pas cadencé ! » Sur des panneaux-témoins, on vit apparaître pour chaque atelier, à l'issue de chaque journée, soit une barre verticale rouge (plan exécuté), soit une barre bleue (plan non exécuté). Le système était tel que lorsqu'un atelier avait une barre bleue, il n'y avait plus de vie possible pour personne parmi les ouvriers. Autrement dit, accrochez-vous, cramponnez-vous ! Les frigos, tiens, on dirait que c'est bien parti ? Mais il y a l'atelier de galvanisation qui est en retard pour fournir les grilles qui vont avec. Pas d'importance, on s'en fiche ! – mais, sans ces grilles, la livraison est impossible. Le chef de l'atelier de galvanisation supplie : « Signe que tu les as reçues aujourd'hui, et je te les fournirai demain matin ! » Une deuxième fois, une troisième – et le déficit, lui, augmente. Iemtsov finit par refuser, et l'autre eut droit à une barre bleue. « Iemtsov, sors d'ici ! » fut tout ce que dit Borounov à la réunion de planning qui suivit. Iemtsov leva même les mains dans un geste de prière : vous savez bien que j'ai raison ! Non ! On était comme face à un roc. Il s'en trouva totalement désarçonné.

Pendant les réunions de planning, il observait attentivement la manière dont Borounov s'imposait ; pas en criant ni en tapant du poing, certes. Par contre, il était sûr de dominer n'importe lequel de ses subordonnés. Intellectuellement. Par la vitesse de la pensée, par l'acuité de l'esprit, par l'imparable justesse de la décision. (Toutes qualités que Iemtsov possédaient lui aussi !) Avec Borounov, impossible de discuter. Impossible de ne pas s'exécuter.

En revanche, était-il possible de devancer ses suggestions et de proposer sa propre idée ? Un jour, de Koursk les relais commencent à arriver irrégulièrement, menaçant de casser tout le plan. Iemtsov a une idée et se rend chez Borounov : « Donnez-moi un avion ! De l'argent ! Je file à Koursk avec une brigade de monteurs ! » Le directeur, ravi, accepte aussitôt. À l'usine de Koursk, Iemtsov leur adjoint sa brigade pour aider à réguler les relais, convoque une réunion et un meeting. Tout cela avait certes eu un coût élevé, mais les barres rouges devinrent quotidiennes !

Borounov non plus ne resta pas longtemps directeur. Seulement, lui fut non pas licencié, mais élevé à la fonction de Secrétaire du Comité départemental du Parti.

Néanmoins, à cette formation accélérée, Iemtsov mûrit beaucoup mentalement et assimila ceci : Borounov n'est pas ici personnellement en cause, mais le même Borounov (ce pourrait être un autre, ce pourrait être toi) avance sur la crête du Grand Élan stalinien qui nous suffira pour encore les cinquante à cent ans à venir. Il n'y a qu'une seule règle à suivre : *ne jamais écouter quelque explication que ce soit* (on s'amollit pendant les explications, on se morfond, et le travail est fichu). Seul importe : *ou le travail est fait – ou il n'est pas fait.* Et dans ce cas, gare à toi !

Et les gens n'ont pas d'autre issue. Exécution sans discussion ! Et l'ensemble du système se gère tout à fait aisément.

Bientôt, Iemtsov se retrouva chef technicien alors qu'il n'avait pas trente ans, puis, peu après sa trentième année, ingénieur en chef.

L'objectif du Parti était le suivant : mettre au point la production de magnétrons – de puissants générateurs d'ondes de haute fréquence qui seraient utilisés dans les radars pour la défense antiaérienne. Des modèles ? En voici un allemand, et un autre américain. Copiez-les autant que vous voudrez, mais, avec le magnétron, le problème est un peu plus coriace qu'avec les réfrigérateurs : comment évacuer la chaleur ? Comment générer la puissance ? Et c'est peu de simplement produire des ondes de haute fréquence – non, il faut le faire avec des caractéristiques très précises, autrement impossible de reconnaître les cibles. (Des groupes théoriques travaillaient à tout ceci dans les bureaux d'étude.)

Les années passaient – le complexe de la défense, disséminé sur l'ensemble du territoire, mais relié par les canaux ininterrompus des approvisionnements, parvenait à résoudre les uns après les autres des problèmes qui, il y avait peu encore, semblaient irréalisables. On se repassait le mot de Khrouchtchev (celui qui l'avait tenu sur les fonts baptismaux) : « Maintenant, nous fabriquons les missiles comme les saucisses : à la chaîne ! » Mais, pour que ces missiles suivent la trajectoire la plus précise possible, on avait un problème avec les gyroscopes : à cause de la vitesse de lancement des missiles, ces gyroscopes étaient en permanence enclenchés et s'usaient, et, depuis qu'était apparue la technique du laser, les cerveaux carburaient pour mettre au point le gyroscope-laser, exempt de frottements internes, à la disponibilité instantanée. Alors Iemtsov, désormais habitué à ne pas « stagner », à toujours avancer sans y être incité, à chercher par lui-même une direction nouvelle, proposa, quand vinrent à l'usine le ministre et le chef de la section de la Défense du Comité central : confiez-nous le dispositif à laser ! (C'était d'une audace folle ! mais quelque chose d'irrésistible l'avait poussé, comme un kamikaze.)

Ce fut accepté. Et aussitôt après – il n'avait que trente-trois ans ! – il devint directeur de l'usine.

On était en avril 1960. Le 1er mai, l'avion de Powers[1] fut abattu par un de nos missiles.

Mais – de quelle manière ? Quelques jours plus tard se tenait une grande réunion chez Oustinov – devenu vice-président du Conseil des ministres, adjoint de Khrouchtchev à la Défense, mais qui se sentait encore très étroitement lié à son ancien poste au ministère des Industries de défense. (Et le jeune et tout frais directeur pour la première fois se retrouva en si éminente compagnie.) Du ministère de la Défense vint une délégation avec à sa tête Baïdoukov, et celui-ci, la respiration sifflante, proféra gravement l'accusation que le complexe militaro-industriel coulait la défense soviétique !

1. Gary Powers (1929-1977), pilote recruté par la CIA, fut abattu et capturé alors que son appareil de reconnaissance (« U-2 ») survolait le territoire de l'URSS. Échangé deux ans plus tard contre l'espion soviétique William Fischer. *(NdT.)*

Ces maudits U-2 américains (comique coïncidence de cette appellation avec nos « kUkUrUz[1] » de basse altitude en bois plaqué) volaient à des altitudes inatteignables pour nos appareils de chasse ; égarant en plus nos radars par la création de fausses cibles, ils lançaient des leurres métalliques, notre système ne distinguait pas avec certitude la nature des cibles et la visée elle-même était encore trop imprécise, – bref, « les raisins étaient trop verts » pour qu'on pût abattre ces avions.

Et, jusque-là, Powers échappait sans difficulté à nos systèmes de défense antiaérienne, il était même passé directement au-dessus de notre polygone antiaérien de Kapoustine Iar, sur la basse-Volga, partant d'Iran il avait coupé une moitié de l'URSS, on l'avait canardé mais sans pouvoir l'abattre. (On avait abattu l'un des nôtres à sa place !) C'est seulement au-dessus du Caucase qu'on l'avait descendu – et, au fond, par hasard. (Pour ce qui est de Powers, il préféra la captivité au suicide par piqûre promis par contrat. Ensuite, il publia un livre de souvenirs et se fit de l'argent.) À l'époque, nos dirigeants donnèrent publiquement de toute l'affaire la version suivante : Khrouchtchev, au début, n'avait pas voulu, par compassion, qu'on abattît l'avion. Mais, pour eux, la chose était avérée : nous étions bons à pas grand-chose.

Mal à l'aise, Oustinov se trouvait dans une situation difficile, c'était visible – Iemtsov était assis vraiment tout près, pas à la table principale, mais dans la rangée de chaises contre le mur. Son long visage parcouru d'un tic, l'ex-ministre de l'Industrie et de la Défense cherchait manifestement de quelle manière se justifier et à qui donner la parole afin que les arguments avancés soient suffisamment astucieux.

À cet instant, Iemtsov sentit une force le pousser, comme naguère devant Khrouchtchev, ou lorsqu'il s'était engagé à produire des gyroscopes-laser – peur et intrépidité mêlées, comme il aurait volé sans ailes dans les airs : vas-tu monter ou te fracasser ? – bras levé, incliné vers Oustinov, il fit signe qu'il demandait la

1. Avions de reconnaissance rudimentaires de type « planeurs ». *(NdT.)*

parole ! (Au fond de lui, pourtant : aïe, pourvu qu'il ne me voie pas ! À des réunions de ce niveau, le danger est plus grand que sur un champ de bataille ou dans un champ de mines : une expression un tantinet imprudente, une petite fêlure dans la voix peuvent signer ta perte. Mais, par ailleurs, ses ingénieurs les plus dévoués lui avaient dit que la solution était presque trouvée.)

Oustinov avait vu la main, toutefois il ne voulait pas se risquer à donner la parole à ce grand type à l'air un peu trop pressé : trop jeune, il va nous sortir n'importe quoi ! Un général s'exprima, puis un autre, ensuite un directeur, suivi d'un autre. Maintenant Iemtsov levait la main chaque fois (bien qu'intérieurement son appréhension n'eût pas disparu). Oustinov le fixa attentivement dans les yeux, et Iémtsov sentit à ce moment-là comme une flamme dans son regard, une flamme porteuse d'un signal sûr. Et Oustinov, manifestement, comprit, accepta le signal… et lui donna la parole.

Iemtsov bondit, comme mû par un ressort, et prit énergiquement la parole. Il se sentait encouragé par l'expérience précédente de l'atelier de galvanisation – oui, il faut parfois déclarer accompli ce qui ne l'est pas encore –, et par l'expérience de Koursk aussi : le retard, on le rattrape ensuite, ce qui compte c'est la barre rouge ! Et, bien qu'il sût que la « sélection des cibles mobiles » n'était toujours pas au point, il fallait qu'elle le soit ! La loi du Grand Élan l'exigeait !

Alors, secouant la tête avec aplomb, il affirma d'une voix claire à tous les généraux réunis :

« Le problème de la sélection des cibles de haute altitude, nous l'avons déjà résolu dans notre usine. Sous peu, ce ne sera plus qu'un problème pratique. »

L'assistance se figea, les bouches s'entrouvrirent.

Fallait-il s'en tenir là ? Non, la victoire n'était pas vraiment complète. Il poursuivit – le ton se fit soucieux, mais il n'avait rien perdu de son arrogance :

« Actuellement, c'est un autre problème qui nous occupe, un problème qui vaut pour tous : créer un système de détection des cibles à basse altitude. Les Américains baissent constamment leur altitude de vol... »

Il avait ébranlé l'assemblée. Pendant la pause, Oustinov eut un sourire qui valait récompense : « Eh bien, tu n'as pas déshonoré le Comité militaro-industriel. » Un autre important général lui prit le bras (pourquoi lui ? Iemtsov n'eut pas le temps de se le demander ; plus tard, il apprit que l'autre était en perte de vitesse et cherchait à redorer son blason) et l'entraîna vers un groupe qui avait tout l'air d'un groupe de maréchaux : « Justement, nous... »

C'était agréable, mais aussi effrayant : *et si ça ne marchait pas ?* Oui, cela pouvait rater... La chose n'avait rien d'impossible, n'eût été le Grand Élan ! L'été encore, il lui fallut répéter à une autre réunion (les chefs du Comité militaro-industriel *brûlaient d'impatience*) que les choses semblaient en bonne voie, alors que ce n'était toujours pas fait !

À ce jeu-là, non seulement on risque sa carrière, mais on risque le Goulag !

Mais il avait l'expérience de Borounov : être plus rapide, plus perspicace que ses subordonnés, ne pas leur laisser l'initiative (tout en saisissant au vol toute idée intelligente). Agir sur eux psychologiquement : pas de barres bleues, sous aucun prétexte ! Il se sentait devenu impitoyable, fanatique de la production et directeur inspiré. À n'importe quelle heure de la nuit une voiture stoppait devant chez lui : « La chaîne s'est arrêtée ! », entre autres incidents du même ordre, et il fonçait à l'usine. (De lui aussi, maintenant, on faisait le héros d'épisodes fabuleux.) Et il se mit à croire qu'on pouvait accomplir des miracles. Selon les lois naturelles, tel processus ne peut pas se commander à l'avance, tel dispositif peut ne pas tenir, mais il existe aussi une loi psychologique : « On en viendra à bout coûte que coûte ! »

Et ils en vinrent à bout. Au quatrième trimestre de cette même année 1960, l'usine recevait le drapeau du Comité central et du Conseil des ministres, et son directeur était fait Héros du travail socialiste.

Et puis ce fut l'irrésistible ascension, plus haut, toujours plus haut ! (Dans les yeux et les attitudes de n'importe quelle jeune ouvrière il lisait son invincible victoire – pouvons-nous du reste avancer beaucoup dans notre carrière sans effleurer ces cordes-là ? – Et puis, n'avait-il pas du sang bleu, ce qu'attestait son altier port de tête ?) Son usine, rebaptisée du nom de code « Tézar », s'accroissait sans cesse de bâtiments nouveaux, recrutait des ouvriers par milliers. Lui y produisait des générateurs d'ondes de haute fréquence, le cœur des radars et leurs complexes systèmes d'alimentation, un autre les systèmes de guidance des ondes à destination des antennes, un troisième des dispositifs de localisation destinés aux radars. (Les signaux envoyés pour localiser doivent avoir des fréquences variables afin que l'adversaire ne parvienne pas à s'y habituer ni à s'en prémunir.) La première défense antimissiles était en train de se construire. Le « parapluie de Moscou » venait d'être créé : 140 dispositifs pour chacun des quatre points cardinaux (on s'attendait tout spécialement à des attaques par le Pôle Nord) avec détection de missiles volant à mille kilomètres-heure, et ces dispositifs implantés en trois « ceintures » : les dispositifs internes complétant ce qu'avaient pu laisser passer les dispositifs externes. Et mille cibles étaient simultanément traitées puis analysées et exploitées par ordinateurs, elles se répartissaient selon des programmes d'objectifs de tir de manière à ce que chacun sache sur quelle cible tirer ! (En ce qui concerne ce parapluie, nous devancions les Américains !!!)

Ensuite vint l'époque des ogives à têtes multiples – là non plus, nous n'étions pas à la traîne des Américains. Et d'après les signaux en retour des radars, nous apprîmes à distinguer les têtes explosives de celles de démonstration, sans charge.

Et Iemtsov reçut une pluie de récompenses. Il perdit le compte des réunions « au sommet » où il courait, des bureaux prestigieux où il entrait presque sans frapper (pas partout, quand même). Il fit même partie de commissions chargées de rédiger les résolutions du Comité central. Et nombre de ces personnages à bajoues et menton flasque, yeux et visage figés, qui n'entrouvraient les lèvres que pour prononcer les phrases indispensables, nombre de ces personnages, donc, rencontrant Dmitri Anissimovitch, modifiaient à contre-cœur leur expression, depuis toujours hostile. (Il n'était pas des leurs, cet ingénieur de la Défense – trop jeune, trop maigrichon, trop vif, avec ses yeux brillants d'animation, son front trop aristocratique.) Dmitri Fiodorovitch Oustinov, lui, se prit tout simplement d'affection pour Iemtsov.

(Pourtant, cette carrière à son sommet faillit bel et bien se briser : un proche ami de Iemtsov, un savant électronicien initié à un nombre important de nos secrets, se rendit en Europe pour une conférence – et ne revint pas ! –, il s'était rebellé contre le Système ! Et voici Iemtsov astreint à *ne pas quitter le territoire* pour vingt ans ! Mais ç'aurait pu être bien pis, on aurait pu le dégommer pour de bon. Maintenant, peux-tu comprendre, toi, l'imprévisible et brusque volte-face de ton ami ? *Comprendre* ce retournement, non, c'est radicalement impossible, il a perdu la tête. Ce n'est pas au nom de l'opulence du monde occidental : ici il ne manquait de rien. La liberté ? – mais en quoi donc manquait-il de liberté ? *Personnellement*, alors – une trahison ? Peuh ! « À titre personnel » ? ! À cause du transfuge, on fut obligé de changer tous les codes, tous les numéros, toutes les dénominations dans l'ensemble du système de défense antimissile.)

Pendant les vingt années qui suivirent, « Tézar » poursuivit son expansion. La direction de l'usine : un palais de marbre. Les nouveaux ateliers : une pure merveille, des bâtiments luxueux. On construisait sans regarder à la dépense. Ce n'était plus une usine, mais cinq usines ensemble dans une unique enceinte de pierre, et trois bureaux d'étude spéciaux (plus secrets que les usines elles-mêmes). Et dix-huit mille ouvriers et employés.

Cela faisait donc près d'un quart de siècle que Iemtsov occupait le même fauteuil directorial (qu'il avait transporté dans le nouveau bâtiment). Il avait conservé sa longue silhouette, sa démarche légère, son même regard intelligent et vif. Il s'était dégarni mais n'avait pas blanchi. Il ne donnait d'instructions que sur le mode impérieux et n'avait pas son pareil pour rembarrer qui que ce soit. Il avait cinquante ans passés.

À cet âge, ce n'est plus ton épouse qui te donne un deuxième fils. Mais ce fils, c'est tellement plus encore de fierté et de chaleur ! C'est un tel concentré d'espoirs, et la promesse de te perpétuer tant et tant d'années encore ! Ses premiers pas, tu as l'impression de les faire avec lui ! L'aîné est depuis longtemps autonome, il mène sa vie d'une façon qui ne te plaît guère, mais celui-ci, à vingt ans du premier, quel avenir formidable il aura ! Et il ajoute à ta vie une telle profondeur de sens !

De toutes ses fondations « Tézar » s'incrustait résolument dans la terre des bords de la Volga, enserrant d'une enceinte de plus en plus large les hectares de terrains bâtis et de prairies qui lui étaient contigus, mais c'est en véritable géant de toute l'Union que, par sa production, son action et son ambition, il irriguait sans cesse davantage notre défense. Et, avec lui – son directeur à l'affût de toute nouveauté, et qui sans relâche cherchait à définir des orientations de recherche et de production innovantes. (Mais il était toujours *astreint à ne pas quitter le territoire* : le Comité central lui faisait confiance, le contraire eût été un comble ! – cela dit, la prudence des Services spéciaux n'est pas non plus de trop ?...)

Oui, la défense soviétique – et l'attaque, donc ! – étaient toujours aussi invincibles et efficaces. Mais, pour qui connaissait le détail des rapports secrets provenant de l'autre côté de l'Océan, et de surcroît avait l'esprit alerte, il était manifeste que, depuis le début des années 1980 (Reagan), nous n'étions plus vraiment dans la course, nous traînions. Cela, on n'aurait jamais dû l'admettre... jamais on n'aurait dû se permettre une pause – mais ces croulants avachis dans leurs fauteuils, l'œil mort, le sourcil buissonneux, la paupière clignante, qui n'écoutaient que d'une oreille, hostiles envers toute personne subalterne – comment les atteindre en profondeur ? Pouvait-on éveiller leur conscience moribonde ? (Avec l'âge, Oustinov, lui non plus, n'était plus comme avant.)

Et soudain – apparition, révélation ? – Gor-ba-tchev ! Dès le premier plénum du Comité central, il suscita l'espoir. On allait revivre ! Il avait à ses côtés Ligatchev ! Et il autorisa Iemtsov à prendre la parole au Bureau politique ! Or, depuis la réforme enterrée de Kossyguine, Iemtsov avait gardé au fond de lui la claire compréhension qu'en 1965 déjà, il était urgent que nous transformions notre économie – mais, par frilosité, mollesse, indifférence, on avait manqué le coche. Pourtant, alors... les industriels se sentaient prêts à se battre, et ils s'étaient ralliés au slogan : planifions selon de nouvelles normes ! Stimulons le travail avec des moyens nouveaux ! Iemtsov ne s'exprimait pas qu'en son nom quand, avec enthousiasme, il s'était lancé dans une série d'exposés devant des auditoires composés de membres du parti, et même à l'École supérieure du parti où il avait expliqué ce que devait être le nouveau système économique, et comment il sauverait le pays. Son public l'écoutait avec étonnement. À la même époque, l'université locale l'avait également invité à un cycle de cours sur « Les bases de la politique économique du socialisme » – et il avait accepté le défi. Lui, à l'époque, était passionné de cybernétique (elle était alors interdite), il passait des heures à lire Ashby, et il avait inclus dans son cours les éléments de cybernétique qu'il avait eu le temps d'assimiler. Tout, absolument tout aborder à partir de positions systémiques ! – pas mal, hein ? Il n'en revenait pas lui-même. (L'université reconnaissante lui accorda le grade de « candidat ».)

Mais, ensuite, tout l'emballement de la réforme se dégonfla comme un ballon crevé. Et fut mis au froid pour vingt ans ! Bah, ce n'était pas si grave, on vivait quand même. Allait-on se passer de réforme jusqu'à notre mort ?

Non, la voici ! Gorbatchev ! L'élan refroidi recouvra peu à peu toute son ardeur. S'appuyant sur des thèses rénovées, Iemtsov alla faire cours à l'université sur le système moderne de management des entreprises (sans toutefois l'ancien ingrédient de cybernétique... peut-on rattraper un retard de vingt années ?)

Mais... Gorbatchev ? – Parlons-en, de Gorbatchev ! Ce gribouille à courte vue – qu'est-ce qu'il fait ? Quelles directives dévastatrices il lance à tort et à travers ? Création des Conseils de collectifs de travailleurs ! – et ledit Conseil examine, et soit *approuve* soit *désapprouve* le plan qu'a envoyé le ministère ! Bon, je vous prends au mot : quelle est la cuisinière qui tolérera qu'on vienne ainsi fourrer son nez dans sa cuisine ? À plus forte raison le puissant directeur d'un célèbre combinat !! Encore mieux, écoutez : désormais, le prétendu « collectif des travailleurs » *choisira son directeur* ! Mais la moitié de mon activité se passe entièrement hors de l'usine : toutes les livraisons, les relations extérieures, les organes directeurs de l'État, les achats de devises – qui donc, je vous le demande, quel sombre nullard du comité des travailleurs pourra décider de tout cela ? C'est du délire ! Et il faut en plus que certaine petite gazette, et littéraire par-dessus le marché, lance la rubrique : « Si c'était moi le directeur... » Envoyez vos souhaits... Vous dites que ça a existé dans notre vie d'avant ? Votre mémoire est peut-être excellente. Mais moi, j'ai la particularité d'extrapoler. Et donc je vous dis : c'est le signal de la fin !

Fin ou pas, tout ce qui vit doit vivre ! (Toi, par exemple, tu as un deuxième fils, il grandit. Cette musique dans ton âme, que te dit-elle ? C'est maintenant justement qu'il faut vivre ! Et longtemps encore !)

Ainsi fallut-il patauger durant les cinq années de la « perestroïka ». On trouvait des solutions par la méthode du « coup de hasard », comme disent les expérimentateurs. Et on opérait seuls, à distance de ceux qui nous gouvernent, sans aller chaque fois faire la courbette à Moscou. À la fin des années 1980, toutes les liaisons entre les entreprises d'URSS s'étaient si bien relâchées qu'il était devenu impossible de compter sur le moindre fournisseur. Et le monstre « Tézar » cherchait à augmenter sa production par ses propres moyens.

Cependant, nous ignorions encore ce qu'est le véritable malheur. Nous l'apprîmes... quand le Parti fut liquidé. Certes, moi le premier, je n'aimais pas ces « sourcils broussailleux » du sommet... Ne regardez pas mes décorations, ne comptez pas mes étoiles, ni les fois où j'ai pris la parole au Comité central quand il existait –

considérez que je suis un homme modeste, un simple professeur de cybernétique. Parfaitement ! Mais le Parti, c'était notre Levier. Notre Soutien ! Et voilà qu'on l'a bazardé...

Alors on s'élança dans la Grande Réforme, comme dit le vieux pêcheur au bord de son trou de glace : tête la première !

« Tézar » fut averti de la façon suivante. Trois semaines jour pour jour après le brillant début de la Réforme, par une morne journée de la fin janvier, Iemtsov reçut un télégramme du ministère de la Défense : « Cesser expédier production code untel et code untel pour absence de financement. »

Seul dans son grand bureau, assis dans son vieux fauteuil, Dmitri Anissimovitch relisait le télégramme, et sentit comme des fourmis dans ses cheveux.

Comme si, de ses ailes, un esprit mauvais, un démon lui avait frôlé la tête.

Ou bien comme si un pont grandiose, franchissant un fleuve plus large que la Volga, se fût effondré en l'espace d'une minute... et qu'il vît lentement retomber la poussière de béton...

Pendant quarante et une années, depuis le jour de la salle Saint-Georges, Iemtsov avait été un acteur de la production. Pendant trente-deux années, depuis Powers, il avait été directeur de « Tézar ». Et ce télégramme était l'annonce que tout était fini...

Si le ministère de la Défense, trois semaines après le lancement de la « Réforme », n'a déjà plus de deniers pour une entreprise aussi cruciale, c'est qu'il n'en aura jamais plus. Le sage se doit d'avoir un regard qui voit loin et ne s'embarrasse d'aucun obstacle. Effectivement, tout est bien fini. Et le plus déraisonnable serait de tenter de surnager, d'envoyer des télégrammes implorants, de s'abuser soi-même, de différer l'épilogue. Certes, il est écrit de « cesser d'expédier », et non pas de « cesser de produire », et dans les ateliers et les entrepôts il y a encore de la place, on peut ne pas interrompre la fabrication.

Non. Il faut trancher d'un coup. Ne pas prolonger l'agonie.

Combien de temps resta-t-il ainsi ? Une heure ? Il n'avait pas allumé, le bureau était maintenant plongé dans l'obscurité.

Il alluma la lampe de bureau. Fit venir les trois responsables. Et, avec un total détachement, d'une voix morte, comme s'il n'était pas concerné, il ordonna : code untel, code untel, la fourniture des matériaux aux ateliers doit s'interrompre immédiatement.

Autrement dit, le Grand Élan était retombé.

Pendant ces quelques semaines, quatre-vingt quinze pour cent des directeurs d'usines de guerre se précipitèrent à Moscou pour tenter de convaincre : « Nous allons perdre notre technologie ! Passez-nous une commande, et nous, en attendant, nous travaillerons à reconstituer nos stocks ! » Ils n'avaient qu'une crainte : qu'on les exclue de l'approvisionnement public – « pourvu qu'on ne me vire pas vers le privé ! » Ce mot dévastateur effrayait comme un monstre marin.

Pour Dmitri Anissimovitch, il était cependant évident, aussi évident que la température du Zéro absolu est de – 273 °C, que notre électronique était finie. Nos hautes technologies allaient irrémédiablement périr, car les diverses branches et usines ne pourraient subsister séparément, et toujours il manquerait quelque chose à l'assortiment nécessaire. Le système allait se dégrader *en son entier,* c'était inéluctable. Notre haute technologie de guerre allait s'effondrer sans retour – et personne ensuite ne pourrait la remettre sur pied, y compris même en plusieurs décennies.

Au demeurant, la réforme Gaïdar-Eltsine-Tchoubaïs[1], elle, était géniale ! Sans ce côté « demi-mesure » de Gorbatchev : tout devait être détruit, tout de fond en comble ! Et, plus tard, dans un avenir indéterminé, Carthage serait reconstruite, mais pas par nous, et pas du tout à notre façon.

Lorsque Iemtsov déclara à la petite confrérie affolée de directeurs agglutinés au sein du secteur d'approvisionnement public : « Moi, je suis partant pour la privatisation ! » – grand fut leur

1. Il s'agit de la fameuse « thérapie de choc » infligée à l'économie russe après la chute de l'URSS sous la présidence de Boris Eltsine. *(NdT.)*

courroux ! « Tu nages en plein délire ! Comment, dans ce qui nous occupe, imaginer même une seconde cette folle absurdité : la privatisation ? Nous vivants, pas question de privatisation !

– Oui ? Vous croyez ? ricana Iemtsov avec sa formidable assurance, cette fois-ci teintée d'amertume. Bon, raisonnons, si vous le voulez bien, et dans deux secondes vous mordrez la poussière. Si je vous ai bien compris : chez nous, dites-vous par exemple, la métallurgie ne cesse pas de croître ? Nous produisons des aciers bon marché, tandis que les métaux spéciaux sont sacrifiés ? Vous avez une excellente mémoire du passé. Mais il faut oublier le passé. Ni l'organe directeur du Comité militaro-industriel ni les cadres du Comité militaro-industriel ne reverront le jour. Et bientôt, dans notre production, on ne reverra plus rien qui soit au niveau d'aujourd'hui. »

Parmi tous les slogans ineptes – « perestroïka », « accélération », « marché socialiste », ensuite « réformes » (sans qu'on sache selon quel programme) – il y en avait un, pourtant, d'une profonde sagesse pour peu qu'on le retînt. Il s'adressait aux directeurs d'usine : « Devenez les maîtres de la production ! »

Juste ! Bien vu ! C'est là qu'est le hic, c'est par là qu'il faut refonder.

Cependant, si tu es nominalement « maître de la production » – pourquoi donc ne pas le devenir pour de bon ?

Mais devenir *propriétaire* – ça se fait comment ?

Celui qui emprunte le premier un chemin a la tâche la plus difficile. Mais si on prend le cas de la restructuration de « Tézar », c'était aussi un gain de temps.

Pour être exact, un certain nombre de ses pairs s'étaient regroupés dans « le Parti de la Liberté économique ». Il les rejoignit : des bavardages sans fin, ou alors la soif de pouvoir politique. Non, on ne réglerait rien par la politique.

Au début, Iemtsov crut au soutien des investisseurs occidentaux. Empressé et confiant, il invita et reçut à « Tézar » des banquiers venus d'Occident, son accueil fut empreint de largesse, à la russe.

Très courtois, souriants, les hôtes firent honneur au caviar – mais n'offrirent pas un centime d'aide.

Et le gouvernement à plus forte raison ! Pas la plus petite obole ! L'affaire pressait.

Comme chacun était maintenant libre de sortir du territoire, lui-même partit en Amérique. On accueillit excellemment cet « entrepreneur progressiste ». Rencontres, consultations, déjeuners-dîners d'affaires. Pourtant, pas un rotin d'investissement, là non plus. Mais on lui donnait souvent – et il retint – un même et pertinent conseil : personne n'investira jamais dans un monstre comme votre « Tézar », avec lui les pertes sont assurées. Vous devez le décongestionner en une série d'entreprises distinctes, à chacune ensuite de s'en tirer avec ses propres forces.

Depuis son enfance à Poltava, il se rappelait parfaitement Gogol : « C'est moi qui t'ai engendré – c'est moi qui te tuerai[1]. »

Au Conseil des ministres, affairement, effervescence, chacun brigue quelque faveur, on joue des coudes. Iemtsov parvint ainsi à se faufiler dans l'avion du vice-premier ministre et, pendant le trajet, obtint le décret de privatisation de « Tézar », et son fractionnement.

Vrai : si on débite un corps vivant en différentes parties, celles-ci vont se tortiller à la recherche les unes des autres. Mais on ne nous a pas laissé d'autre issue.

Et voici quel sera désormais mon principe : nous n'acceptons plus aucune de vos commandes d'État gonflées ! – le paiement d'abord, la commande ensuite ! L'argent avant la marchandise. C'est pas l'usage ? Eh bien, il ne reste pas d'autre solution : les sous d'abord ! La section « défense » de « Tézar » est réduite à 5 pour cent : les pièces de rechange pour la défense antimissile, des miettes. « Tézar » est fractionné en soixante filiales ; mais de tout et de toutes, c'est toi qui restes le directeur général. D'après leur statut, une part vient de l'ancien « Tézar », mais, pour le reste, chaque filiale n'a qu'à chercher de riches actionnaires, et les trouver

1. « Je t'ai engendré, je te tuerai », tels sont les mots prononcés par Taras dans *Taras Boulbas*, de Nicolas Gogol, 1835. *(NdT.)*

elle-même. L'intérêt propre de chaque cellule est de survivre, courage, démenez-vous ! Toutes les soixante sont juridiquement égales, mais la direction générale possède sa propre part : c'est ce qu'on appelle en termes nouveaux la « holding ».

Principe qui vaut pour tous : à partir de maintenant, *peu importe la façon dont on gagne de l'argent !* Les hautes fréquences pour travailler le sarrasin ? Bien ! Des fours à micro-ondes pour usage domestique – du jamais-vu chez nous –, pourquoi pas ? Quelqu'un se met à produire des magnétoscopes ? Magnifique ! Des châssis de fenêtre en plastique, des jouets en plastique ? Et qui n'a pas trouvé quelque astuce et n'a rien pour payer les salaires ? Renoncez à payer. Licenciez vos ouvriers !

Toute la ville se mit à bourdonner : « L'usine radio-électronique s'est tournée vers la production de râteaux ! » (Ce n'était pas loin de la vérité.) Et ceux qui connaissaient d'un peu plus près l'affaire – ingénieurs électroniciens ou bien directeurs de la défense à travers le pays : « Iemtsov démantèle l'empire Tézar ! » Les ouvriers pas encore licenciés, mais sans salaire depuis trois ou quatre mois, et ceux déjà renvoyés bouillaient d'une inapaisable fureur. Ils s'étaient attroupés devant l'administration de l'usine, criant et maudissant le directeur. Iemtsov décida qu'on irait au club pour tenir assemblée.

Et – toujours le même, la vieillesse venue, mince, souple comme un roseau, le regard et le visage clairs – il affronta la tempête. Il n'avait pas perdu ce sens de la riposte hardie et provocante qui, plusieurs fois dans sa vie, l'avait si bien servi. Il savait comment désarçonner.

La salle grondait. Iemtsov leva sa main fine aux longs doigts, comme l'instituteur sa baguette, et autant qu'il lui restait de force dans la voix :

« Mais qui sont les coupables ? L'actuel Soviet suprême ! Qui donc l'a élu ? Les directeurs ou les travailleurs ? Pour qui avez-vous voté ? Avez-vous voté pour des directeurs, des organisateurs, des acteurs de la production, ceux qui connaissent la question ? ! Non !! Vous vous êtes empressés de voter pour des démocrates de fraîche date, professeurs de marxisme-léninisme pour la plupart, économistes, maîtres de conférences enfermés dans leurs bouquins, et journalistes... Les Khasboulatov, Bourboulis, Gaïdar, Tchoubaïs, je pourrais vous en citer trente autres de la même eau, qui les a élus ?! Eh bien maintenant – prenez vos drapeaux rouges – et allez donc chez ces pédagogues réclamer justice ! Quant à moi, préventivement, je vous sauve ! Je vous laisse sans travail, oui – mais n'oubliez pas : je le fais en 1992, pas après ! Il est encore temps, pour vous qui quittez « Tézar », de retrouver du travail ou de vous adapter à un autre. Et ceux qui défilent drapeaux levés pour obtenir leur paie – ceux-là vont se retrouver ni plus ni moins le bec dans l'eau ! »

Facile de reconsidérer sa vie, ses opinions, ses projets, quand on est jeune. Mais – à soixante-cinq ans ?

Tu es pourtant sûr que tu as raison. Mais, dans la gorge, un goût d'amertume devant tout ce naufrage.

Il te faut garder intacte ta souplesse d'esprit, ton adaptation à tout : d'un coup faire une croix sur tout ce qui jusqu'ici a fait ta vie. C'est comme si tout cela n'avait été que du vent ; et te voilà reparti, fringant, pour une autre marche dans l'existence.

Et tu trébuches à chaque pas ! Du Japon affluent des fours à micro-ondes et des magnétoscopes – de meilleure qualité et moins chers que ceux de « Tézar ». Par conséquent, inutile de se démener, il faut fermer aussi cette branche d'activité. (Encore et toujours licencier, licencier ! D'ailleurs, ingénieurs, employés et ouvriers s'en allaient d'eux-mêmes sans attendre leur licenciement – et quels étaient ceux qui partaient ? les plus talentueux en tête, ensuite la seconde catégorie. Resta la masse grise, le ballast, seulement six mille des dix-huit mille d'avant.)

Un an passa – un quart des débris de « Tézar » avait fait faillite, volé en éclats, s'était disloqué. Un certain nombre d'unités tirèrent leur épingle du jeu et firent des profits. Ce qu'il faut, c'est ouvrir l'œil, chercher des voies que personne n'a encore ni tracées, ni prévues, ni imaginées, et, s'il le faut, creuser la terre et chercher dessous – et, pourquoi pas, fouiller le cosmos ! Tiens, une nouveauté : des téléphones portables adaptés à la main, fonctionnant par satellites – nous sommes preneurs ! Nous construisons pour eux des relais, des antennes, et nous vendons des abonnements, à nous les bénéfices ! Et puis, de simples compteurs à gaz tels qu'il n'en existe même pas chez Gazprom, mais dont tout le monde a besoin, – encore du profit !

Oui, messieurs et camarades, rien ne doit nous gêner, tout commerce nous agrée ! Même le commerce de râteaux, même le commerce de chapeaux, et même la location de n'importe lequel de nos luxueux bâtiments – nos palais et nos jardins d'enfants –, fût-ce à un magasin de mobilier scandinave ! Voire à un supermarché ! Un casino, ou, mais oui, un authentique bordel ! (Objets courants seulement – et vente assurée ! quant au produit de nos vieux ateliers, qui nous l'achètera ? Eh bien, l'État, qui nous a laissé tomber, se fera un plaisir de saisir ces vieilles bâtisses – pour solder nos dettes, régler notre consommation d'énergie.)

Mais l'idée la plus féconde fut de créer notre propre banque en liaison avec les filières de « Tézar » qui marchaient. Avec la rapidité de réaction qui nous était propre, nous profitâmes justement de la courte période pendant laquelle des banques s'ouvraient « par grappes » – et tant pis pour le retardataire qui, ensuite, s'en mordrait les doigts ! La banque – c'est le système nerveux de tout ce qui vit et crée ! Et, surprise, au bout de trois ans, la banque de « Tézar » reçut un prix américain, le « Flambeau de Birmingham ». (C'est dans ce Birmingham, aux USA, que s'était naguère amorcé la reprise, au moment de la Grande Dépression – d'où le prix.)

Les directeurs du secteur de défense qui avaient passé un an, puis deux à attendre les commandes de l'État, ou qui avaient fabriqué à crédit, se démenaient maintenant piteusement comme des grenouilles sur le sable. Iemtsov, lui, avait tout bouclé à temps ; mieux : il n'était aucunement affaibli par ce virage à cent degrés, il allait parcourant ses anciens territoires, encore plus fier, plus impérieux qu'avant, lorsqu'il était un célèbre directeur « rouge ». Parfois, passant devant le casino, il fronçait le nez : « Ces débiles, ces tarés, je les paierais bien encore de ma poche pour ne pas entendre leur musique ! » De nouveau il était vainqueur (même s'il avait caché dans un lointain tiroir ses décorations d'antan et ses étoiles de Héros du travail socialiste). Souplesse de l'esprit plus passion durable des affaires – et on n'est jamais perdant !

Je considère, disait-il, que faire de l'argent est finalement une occupation intéressante. Pas moins intéressante que de stimuler le pouls du Comité militaro-industriel ou encore de se débrouiller en cybernétique.

Le fiston, lui, il grandit – je le verrais bien étudier à l'étranger.

II

Au numéro 15 de la rue Karl-Marx se produisit un attentat contre un banquier. L'explosion eut lieu dans le tambour de l'entrée, mais le banquier en sortit indemne et, quelques minutes plus tard, sa femme et lui partaient en voiture.

La Direction régionale de la lutte contre le crime organisé fut prévenue tard le soir. Le lieutenant de service aurait dû aller enquêter immédiatement, mais, de nuit, même si on emmène avec soi deux tireurs d'élite, la situation risque de prendre un tour critique : une explosion peut très bien être suivie d'une deuxième et d'une troisième. Le lieutenant attendit donc jusqu'au petit matin – un petit matin de février, tardif – pour se mettre en route.

La maison était une copropriété ; les habitants avaient eux-mêmes fait installer une porte extérieure blindée ouvrant sur un tambour. La structure magnétique de l'une des deux mines explosées y était restée fixée. La porte intérieure en bois avait été déchiquetée par la déflagration à hauteur de poitrine, et le sas tout entier avait été circulairement cisaillé par les éclats jonchant à présent le sol. Sur ordre du lieutenant, le service d'entretien de la maison n'avait touché à rien de toute la nuit et les derniers à rentrer ce soir-là avaient franchi l'entrée avec mille précautions. Le lieutenant procéda à toutes les mesures nécessaires et rédigea le procès-verbal. Le banquier (un dénommé Tolkovianov, tout jeune encore) n'était pas chez lui. Dans son appartement – un deux-pièces standard, ce qui étonna le lieutenant –, personne ne répondit aux coups de sonnette : ni lui ni sa femme n'étaient revenus depuis l'attentat, et leur enfant de deux ans, expliqua-t-on sur place, était sans doute chez la grand-mère.

Son enquête provisoirement terminée, le lieutenant se dépêcha de regagner son bureau à la Direction avant la venue du commandant et des autres collaborateurs. Il arriva bon premier. Mais le commandant n'était toujours pas là lorsque, à 10 heures, parut en personne le lieutenant-colonel Kossarguine, et c'est directement à lui que le lieutenant se résolut à présenter son rapport.

Le lieutenant-colonel avait quarante ans, il était en civil, mais sa mise était impeccable et son maintien manifestement militaire. Il avait servi pendant quinze ans dans les Organes, en était parti dix-huit mois auparavant et, depuis environ un an, il travaillait ici.

Le lieutenant fit un rapport complet, montra même un schéma. À un moment, Kossarguine leva un sourcil, étonné lui aussi par le modeste appartement.

– Qu'ordonnez-vous, Vsévolod Valérianytch ?

Le visage de Kossarguine était maigre, énergique et on y lisait l'expression d'une constante disposition à agir sans délai.

– On vous a dit comment s'appelle ce Tolkovianov ?

– Oui. Alexeï Ivanytch.

– Et quel âge a-t-il ?

– Vingt-huit ans.

Un pli oblique barra le front lisse de Kossarguine – effort de réflexion ? de mémoire ?

– Je vais probablement m'occuper moi-même de cette affaire. Téléphonez à la banque et trouvez-moi ce Tolkovianov.

Le lieutenant fit demi-tour, soulagé qu'on ne lui tienne pas rigueur d'avoir retardé son intervention de la nuit, et il partit exécuter les ordres.

Kossarguine n'avait pas bougé. Sa mémoire de professionnel fonctionnait excellemment : cet Alexeï Tolkovianov, il avait été amené à l'interroger en 1989, quand il y avait eu des désordres étudiants dans leur ville, et des heurts entre eux et les élèves-officiers de l'école de la police des frontières, sise en face une rue plus loin, ceux-ci s'étant mis en tête de régler leur compte aux premiers à coups de poing. D'après les données recueillies sur Tolkovianov, s'il n'était pas le meneur, il était à tout le moins l'un des principaux instigateurs. À l'époque, les interrogatoires prenaient une direction sévère : ne vous extasiez pas trop sur la *glasnost'* et toutes les saletés qu'on laisse imprimer aujourd'hui dans les journaux et les revues ; poussez encore un tout petit peu le bouchon, et des gars comme vous on se gênera vraiment pas pour les coffrer, et dans un bon petit camp à en crever vite fait !

À l'époque... à l'époque, Kossarguine n'était pas près d'imaginer la tournure que tout cela allait prendre. Ni où tout cela conduirait. Ni avec quelle rapidité et dans quel éboulis général ! Les Organes avaient eux-mêmes vacillé de l'intérieur, les plus intelligents et les plus actifs parmi les tchékistes avaient commencé – chacun de son côté – à envisager quelque nouveau job, et certains même à *s'en aller*. Et où s'en allaient-ils ? Dans ces nouvelles firmes commerciales, ces conseils d'administration, et, pourquoi pas, ils devenaient banquiers, justement, suscitant bien sûr le dépit de ceux qui restaient et qui avaient manqué le coche... Et voilà que cet étudiant aussi avait pris le tournant, et réussi un sans-faute, tandis que toi... Tous ces chamboulements passaient l'entendement.

Mais il n'en avait que davantage envie de pousser cette enquête à son terme – ne serait-ce que pour soi-même.

Tolkovianov était sur place, à sa banque, et attendait la visite des Services.

Et Kossarguine partit. Il laissa son chauffeur dans une rue calme devant l'immeuble neuf de la banque – six étages de façade entièrement vitrée et un nom sophistiqué tout à fait au goût du jour – et il entra. La salle pour les clients était au premier étage – avec séparation non vitrée –, à la manière occidentale. Dès son passage devant le portier, le nouvel arrivant avait été immédiatement reconnu, en dépit de son costume civil, et il vit venir à sa rencontre un jeune homme qui le conduisit aussitôt chez le président du directoire de la banque. Celui-ci vint en personne l'accueillir dans la pièce précédant son bureau.

Oui ! Bientôt six ans avaient passé depuis cet interrogatoire, mais Kossarguine le reconnut au premier coup d'œil : c'était bien lui. Le même long jeune homme avec quelque chose de simplet dans le visage, comme un jeune pâtre endimanché. Pas en costume, comme il eut été naturel pour le directeur d'une banque, mais en ample sweater décontracté vert olive d'où dépassait, il est vrai, le col d'une chemise plus claire, mais de même ton. Il portait au doigt un étroit anneau nuptial en or comme on en porte à nouveau aujourd'hui.

Rien n'indiquait qu'il avait reconnu l'arrivant.

Ils entrèrent dans le bureau directorial. Le mobilier était disparate : d'énormes fauteuils bas en cuir disposés autour d'une petite table à revues, mais aussi quelques chaises à l'ancienne mode, ou imitant l'ancien, raides, avec de hauts dossiers droits sculptés, encadrant une table recouverte de drap vert. Au mur, une horloge, ancienne elle aussi, avec un balancier de bronze et une sonnerie basse et feutrée (elle sonna juste comme ils entraient).

Kossarguine refusa le fauteuil et s'assit avec son étroite serviette à la table verte ; le banquier prit place à son bureau placé transversalement à celle-ci.

Le jeune homme était tout à fait maître de lui : ses traits ne trahissaient ni effroi ni stupeur après ce qu'il avait vécu, on y lisait seulement une attention sévère. Il était rasé du matin, comme les autres jours. La forme allongée de ses oreilles placées haut renforçait la forme oblongue de son visage.

Kossarguine indiqua d'où il venait, mais ne dit pas son nom ; Tolkovianov ne lui demanda pas ses papiers et ce fut là, peut-être, la seule manifestation de sa distraction ou de son trouble.

Les circonstances ? Cela s'était passé de la manière suivante. Il avait ouvert la porte blindée et avancé d'un pas, sa femme derrière lui qui le suivait ; brusquement il avait pensé : je pourrais lui porter encore un sac, et – ç'avait pris une seconde, une demi-seconde – il avait fait un pas en arrière au moment où il aurait dû déjà se trouver dans le tambour, la porte blindée s'était presque refermée et à l'intérieur avait alors retenti l'explosion. Celui qui avait déclenché le signal s'était dépêché de le faire pendant cette demi-seconde, estimant que la victime serait justement dans le tambour.

Il sourit maladroitement, comme s'il s'excusait.

Des cheveux peignés sur le côté avec une raie, comme un petit garçon, ajoutaient à la naïveté de son visage.

– Faites-vous quelques suppositions ? Qui a pu commanditer cette tentative de meurtre ? Qui a actionné la bombe ?

Tolkovianov le regarda droit dans les yeux. Attentivement. En réfléchissant. En pesant chaque chose.

Et c'est à cet instant qu'il le reconnut. Kossarguine le sut d'emblée, à son expression.

Mais le colonel ne fit aucun pas vers lui, ne lui rafraîchit en rien la mémoire.

Et l'autre ne cita aucun nom.

Mais il réfléchit encore quelques instants.

Puis, joignant les cinq doigts écartés en dôme d'une de ses mains avec les cinq doigts en demi-sphère de l'autre, joignant-disjoignant, joignant-disjoignant, il répondit :

– Je ne suis pas sûr que vos services pourront être d'un grand secours.

Aliocha n'imaginait pas, ne pressentait pas qu'il allait être visé par un attentat, et que ce n'était plus qu'une question d'heures.

Or, une fois engagé sur le chemin méandreux de ce monde de l'ombre, il aurait dû s'y attendre depuis longtemps et à tout moment.

Qui avait *commandité* l'attentat ? Aliocha avait des soupçons, quoique ce fût impossible à prouver : le petit groupe à la tête de la firme Ellomas. Ses relations avec ce groupe étaient boiteuses, elles exigeaient beaucoup de circonspection, et Aliocha était presque sûr, maintenant, d'avoir compris où et en quoi il avait commis un impair. Une seule et unique phrase imprudente, parfois – et les déductions vont bon train contre toi. Celui qui se lance dans la finance ne doit jamais donner libre cours à son sentiment, ni perdre sa maîtrise.

Qui était l'*exécuteur* du crime ? Encore plus difficile à trouver. Et totalement impossible à deviner. Pourtant, c'était à partir de *lui* seul qu'on pourrait commencer à dérouler la pelote.

Si tant est qu'il fallait entreprendre cette enquête... Peut-être valait-il mieux encaisser sans rien dire ?

D'où nous viennent ces impulsions irraisonnées, incompréhensibles ? Pourquoi n'avoir pas pris l'autre sac de Tania avant, pourquoi précisément pendant cette demi-seconde ?

Ils auraient d'ailleurs pu aussi tomber à deux dans le piège...

L'horaire d'Aliocha était si régulier que le meurtrier n'avait eu aucun mal à repérer le bon moment.

Mais pourquoi une telle complication ? Pourquoi pas simplement au pistolet, à bout portant ?

Sans doute leur plan était-il d'orienter les recherches sur de fausses pistes : pas ici, dans la capitale régionale, mais à B. d'où Aliocha était venu il y avait quelques années pour étudier à l'université ; or, justement, on avait récemment commis deux meurtres à B., et tous deux à l'identique : une mine actionnée à distance. Ça n'était pas mal calculé.

Mais ça ne pouvait égarer personne : Aliocha n'avait strictement plus rien en commun avec la ville de B., à part de tendres souvenirs d'enfance et de jeunesse.

Les tendres souvenirs, ce n'était pas seulement le puits dans la cour restée tout à fait provinciale, c'était aussi l'herbe poussant dru, çà et là, tout autour, c'était tout un quartier de maisonnettes basses dont les fenêtres s'ornaient de dentelles de bois grises de vétusté, c'était aussi tous les galopins du quartier. (Ils en avaient fait de belles, ensemble ! Ils avaient collé de par la ville des affichettes

« À mort les popes ! » et monté tout un projet pour faire sauter la dernière église de la ville. La Chine allait peut-être bien nous faire la guerre ? Eh bien, s'ils arrivaient jusqu'à l'Oural, ici même, dans la province de la Volga, au milieu des forêts, eux créeraient des groupes de partisans...) Et l'école, donc ! Dès le premier jour, sitôt le seuil franchi, ç'avait été un refuge passionnant ! Et, cinq années après, la physique ! Et un peu plus tard, la chimie ! Deux matières merveilleuses que tu n'avais ni devinées ni cernées jusque-là dans le monde environnant, alors qu'elles étaient là, en toi, tout le temps ! En chimie la prof était formidable, en plus ce qu'elle était jolie ! La classe entière bûchait avec ardeur, et Aliocha était même arrivé à dépasser tout le monde : à partir de la neuvième il avait pris de l'avance dans les programmes et enfonçait même ses propres copains de dixième ! Par contre, en physique, le prof était nul, terne, il ne comprenait simplement pas sa discipline, il ne comprenait pas la chatoyante substance qu'en partage il avait reçue dans ses mains tout sauf diligentes. Il était incapable de faire une expérience, c'est Aliocha qui préparait tout à sa place. Passant derrière la mystérieuse cloison du cabinet de physique, avant le début des cours il commençait par fureter, laissant vagabonder son imagination parmi ces cercles en rotation, ces tiges génératrices d'étincelles jaillissant d'une sombre bobine fermée, ces aiguilles derrière les verres des appareils, ces mesures graduées, ces tubes avec des becs, ces ressorts de toutes formes... Une sorte de flux ténu et invisible traversait tout cela et, vraiment, aucun western à chevauchées bondissantes ne faisait le poids, face à ce monde fascinant.

Mais, très vite, à peine plus âgé, Aliocha se rendit compte que tout cela était dépassé, c'était de l'enfantillage : le flot puissant et ensorcelant de la physique coulait combien plus impétueusement, et sûrement pas ici. Les élèves plus âgés lui firent lire des revues : *Science et Vie*, *Le savoir est une force*, *Nature*, il multiplia les escapades à la bibliothèque municipale où il passa de longues heures plongé dans la lecture. Que de choses se faisaient dans le monde ! Se faisaient ou étaient sur le point de se faire : les ordinateurs, des millions d'opérations à la seconde, contrôlant sans l'homme d'énormes processus dans les usines ! Des ordinateurs produisant eux-mêmes d'autres ordinateurs ! Des ordinateurs, encore eux, dans la radionavigation ! La transformation de la chaleur en électricité sans dispositifs mécaniques ! Les batteries solaires ! Le développement effréné de l'électronique quantique, les lasers ! La vision et la prise de vue dans l'obscurité totale ! Un peu comme si toutes les branches de la physique, tels des chiens courants, avaient rompu leurs attaches au même instant et s'étaient élancées dans toutes les directions en se bousculant pour passer les premières. Les horloges moléculaires. Les « sciences-limites », la synthèse physico-chimique de substances aux propriétés définies d'avance ! D'autres inventions étaient sur le point de se réaliser : la synthèse thermonucléaire contrôlée. Les bioflux. La bionique : des dispositifs techniques copiant les processus biologiques. Et en astronomie : la théorie du Big-Bang ! L'univers n'est nullement éternel : il a été *créé* – d'un seul coup ? Et les trous noirs qui, définitivement et sans retour, engloutissent la matière – dans le rien ?

Et tout ça pendant que lui, Aliocha, perdait son temps dans le cabinet de physique étriqué d'une école secondaire et apprenait paragraphe après paragraphe d'invraisemblables notions complètement périmées !

Le monde pensant tout entier cavalcadait, volait, tourbillonnait, se métamorphosait à un rythme tellement fou ! – non, impossible de rester plus longtemps dans cette ville arriérée (bien qu'elle eût aussi ses usines, maintenant). On n'allait quand même pas se dépêcher de tout découvrir, tout inventer, absolument tout jusqu'à la dernière limite, jusqu'à l'extrême frontière, il resterait bien quelque chose en partage pour Aliocha ?

Muni d'une excellente attestation de fin d'études secondaires, il accourut ici, à la faculté de physique de l'université, et durant les deux premières années il n'eut d'yeux que pour les spécialisations qui l'attendaient. Il lui faudrait acquérir au moins deux spécialités, et ce pour deux raisons : tout était passionnant, et puis, plus il en saurait, plus large serait ensuite le choix qui le mènerait à la réussite.

Ces deux années-là – les plus heureuses de sa vie ! – Aliocha étudia comme un fou, et il s'efforça d'apprendre et de comprendre autant que faire se pouvait.

En plus, une sorte de certitude battait dans sa poitrine : quoi que j'entreprenne, quelle que soit la tâche dont je m'occuperai, le succès m'accompagnera ! (Il avait également réussi à se hisser à un poste de responsable du Komsomol, bref, jamais il ne se reposait, il était absorbé du matin au soir. Il répara même une vieille voiture abandonnée qui n'était plus qu'un tas de ferraille, une sorte de « tape-cul » ; chaque soir, il montait la batterie jusqu'au deuxième étage du foyer pour la recharger ; le matin, il la redescendait, les copains rigolaient et se moquaient de lui, mais ils étaient les premiers à lui demander : hé ! tu nous emmènes, on est en retard !)

Et, brutalement, après deux années d'études, en 1986 – juste au moment où les espoirs de toute une société commençaient à prendre forme –, ce fut comme si on lui tranchait un morceau de vie : l'armée le prit pour deux ans.

Ç'aurait pu être avant… ou une fois ses études finies… mais pourquoi justement au milieu ??

En pleine inspiration.

Peut-être définitivement coupée.

L'armée, ça n'est jamais du gâteau, mais, à l'époque, c'était en plus la pire période des sévices exercés sur les jeunes recrues. Les « anciens » ne faisaient pas merci. Heureusement, ces années-là, Aliocha n'était pas maigre comme maintenant, mais lourd et vigoureux, il cognait plutôt fort et ne se laissait pas faire.

On l'avait mis à la radiocommunication. Au début, il essaya bien de lire des livres de physique. Mais il n'avait vraiment pas la tête à ça… Il abandonna.

Ensuite il se mit à parcourir les journaux, à regarder la télévision – il fallait bien se préparer à la vie qui avait changé de fond en comble pendant ses deux années de service. De tous côtés les marginaux pullulaient, les initiatives proliféraient, du jamais-vu !

Il revint de l'armée pour sa troisième année d'université ; sa même université ? Ou plutôt non, ni la sienne ni vraiment la même.

(Il comprenait pourtant que parmi tous les établissements d'enseignement supérieur qui avaient poussé comme des champignons, affublés de titres ronflants, et même parmi les instituts de recherche, leur université avait maintenu son haut niveau traditionnel.) L'armée semblait avoir privé son âme d'un axe essentiel : la soif de science. Il collectionnait toujours les meilleures notes, mais il avait perdu la constante sensation de la beauté de la science, cette sensation si forte qu'elle vous enfièvre ! La beauté avait disparu, restait la possibilité de l'application pratique. Ou encore fonder sa propre entreprise comme c'est partout la mode maintenant ?

À ce même moment proliféraient parmi les étudiants des sociétés libres, des mouvements autonomes, autorisés à présent, et qui attiraient beaucoup de jeunes ; Aliocha fut lui aussi séduit : puisqu'on peut chercher ici-bas la justice pour les hommes, comment se tenir à l'écart ? Depuis l'enfance, c'est ton rêve le plus sacré : ne pas vivre pour toi seul, mais pour tous ! Toutes les structures existantes ne sont que de pesantes vieilleries, on aimerait tellement secouer tout cela une bonne fois ! Partout des clubs se créent, des associations ! Les uns sont autorisés, les autres pas : protestations, manifs de rue avec banderoles... Voilà que tout est possible, encore que... ça dépend quand, comment ! Bref, pas mal d'effervescence, et même des bagarres avec des élèves-officiers du voisinage, et des interrogatoires au KGB. (Avant, on t'aurait collé sur-le-champ quelques années, et personne n'aurait moufté.)

Oui, la vie empruntait maintenant mille cours divers et variés. Une loi apparut qui autorisait la création de coopératives. Mais voilà : on ne pouvait pas obtenir l'autorisation d'ouvrir une coopérative sans piston. C'était juste après les troubles étudiants où Tolkovianov avait été conduit au KGB, et l'université avait reçu la visite du premier secrétaire du Comité régional. Celui-ci avait dit qu'on pouvait lui poser des questions, et Tolkovianov avait levé la main. Les travaux de restauration de notre université sont bien trop coûteux, dépenses excessives et argent perdu. Autorisez-nous à créer une coopérative étudiante – nous ferons le travail mieux et moins cher. Autorisation accordée ! Les jeunes accourent en grand nombre : c'est la première fois qu'ils sont leur propre maître ! L'ardeur est grande, et on peut vraiment gagner de l'argent ! – mais déjà dans le pays s'amorce le reflux : il faut freiner le développement de toutes ces coopératives ! Et tout fut enterré.

D'ailleurs, ce n'était pas une coopérative : partir de rien, sans apport initial, quelle coopérative était-ce là ? La « Coopérative » réussissait à ceux qui s'en servaient pour recycler de l'argent déjà disponible, mais gardé secret. Tandis qu'ici ils avaient eu beau imaginer des serrures sophistiquées pour portes blindées, des sonneries à mélodies variées, voire des antennes paraboliques pour capter les satellites, on venait les voir, mais les engager, non, pas vraiment : on se méfiait trop des produits « soviétiques », on cherchait et on attendait la marchandise étrangère.

Cependant, des nouvelles attristantes parvenaient des anciens condisciples d'Aliocha qui terminaient cette année-là l'université. Être diplômé de la prestigieuse faculté de physique, c'était depuis toujours la garantie de pouvoir se faire une place au sein de notre science triomphante, de s'introduire sous les voûtes grandioses de sa pensée, dans le domaine souverain d'instituts de recherche de pointe. Or, voici que les jeunes gens cherchaient, essayaient de s'adapter, et puis renonçaient : quelque chose s'était produit dans la Grande Science, on lui avait comme coupé le souffle (après l'avoir amputée de toutes ses finances). Les chargés de cours n'étaient pas les moins étonnés. Il y avait des places vacantes ! Et même davantage qu'avant ! La raison était simple : les savants *s'en allaient ailleurs, ils quittaient le pays.* Quelque chose d'énorme s'était fracassé, un effondrement s'était produit, qui barrait les routes et entravait toute respiration. Les couloirs des instituts étaient vides. Aux angles des murs, dans les laboratoires pendaient des toiles d'araignée, la poussière s'accumulait sur les tables.

Pas croyable ! C'était l'écroulement de toute une vie ! Une véritable gifle ! – au nom de quoi ??

Aliocha avait subi la cassure des années de service militaire, aussi était-il mieux préparé à supporter celle-ci.

Oui, visiblement, il faudrait vivre d'une manière nouvelle.

Justement venait de commencer l'ère du « achète-revends » : les fameuses « firmes » ! Oui, les firmes ! Elles savaient comment faire commerce de ce qui appartenait à l'État – dans le cadre de lois encore balbutiantes – et d'emblée en gagnant gros. Devait-il nager à contre-courant ? Il fallait bien vivre, et de plus il avait un appartement à acheter afin de se marier (avec Tania, 5e année de la fac de lettres).

Aliocha essaya de se joindre à une firme, puis à une autre – mais s'en s'engager vraiment, en restant « sur le bas-côté », en rendant de menus services : sensation de vide repoussant, d'*à quoi bon*. Consacrer sa vie à un travail aussi creux, à « chasser du vent », à jamais désespérer d'être créatif, n'était-ce pas inconcevable ?

Pourtant, par les temps actuels, impossible de faire autrement. Et il fallait voir comment certains cadres du parti, jusque-là inaccessibles, statufiés, veillant jalousement sur la « propriété du peuple », pouvaient soudain se muer en as de la débrouille, à l'affût de la moindre occasion de faire du profit et de s'en mettre plein les poches.

Il y avait aussi la *Bourse,* les Bourses, partout, comme des champignons ! À ses premières visites, Aliocha fut complètement abasourdi, sa tête bourdonnait : courtiers, intermédiaires, acheteurs et vendeurs surexcités de titres, de papiers, de valeurs, panneaux qui clignotent, inscriptions qui se succèdent à toute vitesse ; et tout ce monde qui se rue on ne sait où (en plus, chacun veille jalousement sur son attaché-case – imaginons que l'heureux gagnant soit suivi et expédié *ad patres*...). Mais comment donc peut-on vivre ainsi ?

Il fallait pourtant s'y faire. Aliocha s'associa à deux amis : un second physicien et un mathématicien. Trois têtes bien faites, trois gars presque du même âge, pensant pareillement, partageant les mêmes espoirs, les mêmes conceptions de la vie. Les jeunes gens ne manquaient pas d'idées, mais les idées, c'est pas encore de l'argent. Des banques commerciales, constataient-ils, se créaient parfois, de petite taille. Un business où ils n'avaient certes aucune expérience, et plutôt contraire à leur nature – mais tellement riche de perspectives, et tellement souple ! Avec la rigidité du financement d'État à la manière d'autrefois, aucun développement n'était possible. Bien sûr, une petite banque a du mal à tenir debout, elle chancelle à la moindre bourrasque, que ce soit en économie ou en politique. Il faut donc commencer par disposer d'une solide somme d'argent – faut bien payer un pot-de-vin pour obtenir l'autorisation d'ouvrir son établissement. Et une fois la banque ouverte, il faut avoir un capital de départ. Heureusement, ils trouvèrent un *sponsor*, comme on dit maintenant, qui les aida à démarrer (il avait lui-même ses propres objectifs). D'emblée, ils se donnèrent un nom tonitruant : « La Banque transcontinentale »... Mais ils durent d'abord se serrer dans deux pièces en sous-sol, expliquant à leurs clients étonnés que c'était provisoire, que la maison-mère était en travaux.

Que se serait-il passé ensuite ? Toujours est-il qu'Aliocha fit la rencontre d'un ancien camarade de cours, Rachit (il avait abandonné l'université, mais n'avait pas été à l'armée). Dans le temps, ils étaient bons amis. Ils se revirent, burent un verre ensemble une fois, deux fois, et Rachit entra dans la Transcontinentale ; or, il avait l'entier soutien de ses « pays » qui, dans cette ville, formaient une communauté plus solide qu'ailleurs ; cette communauté avait également acquis dans la Région de solides positions financières et avait des accointances avec l'administration régionale, elle aussi en quête de *nouvelles voies*. Du coup, il fallut très peu de temps aux quatre compères pour édifier un bâtiment de six étages dont ils louèrent les cinq derniers, eux s'installant au rez-de-chaussée et au premier...

Rachit avait des relations solides, Aliocha avait la tête claire, ils se complétaient, et une bonne entente s'installa entre eux quatre (les parts, elles, étaient différentes). Tolkovianov mettait le pied en terre inconnue, comme le premier cosmonaute débarquant sur la Lune. Mais il eut assez de cervelle pour appliquer proprement et rapidement le *clearing* au moment de l'effondrement des relations commerciales soviétiques – de manière à ne pas tout perdre. Certes, l'essentiel était la chance – avec des valeurs qui bondissaient constamment, et quand on était doté d'une intuition sûre, cela pouvait déboucher sur des gains faramineux. Là aussi, Aliocha fit montre d'un flair étonnant.

Le succès est comme une vague qui déferle et t'emporte, plus haut... de plus en plus haut ! (Il fallait raconter des bobards à ceux qui demandaient : mais enfin, qui t'aide ainsi ?...)

Mais, au plus intime de lui-même, il était dégoûté. On sait très bien qu'on ne peut pas ne pas se mouiller dans une, puis deux, puis trois affaires pas propres, et même carrément sales. Plus moyen d'avancer, sinon. En plus, tu n'es pas seul, vous êtes quatre, votre affaire est commune. Mais peut-être qu'on peut avancer jusqu'à une certaine limite, puis, plus tard, quand ton activité reposera sur de l'argent vraiment palpable, tu parviendras à secouer toute cette boue, et ensuite – en toute honnêteté ? – tu pourras obtenir et prouver ta liberté de mouvement ? Si tel est jamais le cas, tu pourras te lancer dans des bonnes actions : premièrement, venir en aide à l'enseignement scolaire ; peut-être soutenir à l'occasion des ouvriers en grève pour qu'ils obtiennent satisfaction, ou, au contraire, aider une petite usine qui marche bien à ne pas faire faillite – par exemple la déshydratation des légumes ? Nos jours se suivent mais ne se ressemblent pas : d'un côté on doit se sacrifier, de l'autre regagner du terrain...

Seulement, il était peu probable qu'il puisse un jour s'arracher aux méchants tourbillons qui l'aspiraient. En affaires, il s'était déjà frotté à de tels requins... c'était à donner le frisson !

Ils en avaient plus d'une fois discuté, Tania et lui. Elle était sa conseillère, celle qui devançait parfois ses pensées et parfois y faisait obstacle. Elle souhaitait plus encore que tout soit net. Mais aussi bien que lui, elle comprenait que c'était impossible, que c'était inextricable. Ils n'allaient quand même pas tout abandonner maintenant en faisant les délicats, et pour quel résultat ? Sombrer dans la misère ?

En plus, il y avait les rapports avec le pouvoir. Défait radicalement sur tous les fronts, l'appareil d'État ne conservait plus qu'une âpre ténacité à étouffer le citoyen sous d'impensables et absurdes impôts qui n'existaient nulle part ailleurs, à le persécuter avec des réglementations, une paperasserie qui enflait démesurément, poussant de lui-même chacun à un seul et même comportement : tourner et tromper la loi. Ils firent de même, prirent des chemins obliques – on ne peut quand même pas être plus bête que tout le monde... (Mais c'était là aussi, d'une certaine manière, un mal pour un bien : une fois sa position bien affermie, il paierait l'État, réglo : car il est bien entendu que c'est dans cet État et par cet État que nous vivons. Par contre, il serait en droit d'attendre de sa part qu'il cesse de tondre le quidam.)

Et puis soudain – l'explosion !

Il prit conseil de toute l'équipe réunie, mais c'était à lui de prendre une décision.

S'ils ont commencé à tuer, qu'est-ce qui les empêchera de continuer ? En plus – à part ses propres pistolets et, bien sûr, le gorille dans le couloir de la banque – personne ne sera là pour le défendre, le protéger. Les Chevaliers de la lutte contre le crime organisé encore moins que tous. À Ellomass, par exemple, Tolkovianov le savait, il y avait non seulement des commerçants à proprement parler, mais certains de ces Chevaliers de la lutte contre le crime et des héros du même crime qui faisaient corps – et les uns et les autres étaient aujourd'hui étroitement imbriqués, et de nature identique.

Et nous, dans notre propre cercle, sommes-nous tout à fait sûrs d'être totalement à l'abri de ces individus ?

Existe-t-il une manière efficace de se protéger ? Filer fissa à l'étranger, ça oui. L'argent pour le faire, il l'a.

C'est ce à quoi tous s'attendaient. Toute la ville, tous ceux qui le connaissaient. Nul ne s'en étonnerait.

Mais pouvait-il abandonner sa banque qu'il avait mis trois années à monter ? Immédiatement se répandra le bruit de la fuite à l'étranger du numéro un, les déposants courront retirer leur argent et l'entreprise se volatilisera. La force d'une banque, c'est la somme des moyens financiers qu'on a su faire venir à soi.

Il eut avec Tania un certain nombre de soirées pénibles.

Pendant lesquelles tous deux parlaient, puis se taisaient.

Mais alors – leur petit garçon aussi, « ils » l'expédieraient d'une bombe ?

Nouveau moment de silence.

Soudain Tania dit une phrase qui pouvait sembler hors de propos :

– Les aiguilles à coudre servent tant qu'elles ont un chas, les gens tant qu'ils ont une âme, disait ma grand-mère.

Mais, en fait, tout était là justement. Par-dessus le marché, à l'étranger, à moins de miser sur le brigandage et la contrebande, il n'y avait pas moyen de donner sa pleine mesure. Les scientifiques russes ? Soit, ils sont utiles là-bas. Mais pas nous, pauvres jeunots que nous sommes.

En apparence, sa vie était la même qu'avant. Invisible sa lutte intérieure, peu compréhensible sa décision : je fais comme si de rien n'était, je reste.

Sur ces entrefaites, la copropriété de leur domicile prit la décision suivante : lui, Tolkovianov, devait réparer à son compte les deux portes d'entrée et le tambour. Puisqu'il était à l'origine de tout...

Il ressentit cela comme une offense : l'intérêt des gens ne se bornait donc qu'à cela ? Pour qui alors se donner de la peine ?

Ces mêmes semaines, à Moscou, les meurtres se succédèrent – des gens connus. Les uns par balles, les autres par engins explosifs.

Chaque jour c'était l'attente, et la peur au ventre, forcément.

Il se mit à porter un gilet pare-balles, il ne se déplaça plus qu'avec un garde du corps.

Une mode venait justement de se faire jour : « Récompense à celui qui indiquera... » Pourquoi ne pas essayer ?

Et il fit paraître une annonce dans les journaux : 10 000 dollars à celui qui communiquerait le nom de la ou des personnes impliquées dans l'attentat.

Il n'espérait rien, c'était simplement un ballon d'essai. Aussi quel fut son étonnement de trouver dès le surlendemain dans sa boîte aux lettres ce mot : 11 000 dollars et je vous livre des renseignements !

La petitesse de la différence l'étonna. Ou on se moquait de lui, ou c'était une provocation.

Mais l'homme proposait une rencontre en plein jour dans le centre-ville, dans un square très fréquenté.

Tu vas quand-même pas y aller toi-même ! – Vitia, son associé, un ami d'école, se proposa. (Un deuxième, à l'écart, surveillerait la scène.)

Et tout se passa bien, sans entourloupette. L'autre était prêt à donner un nom, mais voulait 25 000 en échange, et non pas 11 000.

Voilà qui était déjà plus vraisemblable. Mais Vitia avait ri au nez du bonhomme : douze mille cinq et rien de plus ! Contre le nom du commanditaire et celui de l'exécutant. Et il faudrait apporter des photos. (C'était plus sûr.)

L'homme avait paru embarrassé, gêné. Il avait réfléchi un moment, puis avait accepté.

En attendant, en échange de ses premières révélations, il voulait un acompte. Le commanditaire travaille à Ellomas. L'exécutant, je ne sais pas. Le nom du commanditaire, je vous le donnerai.

Il reçut son acompte.

Ainsi donc, Aliocha ne s'était pas trompé : Ellomas ! Mais sûrement quelqu'un d'âgé, un des directeurs.

Et maintenant, que faire ? On réunit les amis, la décision fut unanime : il fallait maintenant qu'intervienne le KGB.

C'était contraire à l'éthique ?

Mais par rapport à qui ?

Et Tolkovianov téléphona à Kossarguine.

Oui, il y avait quelque chose chez ce jeune homme. La rencontre d'aujourd'hui avait fait une forte impression sur Kossarguine. Comment deviner ? Ce grand échalas d'étudiant, vaguement dissident, qu'on aurait pu expédier quelque part en Iakoutie et l'affaire eût été réglée… Et voilà qu'il avait construit ce remarquable immeuble vitré de six étages, il brassait toutes sortes d'affaires, des patrons le harcelaient pour obtenir son soutien : aide-nous à colmater le trou dans notre budget avant l'échéance... Il s'était parfaitement introduit, implanté dans cette sombre et maudite époque nouvelle comme s'il y était né.

Tandis que toi, peut-être parce que tu avais passé quarante ans et que tu étais habitué à l'ordre, oh ! le mal que tu as eu à prendre le virage, à réussir ton insertion !

Les Organes !! Qu'existait-il de plus éternel, de plus inébranlable ! Qu'y avait-il, dans l'URSS des dernières années, de plus dynamique, de plus clairvoyant, de plus ingénieux ? Sous Andropov, combien de sujets d'élite avaient afflué au sortir des universités ! Vsévolod Valérianovitch, lui, n'avait fait que des études de droit, mais à ses côtés travaillaient des mathématiciens, des physiciens et des psychologues : entrer au KGB, c'était à la fois un avantage personnel évident, du travail intéressant et la sensation d'avoir une influence réelle sur la marche du pays. C'étaient de jeunes gars particulièrement astucieux secondant des vétérans vieillissants et menacés d'ankylose (mais riches, ô combien, d'expérience !)

Et brusquement tout cet édifice – plus harmonieux, plus beau que les « gratte-ciel » de Moscou –, sans qu'on puisse parler d'un effondrement véritable, commença à se lézarder, se crevasser, miné par les incertitudes, les doutes, et même affaibli par la désertion des « dégonflés » qui s'en allaient, les uns à leur demande, les autres suite à une réduction d'effectifs, certains pour aller au bureau de l'Union des Vétérans. D'autres aussi se tournaient vers ces mêmes structures commerciales. Ceux-là, au début, on les considérait comme des traîtres à la Cause ; et puis on commença à les envier, c'étaient de fameux débrouillards, des veinards, ma foi, on suivrait bien volontiers leur exemple !

Si, par miracle, les Organes pouvaient retrouver leur force d'avant. Leur prestige !

Mais une telle chose pouvait-elle se produire ? On avait manqué le coche.

Où donc tout cela allait-il mener ? Ça passait l'entendement.

Kossarguine méprisait ces transfuges, il s'était interdit de les imiter. Mais les fissures s'ouvraient sans cesse davantage, l'air passait de part en part dans l'édifice pourtant réputé si solide. Et, surtout, l'estime de soi avait faibli, le Grand Dessein s'était évanoui. Ce fut donc non par désir de fuir, non, mais pour choisir une position malgré tout prééminente dans les tourbillons de la folle époque nouvelle que Kossarguine s'était converti à la lutte contre le crime organisé. (Il n'allait quand même pas rester totalement sourd à l'appel du temps ? Rester coi, à se racornir comme une vieille semelle et sans doute ne plus jamais être utile à personne.)

Et puis, ce jeune type… Étonnant qu'il n'ait pas demandé d'aide. Il lui en voulait encore pour son ancienne arrestation ? Ou alors se préparait-il à s'enfuir ? à se cacher ? Ça n'en avait pas l'air non plus.

Du reste, il n'avait pas mis longtemps à les appeler à l'aide. Au bout de quelques jours, il avait téléphoné.

Les services de Kossarguine, pour la forme, et mollement, avaient ouvert une enquête. À présent, et pour la deuxième fois, Kossarguine payait de sa personne… À nouveau le bureau de la première entrevue. Seulement, cette fois, étalées sur le drap vert de la table, il trouva trois ou quatre copies agrandies de billets de cent dollars sous film plastique – des leurres ? pour rire ?

Et, de nouveau, l'agréable impression qu'il avait retirée de sa récente rencontre avec Tolkovianov se confirma : quelque chose de naïf, de campagnard dans la physionomie, mais un regard direct et attentif, légèrement soucieux et qui ne cillait pas. Et une voix toujours égale, calme, pas de hausse de ton, pas d'emportement. Et ce n'était pas une pose, il ne faisait pas effort sur lui-même, ne se composait pas un visage, – était-ce sa façon d'être habituelle ? était-il toujours ainsi ? Chaque jour sous la menace d'un nouvel attentat, et il ne manifestait aucune peur.

Ils mirent au point l'opération de la capture. Deux policiers en civil se rendirent dans le fameux square, non loin du lieu de rendez-vous ; se pouvait-il que l'autre se fût à ce point départi de toute prudence et qu'il n'eût rien prévu ? Au signal de l'ami de Tolkovianov, ils s'en saisirent facilement.

Oui, ce type était vraiment perturbé, paumé, il n'avait pris aucune mesure d'aucune sorte. Plus inattendu encore : le meurtrier c'était lui… peu après, il se dénonça de lui-même !

Le cas se révéla sans véritable intérêt, anecdotique. Et encore une fois un physicien – le meilleur de cette époque déjantée. Un type poursuivi par la guigne, déjà condamné par deux fois et deux fois libéré avant d'avoir purgé sa peine. Un petit homme malingre et vraiment pitoyable. Rien ne lui réussissait, il était dans les dettes jusqu'au cou, sa femme le maudissait – et c'est d'ailleurs elle qui lui avait transmis, de la part de son frère, la proposition de tuer contre 10 000 dollars, exclusivement par engin explosif. Pris à la gorge par le manque d'argent, les récriminations incessantes de sa femme, il avait accepté en demandant une avance de 5 000 dollars. La suite était connue… Furieux, les commanditaires s'étaient montrés aussi mesquins qu'ils avaient été imprudents en faisant affaire avec cette chiffe molle : ils avaient exigé qu'il leur rendît les 5 000 dollars, avec une rallonge de 5 000 pour le ratage. Là-dessus, voici qu'il tombe sur l'avis du journal qui lui donne la possibilité de se procurer 10 000 dollars ! Ne sachant plus très bien ce qu'il fait, il en exige bêtement 11 000, puis se reprend et monte à 25 000. Et il apporte la photographie de son beau-frère.

Les hommes de Kossarguine se lancèrent aussitôt à la recherche de ce beau-frère, mais l'oiseau s'était envolé. Seule subsistait une trace bien réelle : il travaillait effectivement à Ellomas, mais son poste était de second plan. Le chaînon avait disparu et on ne pourrait donc rien prouver. Restaient entre leurs mains l'auteur du crime, ses dépositions, la photographie du plus proche commanditaire, les suppositions de la victime ainsi que les constats des enquêteurs. Tout cela fut transmis en l'état au tribunal.

Pendant que l'affaire suivait son cours, Tolkovianov se rendit deux fois à la Direction régionale ; ses rencontres avec Kossarguine reprirent. Professionnellement parlant, Kossarguine avait le sentiment qu'ils avaient découvert un filon et que ce filon pouvait même les mener loin.

Loin ? Kossarguine tomba vite sur un os : *aller loin* – des forces venues d'en haut ne le laisseraient pas faire.

De fil en aiguille, l'entretien prit alors un tour différent. Kossarguine, qui n'affichait plus dans la vie sa belle assurance d'antan, avait très envie de comprendre ce jeune à qui le succès souriait... peut-être serait-ce là un bon moyen, pour lui, de parvenir à se réorienter lui-même ? Rien ne disait, après tout, qu'il n'était pas en train de rater des occasions et de laisser passer des opportunités.

– Et si on partageait un verre ? proposa-t-il soudain au jeune homme en allongeant le bras vers une petite armoire encastrée dans le mur.

Tolkovianov fit oui de la tête.

Ils engagèrent alors une conversation sur le ton le plus franc. Ils parlèrent de leur ville et de la manière dont s'y superposaient, strate sur strate, des forces occultes nanties de devises lourdes, des riches parvenus amateurs d'affaires louches, et de purs et simples bandits : pourrait-on un jour, mais quand et de quelle manière, extirper tout cela ? Et les entreprises honnêtes étaient-elles possibles chez nous quand l'État s'attachait précisément à les écraser, elles, et elles seulement ?

Ils se mirent alors à parler de l'État. De là aux « Organes », selon le principe des vases communicants, il n'y avait qu'un pas... Et l'on s'interrogea sur ce qu'ils étaient aujourd'hui et ce qu'ils deviendraient plus tard : dans leur propre intérêt seulement ? ou peut-être, après tout, dans l'intérêt aussi de la Russie ?

Durant la conversation, Tolkovianov avait la particularité de s'appuyer sur ses deux coudes et de composer avec ses dix doigts des sortes de figures vivantes qu'il déplaçait légèrement, comme s'il construisait quelque chose – ou comme si ses doigts l'aidaient à trouver une solution –, et ses sourcils et son front se contractaient. Ensuite il reportait sur son interlocuteur son regard intelligent mais placide. Visiblement, cette conversation l'intéressait.

Au cours de toutes ces journées, il n'avait jamais donné l'impression d'être harcelé, d'être pressé ou d'avoir peur.

Et, peu à peu, insensiblement, Vsévolod Valérianovitch se laissa aller à confier à celui qui n'était il y a peu qu'un blanc-bec d'étudiant non pas ses soucis de service, mais ses préoccupations existentielles. Que fallait-il donc faire ? à ce train, la Russie allait se retrouver complètement dépouillée ! Il fallait voir les milliards qui fichaient le camp ! (Cela ne manquait pas de piquant, d'entendre ces propos de la bouche même du combattant en chef contre le crime organisé pour leur région !)

Tolkovianov savait tout cela, mais il en jugeait sereinement : de toute façon, d'ici quelques années, dans les décennies qui suivraient, l'argent qui pour l'heure fuyait de Russie reviendrait de lui-même chez nous et servirait à faire tourner nos moulins russes.

Comment cela ? Les forêts abattues ne reviennent pas. Ce qu'on avait arraché à nos sous-sols non plus.

– Et les sommes volées, elles resteront aux voleurs ! dit Kossarguine avec une sincère indignation.

Il haïssait maintenant viscéralement ces crapules (mais, en secret, ne les enviait-il pas ?)

– Pas sûr, dit Tolkovianov. Elles aussi reviendront et réintégreront notre PIB. Bien sûr, pas question de se débarrasser de la criminalité d'aujourd'hui. Mais tout ces fonds se blanchissent dans la même lessiveuse que les investissements étrangers.

Non ! Une issue aussi *heureuse*, Kossarguine ne pouvait l'admettre en aucune manière.

Mais Tolkovianov insistait :

– Et les cerveaux aussi reviendront, pas forcément les meilleurs, d'accord, mais ils reviendront : ils ne trouveront pas tous à se caser là-bas !

On voyait à quel point il était ulcéré qu'on courût en si grand nombre chercher des postes sous des latitudes plus tièdes. Tandis que, chez nous, les doctorants recevaient une bourse mensuelle de dix dollars.

Et nos rues ? Avec toutes ces gueules repues en Mercedes qui font la causette en plein carrefour et bloquent tout le trafic : ce qu'il faudrait, c'est leur dire leur fait ! Mais le policier de service préfère doucement se défiler. Vous croyez que c'est facile de voir ça, pour un vieux de la vieille comme moi ?

Les petits verres aidant et l'entente s'installant tout à fait entre eux deux, Kossarguine dit, oubliant sa réserve :

– Alexeï Ivanytch, vous qui êtes un homme de formation technico-scientifique... à votre avis, dans cette atmosphère cent fois maudite, que faut-il que nous fassions, nous... euh... nous...

Il n'arrivait pas à prononcer le fameux mot, les trois lettres tristement célèbres ; mais il avait en vue tous ses anciens collègues toujours en place. Et même l'ensemble de la profession.

Tolkovianov se retint de sourire et se mit à chercher le plus rationnellement possible les différentes variantes d'un comportement raisonnable.

En rentrant chez lui, Kossarguine passa devant le bien connu monument à la gloire des Combattants de la Révolution, rocher pointu, vertical, d'où surgissent trois têtes disposées en éventail, celles d'un ouvrier, d'un soldat et d'un paysan. Reprenant le bon mot de quelque bel esprit des rues, toute la ville appelait ce monument « Dragon-Gorynitch ». (Et, ma foi, ça n'était pas mal trouvé[1].)

Et il eut une sorte de sourire en coin : ce que les temps étaient capables de changer !

Oui, les voies du sort sont vraiment impénétrables : ce Kossarguine, par exemple. Des trognes à crâne rasé et mitraillette, il y en a plein dans leurs locaux, à la Crim', mais ce n'est quand même pas leur seul et unique visage. Kossarguine est loin d'être un sot, et le voici prêt à se laisser éclairer l'esprit par son « protégé » d'hier ? Du reste, il n'est guère besoin de beaucoup d'intelligence pour comprendre que le seul souci de son propre bien-être ne résout rien : tu auras beau occuper la meilleure cabine, si le navire sombre, tu seras bien avancé...

1. Appellation à la manière des contes : Dragon fils de Chagrin. *(NdT.)*

Seulement voilà : est-ce qu'*eux,* ils peuvent changer ? Rappelle-toi l'interrogatoire. Il n'en reste pas moins que les Guébistes d'aujourd'hui, eux non plus, ne peuvent ignorer totalement le destin commun de la Russie, ça vaut pour chacun de nous. On ne peut pas toujours penser à soi. Quoique... ces dirigeants d'Ellomass, par exemple, eux n'ont qu'une chose en tête : si nous arrivons à nous faufiler jusqu'au pouvoir, nous ferons rapidement faire une double culbute à nos gains.

... Deux mois s'écoulèrent sans le moindre incident. Les déposants de la « Transcontinentale » gardaient confiance dans leur banque, et, loin de retirer leurs avoirs, les augmentaient. Les producteurs agricoles arrivaient de leurs districts et eux aussi se rendaient à la « Transcontinentale » alors qu'ils auraient pu aller à la banque d'État, acheter des bons du Trésor.

Pâques cette année-là tombait fin avril. Et Tania – ce qu'elle n'avait jamais fait – s'activa à cuire des *koulitchs*[1] et à décorer des œufs.

« Non, implora Aliocha, pas de ça, s'il te plaît, je déteste tenir dans les mains ces œufs peinturlurés. Les *koulitchs*, passe encore, mais s'il te prend l'idée d'aller les faire bénir, je ne les mangerai pas.

– Te voilà bien sectaire ! » Une mèche bouclée lui tombait sur le front. « Grand-mère a fait ça toute sa vie ! Est-ce que ce n'est pas notre religion ? »

« Notre religion » ? Ils n'en parlaient pour ainsi dire pas, avant, pourtant c'était bien la leur – quelle autre, sinon ?

Bon, d'accord, peut-être que la religion est en effet capable de tirer quelqu'un de l'accablement, mais que viennent faire ici les *koulitchs* bénis ?

Tania s'approche de lui joue contre joue.

« Tu ne comprends donc pas que nous étions condamnés ?

Que c'est une force supérieure qui nous a sauvés ? Et que c'est elle encore qui nous protège, tous ces mois ? »

1. Brioches de Pâques.

Oui, on peut dire les choses comme ça. Mais il y a aussi la théorie des probabilités. Et les variantes possibles de n'importe quelle expérience.

D'ailleurs il y a bien eu aussi le Big-Bang.

Il y a aussi les trous noirs.

Et l'incroyable outil d'anticipation que sont les cellules de l'ADN…

Le procès du meurtrier eut lieu trois jours plus tard. Et même Kossarguine eut de quoi être stupéfait : alors que le coupable reconnaissait pleinement les faits, que toutes les preuves matérielles étaient réunies, l'homme fut condamné non pour tentative de meurtre, mais pour « détention d'arme illégale » : quatre années de camp à régime non sévère.

Autrement dit, quelqu'un s'était fait copieusement graisser la patte.

C'est alors que Tolkovianov s'alarma sérieusement.

Il demanda à Kossarguine de lui obtenir copie de la photo du beau-frère contenue dans le dossier.

Justement cette photo – elle et pas une autre – avait disparu du dossier : envolée… Alors qu'elle figurait à l'inventaire.

Au tribunal, les noms des principaux dirigeants-commanditaires n'avaient pas été prononcés, ils pouvaient ignorer tout à fait que Tolkovianov *savait*. Mais quand, un jour, Tolkovianov tomba nez à nez sur l'un d'eux dans la rue – l'ironie voulut que ce soit près de l'université, il allait assister à un colloque scientifique, comme l'envie l'en prenait parfois –, il lui fallut faire un gros effort pour s'interdire de le regarder droit dans les yeux et ne pas tout lui jeter à la figure.

Fuir à l'étranger ? – ce serait évidemment le salut pour sa femme, pour son fils et pour lui-même. Mais Aliocha ne pouvait pas fuir.

Il ménageait Tania comme un verre fragile. Mais il ne pouvait pas fuir.

Il s'étonnait lui-même : vivre chaque jour avec ce lourd gilet pare-balles, supporter la présence quasi permanente du gorille de service, avoir un deuxième appartement pour feinter l'adversaire... (On tue tout le monde aujourd'hui : créditeurs, débiteurs, tout le monde y passe)... avoir la tête soûlée de versements, d'investissements, de décomptes, de calculs de bilan, d'impôts, de soutien aux entreprises... et néanmoins, au milieu de toute cette tension, et même au bord de l'épuisement, conserver sans cesse au fond de soi, dans la poitrine, un petit axe indestructible : savoir à tout moment ce qui se passe en physique, fût-ce par ricochet, de seconde main, raconté ou écrit par un autre, lu dans une revue scientifique... Rester au courant ! Ainsi, il avait eu eu vent d'expériences réussies d'un groupe de nos jeunes chercheurs : par rayonnement radioactif, ils étaient parvenus à élever l'indice d'octane de l'essence. Colossal, non ? – le besoin mondial de pétrole pourrait en être diminué. Les Arabes l'ont appris et ont aussitôt rappliqué pour acquérir le brevet... et l'étouffer au plus vite. Les *nôtres* n'ont pas bougé, ils laissent aller, pour eux l'important c'est de s'en mettre plein les poches. Les jeunes savants ont donc vendu le fruit de leur recherche.

Il n'empêche, ce sont nos savants, nos propres savants russes qui ont fait la découverte ! Non, la science russe n'est pas encore morte, et l'ingéniosité russe non plus.

« Attends voir un peu ! » tonnait-il à part soi. À qui s'adressait-il ? L'image avait des contours très flous, mais elle était haïssable, repoussante. « Nous saurons encore nous relever ! »

Pourtant non, le banquier Tolkovianov se trompait en pensant qu'il allait redonner force à la science russe, c'est tout autre chose qui se profilait à l'horizon. On instaura une « marge de fluctuation des devises » et les jeux et profits effrénés évoqués plus haut disparurent. L'État autorisa les banques à se multiplier sans pour autant songer le moins du monde à les soutenir. Au contraire, tout laissait craindre une prochaine réglementation – sur les fonds propres, la solidité, les liquidités. Les petites banques commencèrent à agoniser. Plus ou moins garanti par l'État, le marché des titres tenait encore le coup. Ou bien certaines banques tenaient bon grâce à d'importants clients haut placés – mais Tolkovianov n'avait aucune envie de s'aplatir devant ces loups-garous issus de la nomenklatura et qui vous donnaient leur accord d'un hochement de tête comme s'ils vous accordaient une grâce. Le plus douloureux, dans cette quasi impasse, fut le désaccord qui s'installa entre lui et ses amis associés, désaccord puis rupture. Où s'était envolé leur enthousiasme de naguère, quand ils se sentaient le vent en poupe et qu'entraînés dans d'amicales discussions ils misaient joyeusement des bocks de bière sur les fameux billets « pour rire » de cent dollars ? Maintenant, quand ce n'était pas l'un, c'était l'autre qui exprimait son désaccord : non, on ne thésaurise pas comme cela, non, ce n'est pas comme cela qu'il faut dépenser. Rachit le premier, puis un deuxième réclamèrent leurs parts, or celles-ci étaient essentielles. L'argent les avait réunis, l'argent les désunit.

Ce genre de querelles perturbe davantage que l'échec de vos affaires. On en a du noir à l'âme.

Quand l'argent est concerné, il n'y a de limites ni aux passions ni à la vengeance.

Le cercle des proches se raréfia autour d'Aliocha. Toute sa situation financière devint opaque – il ne savait pas où s'ouvrirait le vide sous ses pas, d'où jaillirait la lame qui l'atteindrait. Il naviguait à vue : il acheta un bâtiment du marché municipal ; ouvrit deux magasins et une dizaine de petites boutiques de change. Mais ses fonds de roulement étaient insuffisants, il fallait du crédit. Où le prendre ? Il alla demander à Iemtsov, celui-ci avait pris Aliocha sous son aile : il fallait bien assurer la relève. Mais il exerçait son patronage avec une joyeuse désinvolture :

« Ah ! Voilà le débutant ! Alors, comment va l'apprentissage ? »

À près de soixante-dix ans, Iemtsov avait gardé le même goût de vivre, il ne manquait pas de lorgner les jolies femmes, et il était toujours alerte d'esprit comme de corps. Comment avait-il pu traverser tout cela ? Lui qui était tombé de si haut, qu'était-il à proprement parler, maintenant ?

Dmitri Anissimovitch ne croyait pas du tout que la situation était sans issue. Une fois la direction prise, il n'y avait plus qu'à avancer sans crainte ! On allait droit dans un mur ? – on tournerait l'obstacle d'une autre façon.

« Tu es dans le pétrin ? Il te faut un coup de main ? D'accord. »

Tolkovianov n'avait pas encore trente ans… On pouvait très bien l'envoyer *ad patres*… Les amis le lâchaient… Et surtout – combien faudrait-il encore de circonvolutions cérébrales pour sortir de ce labyrinthe à géographie variable ? Sans compter qu'en définitive, il n'était pas du tout sûr d'en sortir ?

Et ainsi se prit-il à regretter amèrement sa jeunesse pleine de promesses, ses deux premières années à la faculté de physique, avant l'armée. Peut-être aurait-il dû alors maintenir le cap, ne pas bifurquer, ne pas se laisser tenter ? Loin, bien loin brillait la lumière, et elle faiblissait.

Elle était pourtant phosphorescente.

1996.

SUR LE FIL

traduit par José Johannet

I

Depuis l'âge de sept ans, le fils de paysan Iorka Joukov se débrouillait avec un râteau à la fenaison ; plus il grandissait, plus il participait au travail de la ferme pour aider ses parents, non sans avoir fréquenté pendant trois ans l'école paroissiale ; après quoi on le plaça à Moscou même comme jeune apprenti chez un parent, riche fourreur. Il y grandit – commis houspillé, ouvrier – et, peu à peu, se détermina pour le travail de la fourrure. (Son apprentissage achevé, il se fit photographier dans un costume de ville noir qui ne lui appartenait pas, portant une cravate en satin, et envoya la photo au village : « maître-fourreur » !)

Mais la guerre avec l'Allemagne avait déjà commencé et, en 1915, à dix-neuf ans révolus, il fut appelé à l'armée : pas très grand, mais trapu, large d'épaules, on le versa dans la cavalerie – un escadron de dragons. Il se mit à apprendre l'équitation, se distinguant par un excellent maintien. Six mois plus tard, il prend du galon dans le peloton d'instruction d'où il sort sergent, et le voilà au front à partir d'août 1916. Mais, deux mois plus tard, contusionné par un obus autrichien, c'est l'hôpital militaire. Joukov devient ensuite président d'un comité d'escadron dans un régiment de réserve et ne paraît plus au front. À la fin de l'an Dix-sept, les hommes prononcent eux-mêmes la dissolution de leur escadron : chacun reçoit une attestation en bonne et due forme, le droit d'emporter son arme si ça lui chante, et en route pour la maison !

Il séjourna à Moscou, puis dans son village de la province de Kalouga, resta alité pendant une crise de typhus, suivie d'une fièvre récurrente ; le temps s'écoulait. Cependant, la mobilisation générale dans l'Armée rouge avait commencé en août 1918. Joukov fut enrôlé dans la Première division de cavalerie de Moscou et envoyé avec elle contre les Cosaques de l'Oural qui ne souhaitaient pas reconnaître le pouvoir des Soviets. (Une fois, il y vit Frounzé au front.) Échange de coups de sabre avec les Cosaques qui sont rejetés dans la steppe kirghize, transfert de leur division dans la région de la Basse Volga. Ils campent près de Tsaritsyne, on les envoie ensuite sur l'Akhtouba contre les Kalmouks, stupides jusqu'au dernier au point de se refuser à reconnaître le pouvoir des Soviets, et pas moyen de le leur faire comprendre. Là, Iorka est blessé par une grenade à main, de nouveau l'hôpital militaire et re-typhus, cette saleté se propageait des uns aux autres. En cette même année 1919, dès le printemps, Guéorgui Joukov, en tant que soldat conscient, est admis au Parti communiste de Russie, puis, au début de 1920, promis en quelque sorte à une carrière d'« officier rouge » : il est versé à l'école des commandants rouges près de Riazan. Et pas comme simple élève-officier, mais comme maréchal des logis de l'escadron d'instruction ; il avait la fibre du commandement.

La guerre civile touchait déjà à sa fin, il ne restait plus que Wrangel. Les élèves-officiers estimaient qu'ils n'auraient pas le temps de participer à la guerre contre la Pologne. Mais, en juillet 1920, on mit fin à l'instruction, ils furent embarqués en toute hâte dans des convois, les uns au Kouban, les autres au Daghestan (où beaucoup périrent). Joukov et le régiment réuni d'instruction se retrouvèrent à Iékatérinodar, on les envoya contre le débarquement d'Oulagaï, puis contre les Cosaques du Kouban, divisés en détachements au milieu des collines et qui refusaient, ces extravagants, de se rendre même après l'écrasement de Dénikine. Beaucoup furent expédiés à coups de sabre, fusillés. Sur ce, l'instruction des élèves-officiers fut considérée comme achevée et ils furent promus à Armavir, avant le temps requis, en qualité de commandants rouges. Et tous se virent gratifiés de pantalons neufs – mais, Dieu sait pourquoi, rouge framboise vif (découverts dans Dieu sait quel dépôt de hussards ?), sans doute n'y en avait-il pas d'autres. Et les nouveaux promus, répartis dans leurs unités, se détachaient superbement, si bien que les soldats les regardaient drôlement, comme des étrangers.

Joukov reçut le commandement d'un peloton, mais se hissa rapidement au rang de chef d'escadron. Quant aux opérations, elles étaient toujours les mêmes : « nettoyer telle région des bandes ». D'abord, sur le littoral. En décembre, on les transféra dans la province de Voronèje : liquidation de la bande de Kolesnikov. Mission accomplie. On les fit alors passer dans la province voisine de Tambov où se déchaînaient des bandes à ne plus pouvoir les compter. En contrepartie, l'état-major de la province avait lui aussi rameuté des forces : aux dires du commissaire du régiment, on comptait déjà à la fin de février trente-trois mille baïonnettes, huit mille sabres, quatre cent soixante mitrailleuses et soixante canons. Seulement voilà, se plaignait-il : nous n'avons pas de travailleurs politiques capables d'expliquer avec clarté la situation du moment ; il s'agit d'une guerre déclenchée par l'Entente, d'où la rupture du lien entre la ville et la campagne. Mais tenons bon, et nous disperserons les vauriens !

Deux de leurs régiments de cavalerie commencèrent à attaquer en mars, dès avant le dégel, depuis la gare de Jerdiovka, en direction de la région à bandits Tougoloukovo-Kamenka (le président de la Tchéka de province, Traskovitch, avait donné comme directive : « effacer » Kamenka et Afanassievka, fusiller impitoyablement !) L'escadron de Joukov avec ses quatre mitrailleuses sur affût et sa pièce de 75 faisait partie du détachement de tête. Et, près du village de Viazovoïé, ils attaquèrent un des détachements d'Antonov : environ deux cent cinquante sabres, pas une mitrailleuse, rien que des fusils.

Joukov montait sa Zorka alezan-doré (prise dans la province de Voronèje au cours d'un accrochage où son maître avait été tué d'un coup de fusil). Un antonovien de haute taille lui asséna un coup de sabre en travers de la poitrine sur son blouson fourré, le fit tomber de sa selle, mais Zorka s'affaissa elle aussi, commençant à écraser le chef d'escadron ; l'imposant antonovien brandit son sabre pour achever Joukov à terre, mais le commissaire politique Notchovka arriva par derrière et abattit l'autre. (Ensuite on fouilla le mort et on comprit grâce à une lettre qu'il avait été sous-officier de dragons, tout comme Joukov, et presque du même régiment.) Le premier escadron, leur voisin, se mit à reculer, le deuxième, celui de Joukov, combattit comme arrière-garde du régiment, avec l'aide toutefois de ses mitrailleuses. Ils sauvèrent à grand-peine leurs quatre mitrailleuses et réussirent à ramener le canon.

Mais il en conçut une rogne carabinée contre les bandits. Eux aussi étaient des paysans, non ? mais différents, comme qui dirait, pas comme nos gens de Kalouga : car enfin, qu'est-ce qu'ils avaient à prendre les armes contre leur propre pouvoir, le pouvoir des Soviets ?? On recevait des lettres du pays : nous mourons de faim, et c e u x - l à ne donnent pas leur grain ! Le commissaire expliquait : on a raison de ne pas leur envoyer des objets manufacturés à la ville, ils s'en tireront toujours avec leur artisanat, mais la ville, elle, où est-ce qu'elle pourrait prendre du grain ? Et ils s'empiffrent dans des endroits perdus où nos détachements ne sont pas passés.

Tant et si bien qu'on n'avait plus à faire de cérémonies avec eux. Arrivés dans un village, on leur confisquait toujours leurs chevaux les plus costauds et on leur laissait les crevards. Quand on leur avait dénoncé la présence d'antonoviens dans tel ou tel village, ils y lançaient une descente, fouillant les greniers, les remises de chaque ferme, les puits (un infirmier des « partisans[1] » s'était creusé dans la paroi d'un puits une tanière où il se cachait). Autre variante : tout le village est aligné – grands et petits –, quinze cents personnes. On

1. Au sens de « maquisards ». *(NdT.)*

les compte, chaque dixième est pris comme otage et fourré dans un hangar solide. Les autres ont quarante minutes pour établir la liste des bandits dans le village en question, sinon les otages seront fusillés !

Et que faire ? ils l'apportent, cette liste. Complète ou non, elle ira à la Section spéciale, en réserve, elle pourra toujours servir.

C'est qu'*eux* aussi, ils ont leurs informations : une fois, on était arrivé dans un camp que les bandits venaient de quitter à la hâte, et on y trouve la copie de l'ordre qui les y avait fait venir. Du beau travail, salopards !

Quant à l'approvisionnement de l'Armée rouge, elle se fait par à-coups, la ration, tantôt elle arrive, tantôt non. (La solde d'un chef d'escadron, c'est cinq mille roubles mensuels, qu'est-ce qu'on peut se payer avec ça ? une livre de beurre et deux livres de pain noir.) Chez qui se servir, sinon dans ces villages de bandits ? Un peloton déboule dans un hameau près d'un moulin, en tout quelques maisons et rien que les femmes. Les soldats, sans mettre pied à terre, commencent à les poursuivre à coups de fouet, ils les coincent toutes dans une resserre attenante au moulin. Ils les bouclent et entreprennent alors de fouiller les caves. Ils y trouvent un pot de lait à boire, qu'ils jettent ensuite par terre, de rage.

Un jeune paysan est forcé de charger sur sa télègue les bagages de l'escadron de poursuite et de courir avec les soldats rouges. Cri du cœur : « Ah, rattrapez-les-moi le plus vite possible, ces paysans, et laissez-moi rentrer chez maman ! »

Et un autre, un petit garçon qui ne comprend pas, qui n'a pas de hargne : « Tonton, dis, pourquoi que t'as fusillé papa ? »

On s'empare d'une vingtaine de révoltés, on les interroge séparément, l'un d'eux en désigne un autre : « C'était lui, le mitrailleur. »

Une petite patrouille pénètre dans un village : tout le monde s'est claquemuré, fait le mort. On frappe, une voix de femme : « Ne nous en veuillez pas, nous-mêmes nous avons faim, il n'y a plus rien. » On frappe encore : « Nous n'avons plus foi en rien, tous ceux qui viennent ici, quel que soit le pouvoir qu'ils représentent, ils ne recherchent qu'une chose : du grain. »

Elles ont tellement peur qu'elles ne sont plus ni pour le pouvoir, ni pour les *partisards ;* une seule demande : qu'on les laisse en paix.

On les avait mis en garde lors des séances d'éducation politique : « Éviter de trop irriter la population. » Mais aussi : « Ne vous laissez pas raconter d'histoires ; dès que de besoin : un coup de crosse en travers de la gueule ! »

Mais on notait chez les soldats une dangereuse réticence à marcher en armes contre des paysans (« nous-mêmes sommes des paysans, comment tirer sur les nôtres ? »). Et puis les bandits jetaient des tracts : « C'est vous, les bandits ? C'est pas nous qu'on va vous chercher. Quittez nos contrées, on n'a pas besoin de vous pour vivre. » Un canard, sorti d'on ne sait où, se mit à circuler : dans les prochaines semaines – démobilisation générale. « Et nous, il va falloir attendre jusqu'à quand ? combien de temps encore à faire la guerre ? » (Il y eut des transfuges qui passaient chez les bandits, des cas de désertion, particulièrement lors des grands transferts.) Le commissaire Notchovka disait : « Il faudrait les rééduquer ! Car enfin, quand ils s'enivrent, qu'est-ce qu'ils chantent ? Pas un seul chant révolutionnaire, toujours "De derrière l'île, sur le fleuve[1]", ou alors des chansons obscènes. Et quand nous passons la nuit dans un village, comme leurs hommes sont partis dans les forêts, les nôtres profitent des femmes. » Et il institue des causeries : « Vivre sur cette terre sans travailler et sans combattre pour la révolution, c'est du parasitisme ! » (Alors on lui montre du doigt l'infirmière, si libre de mœurs avec tout le détachement : « Je suis pas une pâtée qu'on finit en trois platées, l'escadron ne manquera de rien. »)

À l'appel du matin, c'est l'attente : qui manque ? qui a pris la poudre d'escampette ? L'Armée rouge est forcée de tenir la bride haute à ses propres soldats. Le commissaire politique de la pro-

1. Début d'une chanson célèbre sur Stenka Razine, le révolté du XVIIe siècle. *(NdT.)*

vince a dit : la province de Tambov compte soixante mille déserteurs. Tous du renfort pour les bandits.

Les ordres émanant de l'état-major de Tambov n'étaient pas strictement militaires : telle zone de reconnaissance, telle ou telle opération à mener – mais toujours et uniquement : « attaquer et anéantir ! », « encercler et liquider ! », « sans s'embarrasser de rien ! »

Et on ne s'embarrassait pas. Seul problème : comment attraper les bandits ? comment obtenir des renseignements ? C'est que le pouvoir soviétique avait disparu des villages, ses représentants s'étaient enfuis, se terrant dans les villes ; qui interroger ? Le commandant d'armée ordonne donc de convoquer une assemblée de village. Les moujiks sont alignés sur un seul rang. « Lesquels d'entre vous sont des bandits ? » Silence. « Qu'on fusille chaque n° 10 ! » Et on le fusille sur place, devant la foule. Les femmes poussent des grands cris, hurlent. « Resserrez le rang. Lesquels d'entre vous sont des bandits ? » On recompte, on met à part les gens à exécuter. Alors ils n'y tiennent plus, ils commencent à donner des noms. D'autres se sont enfuis à toutes jambes, dans toutes les directions, impossible de les abattre tous.

Parfois on arrêtait des femmes isolées sur les routes : des fois qu'elles porteraient des renseignements d'espionnage.

Et les routes où il y a beaucoup de crottin, c'est par là que les bandits sont passés.

Les soldats eux-mêmes avaient souvent faim. Chaussures dépenaillées, uniformes loqueteux, crasseux, ils dormaient avec, sans se déshabiller. (Alors, que dire de ceux qui avaient des pantalons framboise !) Tous étaient à bout.

S'il faut vous amputer d'une jambe, pas d'anesthésie. Pas de pansements non plus.

À la mi-avril, un bruit parvint jusqu'à Jerdiovka : au cours d'un raid, les antonoviens s'étaient emparés du village et des fabriques de Rasskazovo, à quarante-cinq verstes de Tambov même, et ils y avaient tenu quatre heures, massacrant les communistes dans les appartements, leur coupant carrément la tête ; la moitié du bataillon soviétique local était passée dans les rangs d'Antonov, l'autre moitié avait été faite prisonnière ; ils avaient battu en retraite, mitraillés par des avions.

Voilà, c'était cela la guerre avec eux : à présent, au sortir de l'hiver, il fallait s'attendre à drôlement pire. Car il y avait déjà huit mois que les antonoviens, loin de se rendre, en étaient même à grandir. (Malgré tout, il leur arrivait de tirer non pas des balles, mais des petites plaques de fer.)

Ordre reçu de l'état-major de Tambov : « Conduire toutes les opérations avec cruauté, la seule chose qui force le respect. »

Les villages passés aux bandits étaient brûlés purement et simplement, intégralement. Il n'en subsistait que les carcasses des grands poêles russes et des cendres.

La Section spéciale, à Jerdiovka, ne restait pas à la traîne. Son chef, Chourka Choubine, chemise rouge et culotte de cavalier, des chapelets de grenades accrochés à ses vêtements, un énorme mauser dans son étui, arrivait au quartier des cavaliers (le commandant de la formation était subordonné au chef de la Section spéciale) : « Les gars ! Quelqu'un pour fusiller les bandits ? – deux pas en avant ! » Personne ne sort des rangs. « Ah ! on vous a bien éduqués, ici ! » La cour de sa Section spéciale était bourrée de gens à fusiller. Ils avaient creusé une grande fosse, les condamnés étaient assis sur le bord, face au trou, bras ligotés. Choubine et ses sbires allaient et venaient, tirant dans les nuques.

Mais le moyen de faire autrement avec eux ? Iorka avait un bon camarade qui portait le même nom que lui : Joukov Pavel ; les bandits l'avaient découpé à coups de sabre.

Une vraie guerre. Il fallait la mener encore plus vigoureusement. C'est là, et non pas dans l'autre guerre – celle avec les Allemands – que Iorka acquit de la férocité, là qu'il devint un combattant endurci.

En mai, chargée de réprimer les bandits de Tambov, arriva de Moscou avec pleins pouvoirs une commission du Comité exécutif panrusse ayant elle aussi à sa tête un Antonov, mais Antonov-Ovseïenko. Chargé de commander l'Armée spéciale de Tambov arriva le commandant d'armée Toukhatchevski, commandant du Front Ouest, qui venait de régler ses comptes avec la Pologne, accompagné de son adjoint Ouborévitch, qui s'était déjà beaucoup occupé de bandits, en Biélorussie toutefois. Toukhatchevski avait en outre amené avec lui un état-major fin prêt et un détachement automobile blindé.

Et dans les jours qui suivirent, Joukov eut la chance de voir lui-même le célèbre Toukhatchevski : arrivé à Jerdiovka par la voie ferrée sur une draisine blindée, il se rendit à l'état-major de la 14e brigade autonome de cavalerie et ordonna au commandant de brigade Milonov de rassembler pour un entretien les commandants et commissaires politiques – des régiments aux escadrons.

Toukhatchevski était petit de taille, mais quelle allure ! Fière, imposante. De quelqu'un qui sait ce qu'il vaut.

Il commença par les louer tous pour leur courage, leur sens du devoir. (Et chacun se sentait chaud au cœur, sa poitrine se dilatait.) Et il se mit incontinent à expliquer les traits généraux de la mission.

Le Sovnarkom en a disposé ainsi : six semaines pour en finir avec cette révolte à la Pougatchev dans la province de Tambov, à compter du 10 mai. À tout prix ! Un travail intense nous attend tous. L'expérience de l'écrasement de pareilles émeutes populaires exige que nous inondions la région du soulèvement jusqu'à occupation complète et que nous y disposions selon un plan nos forces armées. Vient actuellement d'arriver de Kiev et de débarquer à Morchansk la glorieuse division de cavalerie de Kotovski, elle est déjà entrée en campagne contre les émeutiers de Pakhotny-Ougol. Ensuite, elle se rapprochera de nous, au centre du soulèvement. Nous avons un grand avantage en matériel avec notre escadrille d'aéroplanes et notre détachement d'autos blindées. Une de nos premières exigences vis-à-vis de la population sera le rétablissement de tous les ponts sur les routes de traverse – cela, pour assurer le passage de nos unités motorisées automobiles. (Seulement, n'utilisez jamais de guides pris sur place !) En réserve, nous avons encore les gaz chimiques et, s'il le faut, nous les emploierons, le Sovnarkom nous en donne l'autorisation. Camarades commandants, le cours des énergiques opérations de répression qui s'annoncent vous permettra d'acquérir une excellente expérience militaire.

Joukov fixait intensément le commandant d'armée. C'était la première fois de sa vie qu'il lui semblait voir un vrai capitaine, pas comme nous autres, pauvres sabreurs, y compris même notre commandant de brigade. Et comme il était sûr de lui ! et il communiquait cette assurance à chacun : oui, c'est exactement comme ça que les choses allaient se passer ! Et son visage : pas « peuple » du tout, un visage soigné, de noble. Un grand cou blanc et fin. De grands yeux de velours. De chaque côté des joues, de longues pattes. Et il ne parlait pas du tout comme nous. Et le casque à la Boudionny lui allait à la perfection, Dieu sait pourquoi, ce casque que nous portions tous, dans l'Armée rouge, mais qui donnait à Toukhatchevski un air encore plus « commandant ».

Mais, bien sûr, ajoutait-il, nous allons aussi envoyer le plus possible d'agents à nous dans les rangs des bandits, bien que, hélas, les tchékistes aient subi de lourdes pertes. Et il reste encore notre arme principale : l'action par les *familles*.

Et il donna lecture de l'« ordre n° 130 », déjà signé par lui et publié ces jours-là dans toute la province, à l'intention générale de toute la population. Un ordre lui aussi irréfragable, tout comme le jeune chef : « À tous les paysans qui ont rejoint les bandes, il est enjoint de se présenter à la discrétion du Pouvoir soviétique, de remettre leurs armes et de livrer leurs meneurs… Ceux qui se seront rendus volontairement n'auront pas à craindre la peine capitale. Ordre strict est donné d'arrêter les familles des bandits qui ne se seraient pas présentés, de confisquer leurs biens et de répartir ceux-ci entre les paysans fidèles au pouvoir des Soviets. Au cas où les bandits ne se seraient ni présentés ni rendus, les familles arrêtées seront transférées dans des contrées lointaines de la RSFSR. »

Alors que toute réunion impliquant une importante participation communiste, comme celle d'aujourd'hui, ne pouvait s'achever sans qu'eût été chantée en chœur l'*Internationale*, Toukhatchevski se permit de ne point attendre, tendit sa blanche main au seul commandant de brigade, sortit de sa même allure fière et repartit sur sa draisine blindée.

Et cette impérieuse audace frappa aussi Joukov.

Sur ce, avant même l'*Internationale*, on distribua aux commandants un tract du Comité exécutif de la province adressé aux paysans de la province de Tambov : il est temps de se débarrasser de cet abcès purulent qu'est le soulèvement d'Antonov ! Jusqu'à présent, la supériorité des bandits tenait aux fréquents remplacements de leurs chevaux fourbus par des montures fraîches – eh bien, dès que les bandes criminelles d'Antonov feront leur apparition à proximité de vos villages, n'y laissez plus un seul cheval ! Chassez-les, emmenez-les en des lieux où nos troupes sauront les conserver.

Tout le monde se séparait ; Joukov quitta la réunion avec un sentiment nouveau chevillé en lui : rayonnement des dons, grandeur de l'exemple, envie...

Simplement faire la guerre, le premier imbécile venu en est capable. Mais cela – être un militaire jusqu'à la moelle des os, jusqu'au moindre souffle, et que tous les autres le ressentent ? Formidable !

Et Joukov, là-dedans ? En vérité, il s'était épris du métier des armes plus que de n'importe quoi au monde.

Commencèrent alors ces six semaines qui devaient décider de l'écrasement. L'aide apportée par le détachement d'Ouborévitch ne vint pas tant des véhicules blindés – ils ne pouvaient pas passer partout et faisaient s'effondrer les ponts – que de ses camionnettes et même de ses automobiles armées de mitrailleuses ordinaires et sur affût. Les chevaux des paysans avaient peur des autos, ne les attaquaient pas mais ne pouvaient échapper à leur poursuite.

Autre supériorité appréciable : les antonoviens n'avaient naturellement pas de radio, si bien que les unités lancées à leurs trousses pouvaient utiliser la radio en clair, ce qui facilitait les communications et accélérait la transmission des renseignements. Les cavaliers d'Antonov caracolaient, se croyant invisibles, alors que déjà, à travers les trois districts, était transmise la liaison hertzienne : où étaient les bandits, où ils se dirigeaient, où envoyer un détachement pour les prendre en chasse, où leur couper la route.

Et on se mit à poursuivre, à pourchasser le noyau principal d'Antonov, pour lui imposer la grande bataille à laquelle il se dérobait. Du nord marchait contre lui la brigade de Kotovski, de l'ouest celle de Dmitrienko, à laquelle vint s'ajouter un détachement de la Vetchéka, avec Kononenko : sept Fiat d'1,5 tonne avec, en outre, leurs voitures-citernes. Antonov se heurtait à l'encerclement, rompait sur-le-champ, faisait sur des montures de rechange des étapes de 120-130 verstes par jour, gagnait le cours du Khopior dans la province de Saratov, et revenait aussitôt. Et la quatorzième brigade, comme toute la cavalerie rouge, était partout à la traîne, les détachements d'autos blindées restaient seuls à donner la chasse. (On racontait qu'une fois, un détachement automobile avait tout de même rattrapé Antonov – au repos dans le village de Iélan – de façon inopinée, et foncé sur le village, tirant à la mitrailleuse sur les bandits depuis ses véhicules. Mais les autres s'étaient jetés dans la forêt où ils s'étaient rassemblés et tenaient bon, tandis qu'une partie des mitrailleuses s'était enrayée. Et notre cavalerie, une fois de plus, était arrivée trop tard, et les antonoviens étaient de nouveau repartis ou s'étaient égaillés, allez savoir.)

Trois semaines s'écoulèrent, la moitié déjà du délai fixé par le Sovnarkom, et Antonov n'était toujours pas défait. Les brigades de cavalerie se mouvaient en tâtonnant dans l'attente de nouvelles apportées par les informateurs. Les deux détachements motorisés attendaient des pièces détachées et de l'essence. Cependant que, sur les voies ferrées qui l'enserraient, faisaient la navette le train blindé et le convoi blindé léger, cherchant eux aussi la trace des bandits ou le moyen de les intercepter. Mais en vain.

Et voici qu'arrive, pour être lu aux escadrons et compagnies, l'ordre secret 0050 de Toukhatchevski : « À l'aube du 1er juin commence l'extirpation massive de l'élément bandit », autrement dit : passer au peigne fin les villages et s'y emparer des suspects. En lisant cet ordre à son escadron, Joukov voyait pour ainsi dire Toukhatchevski, pénétrait dans son personnage – dans sa voix aussi, dans ses manières ? – et proclamait à pleine poitrine : « L'extirpation ne doit pas revêtir un caractère fortuit, elle doit montrer aux paysans que l'engeance des bandits et leurs familles sont éliminées, que le combat contre le pouvoir des Soviets est sans espoir. L'opération sera conduite avec élan et inspiration. Moins de sentimentalité petite-bourgeoise. Le commandant des troupes, Toukhatchevski. »

Joukov était heureux, heureux d'être commandé de la sorte. Ainsi doit-il être, c'est parler en soldat : avant que de commander soi-même, il faut savoir obéir. Et apprendre à exécuter.

Et ils extirpaient tout ce qu'ils avaient ratissé. Ils l'expédiaient dans des camps de concentration. Les familles aussi. À part.

Quelques jours après, justement, de nouveau ils tombèrent sur le noyau dur d'Antonov, loin, dans la haute vallée de la Vorona, dans la forêt de Chiriaïevo (la dernière fois, d'après leurs renseignements, lors de l'attaque menée par le détachement motorisé, Antonov avait été blessé à la tête). Ils avaient reçu des renforts : une brigade fraîche de cavalerie (Fedko), un régiment supplémentaire de la Vetchéka, et un autre train blindé. Et tous les débouchés de la forêt de Chiriaïevo étaient hermétiquement bouclés. Mais un violent orage nocturne éclata. De ce fait, le commandant du régiment de la Vetchéka retira ses compagnies des positions qu'elles occupaient, les ramenant dans les villages voisins. Tandis que la rame légère blindée qui allait et venait sans arrêt sur le parcours Kirsanov-la Vorona était mise à l'écart pour laisser passer le train personnel d'Oubórévitch, puis entra en collision avec lui dans l'obscurité. Les antonoviens, eux, déterminèrent avec exactitude et la brèche dans le dispositif, et la demi-heure dont ils avaient besoin, ils rompirent l'encerclement, toujours à la faveur du même terrible orage, et se glissèrent dans la forêt de Tchoutanovka.

Les insurgés trouvèrent également une réplique à l'ordre n° 130 : ils défendirent à quiconque dans les villages de dire son nom, mettant du même coup les Rouges dans une impasse : on cogne, on cogne pas ? il se nomme pas, le salaud !

Nous sommes devenus comme sourds et aveugles.

Mais l'état-major de répression trouva à son tour la riposte, le 11 juin, avec l'ordre n° 171 : « **Les citoyens qui refuseront de dire leurs noms seront fusillés sur place sans procès.** Dans les villages qui ne livrent pas d'armes, les otages seront fusillés. Au cas où seraient trouvées des armes cachées, on fusillera le travailleur le plus âgé dans la famille. Dans les foyers où l'on cache non pas même des bandits, mais des biens, des vêtements, de la vaisselle qui auraient été confiés pour y être gardés, fusiller sans procès le travailleur le plus âgé. Au cas où la famille d'un bandit se serait enfuie, ses biens seront partagés entre les paysans fidèles au pouvoir des Soviets, les maisons abandonnées seront brûlées. Signé : Antonov-Ovseïenko. »

Défense de ne pas dire son nom ? alors, ce sont les familles des insurgés qui commencent à quitter les villages. D'où, à leur intention, un nouvel ordre de la Commission plénipotentiaire du Comité exécutif panrusse : « Toute maison abandonnée par une famille sera démontée ou brûlée. Ceux qui cachent chez eux des familles seront assimilés à une famille d'insurgés ; le plus âgé de cette famille sera fusillé. Antonov-Ovseïenko. »

Et puis, quelque cinq jours plus tard, un nouvel ordre du même, à rendre public, n° 178 : de la part des habitants, « la non-résistance aux bandits et la non-communication en temps opportun au comité révolutionnaire le plus proche de l'apparition de ceux-ci seront considérées comme des actes de complicité avec les bandits, avec toutes les conséquences qui en découlent. Pour la Commission plénipotentiaire du Comité exécutif panrusse, Antonov-Ovseïenko. »

On les ébouillante, on les brûle comme des punaises !

Émanant maintenant du commandant d'armée, précis et maître de soi, encore un ordre secret, 0116 : « Nettoyer les forêts où se cachent les bandits à l'aide de gaz empoisonnés. Calculer avec exactitude pour que le nuage de gaz asphyxiant se répande entièrement dans la forêt, y anéantissant tout ce qui s'y cache. Le commandant des troupes, Toukhatchevski. »

Trop vigoureux ? Sans cela, pas de grands capitaines.

II

On estime qu'à l'âge de soixante-dix ans il est parfaitement loisible et convenable d'écrire ses mémoires. Bon, eh bien, lui, c'est sept années plus tôt qu'il avait commencé.

Quand il ne se passe rien, quand personne n'a besoin de vous, à quoi s'occuperait-on ? Les années se suivent, de loisir forcé et accablant.

Plus de coups de téléphone ; à plus forte raison, de visites. Le monde s'est tu et refermé. Or on risque de ne pas vivre assez vieux pour voir la fin de cette passe.

Et même, pour toute sorte de raisons, impossible de ne pas les écrire. Que ce soit au moins pour l'Histoire. Plein de gens s'y sont mis déjà. Et ils publient, même.

S'ils se dépêchent, c'est qu'ils veulent s'approprier la gloire. Et rejeter les échecs sur le dos des autres.

Malhonnêtes gens.

Mais un boulot à ne pas s'en dépatouiller ! Rien que de passer en revue tous ses souvenirs, il y a de quoi tomber en faiblesse. Des bévues, le cœur en saigne encore. Mais aussi des motifs de fierté.

Et puis, c'est qu'il faut encore bien peser ce dont il ne faut *absolument pas* se souvenir. Et ce dont on peut, mais alors en quels termes. On risque d'écrire des choses qui, plus tard, vous feraient capoter, perdre ce qui vous reste de tranquillité. Ainsi cette formidable datcha au bord de la Moskova.

Quelle vue ! On est sur la rive élevée, avec pour voisins des pins superbes, certains ont dans les deux cents ans. On descend par un chemin sablonneux, tapissé d'aiguilles. Et c'est le coude paisible du courant bleuâtre. Pur ici, après le lac-réservoir de Roubliovo, territoire protégé. Et s'il vient à passer une barque, tu sais que c'est quelqu'un du coin ou l'un des tiens. Ici, pas de braconniers, pas de trublions.

Par la petite porte de derrière, un sentier mène à la rivière, on peut y descendre. Mais Galia ne vient pas le voir et, à plus forte raison, ne lâche pas toute seule la petite Machenka, qui n'a que sept ans. Et toi-même, qui approches les soixante-dix ans, tu te trouves mieux là-haut, dans la véranda. À présent, même sur ton terrain, il te faut un bâton.

... Son ouïe baissait. Il commençait à ne plus entendre le moindre oiseau, le moindre frôlement.

La villa, certes, était parfaite, sauf seulement qu'elle appartenait à l'État ; le plus petit meuble porte, cloué, son numéro d'inventaire. C'est une propriété *à vie*. À ta mort, Galia, qui va sur ses quarante ans, et ta fille, et ta belle-mère seront mises à la porte illico. (Sa première famille, déjà, n'était plus ; les filles, une fois mariées, vivaient de leur côté.)

Et il avait déjà eu deux infarctus (si ça n'avait bien été que cela). Mais les choses avaient traîné en longueur, s'étaient tassées, avait fini par passer. C'est après le second qu'il s'était mis à écrire.

Le dernier espace accordé à la vieillesse. Réfléchir, ruminer, un coup d'œil à la rivière, et voilà un paragraphe achevé.

Autrement, c'est le mal de tête. (Il en souffrait parfois.)

Le plus ennuyeux, c'est d'écrire sur les temps depuis longtemps révolus. Son adolescence. La guerre impérialiste. Et puis, d'ailleurs, sur l'escadron de sa jeunesse, que dire ? qu'avait-il fait de remarquable ? Le véritable intérêt commence avec l'époque où le régime soviétique est solidement installé. Toute vie militaire stable n'a commencé qu'avec les années 1920 : entraînement à toute la variété du service de cavalerie, mise au point des exercices tactiques, puis, parachevant le tout, les manœuvres. Obéissance absolue de ton corps, de tes gestes à cheval, de ton cheval lui-même, et, pour commencer, de ton escadron, puis de ton régiment. De ta brigade. À un certain moment, enfin, de ta division. (Un cadeau d'Ouborévitch, qui avait su voir le guerrier.) Et tu te sens encore plus fort, comme une partie organique de ce grand tout : le Parti, dur comme fer. (Il avait toujours rêvé de ressembler au remarquable bolchevik Blücher, cet ouvrier de Mytichtchi qui avait reçu comme sobriquet, au début par plaisanterie, le nom du célèbre capitaine allemand.)

Tu te plais à l'apprentissage de la tactique et tu te sens naturellement plus fort dans la pratique que dans les problèmes théoriques. Mais voilà-t-il pas qu'on te détache pour un an à l'école supérieure de cavalerie ; là, on te colle un sujet d'exposé : « Les principaux facteurs qui influent sur la théorie de l'art militaire », et de t'évertuer : de quoi s'agit-il ? qu'est-ce que c'est que ces facteurs ? de quoi faut-il parler ? à qui demander ? (Son camarade de cours, Kostia Rokossovski, lui vint en aide, mais un autre camarade, Iériomenko, quelle bûche !)

Et ainsi va le service, ainsi sers-tu, avec succès, comme commandant de cavalerie, cavalier compétent. Un seul désir : que ta division devienne la meilleure de l'Armée rouge ouvrière et paysanne. On te reproche souvent d'exiger brutalement, de harceler, mais c'est aussi un bon point, le service des armes ne peut être autre. Soudain – de l'avancement : on t'enlève à ta division pour faire de toi le vice-inspecteur de toute la cavalerie de l'Armée rouge ouvrière et paysanne, aux côtés de Sémion Mikhaïlovitch Boudionny. Et qui supervise ? De quoi en être estomaqué : Toukhatchevski ! Ce même bel homme si malin qu'il avait vu une fois dans la province de Tambov, à présent ils se sont fréquentés pendant deux mois. (En même temps, en ta qualité de communiste inébranlable, on t'élit secrétaire du Bureau du Parti de l'Inspection interarmes.) À quarante ans. Avec l'âge, naturellement, il s'ensuivra encore de l'avancement en fonctions et en grades.

Tout de même, à regarder tout autour de soi dans le pays, comme nous avons réalisé beaucoup : une industrie qui avance à grands pas, un système kolkhozien florissant, des nationalités unies – que demander de plus !

Mais voici qu'en 1937-38, le service des armes, de simple et direct qu'il était, se fait sournois, glissant, sinueux. Convocation d'un certain Golikov, commissaire politique suprême de la circonscription militaire : « Parmi les personnes arrêtées, il ne se trouve pas de parents à vous ? » D'un ton assuré : « Non. » (Tu as ta mère et ta sœur dans un village de la province de Kalouga, un point c'est tout.) – « Ni d'amis ? » « Ami », ça n'est pas une notion aussi nettement définie que « parent ». Ceux que tu connais, que tu as rencontrés, ce sont des « amis » ? pas des amis ? Comment répondre ? « Quand Ouborévitch rendait visite à votre division, il déjeunait chez vous. » Toute dénégation est impossible. (Il faisait plus que déjeuner ! il était ton protecteur.) Pour ne rien dire de Kovtioukh, ces derniers mois encore : « légendaire » et devenu soudain « ennemi du peuple ». Ni non plus de Rokossovski qu'on venait de *coffrer*... « Et après leur arrestation, vous n'avez pas changé d'avis à leur égard ? » Allons, voyons, moi, un communiste, et je pourrais ne pas changer d'avis ?... Si, répond-il, j'ai changé. « Et vous avez fait baptiser votre fille à l'église ? » Alors là, avec assurance : « Calomnie ! calomnie ! » Ils avaient forcé la dose d'accusations. (Personne n'avait fait baptiser Éra.)

Et maintenant les langues de vipères s'en donnent à cœur joie lors des réunions du Parti. On l'accuse à nouveau de brutalité exacerbée (comme si c'était là un défaut pour un vaillant commandant), de dureté, de grossièreté, de ne pas savoir ce que c'est que l'indulgence (le moyen de faire marcher le service, autrement ?), et même de *se montrer un ennemi dans sa façon d'aborder l'éducation des cadres* : de laisser au placard, sans promotion, des cadres de valeur. (C'était justement ces calomniateurs qu'il ne promouvait pas. D'ailleurs, il y en avait certains qui ne calomniaient pas par méchanceté, mais seulement pour se blanchir à l'avance.) Mais, là encore, il réussit tant bien que mal à se défendre.

Nouvelle tuile, maintenant : le voilà promu commandant de corps d'armée. Seulement, dans leur région militaire de Biélorussie, les commandants de corps avaient été arrêtés presque jusqu'au dernier. Un pas en avant, donc, non point vers le haut, mais vers ta propre perte. En l'absence de toute guerre, sans avoir donné ni reçu le moindre coup de sabre, subitement, te voilà perdu. Impossible de refuser, pourtant.

Une seule chose l'avait sauvé : à ce moment, juste à ce moment, les arrestations cessèrent. (Après le XXe Congrès, il apprit qu'en

1939 un dossier contre lui, Joukov, avait été ouvert dans la région militaire de Biélorussie.)

Et soudain, le voilà d'urgence convoqué à Moscou. Allons, pensa-t-il, tout est fini, on va m'arrêter. Eh bien, non ! Quelqu'un avait conseillé à Staline de l'envoyer au baptême du feu sur la rivière Khalkhin Gol. Et, avec plein succès, il y commanda sans défaillance, « à tout prix » ! Sans tarder, sans attendre l'artillerie ni l'infanterie, il lança sa division blindée dans une attaque frontale ; deux chars sur trois brûlèrent, mais les Japonais reçurent une dérouillée ! Et le camarade Staline en personne te remarqua, surtout par comparaison, à peu près au même moment, avec le fiasco et l'incurie de la guerre contre la Finlande où l'on eût dit que ce n'était pas la même Armée rouge qui combattait. Il te remarqua, et cette fois pour longtemps. Sitôt après la fin des opérations en Finlande, Joukov fut reçu par Staline et désigné pour commander la région militaire de Kiev ! Un poste considérable.

Mais, au bout tout au plus de six mois, nouvelle disposition : transmettre la région à Kirponos et se rendre à Moscou. Pour y devenir, on ose à peine le dire, chef de l'état-major général ! (Et le tout, rien qu'à cause de Khalkhin Gol.)

Ses velléités de refus étaient sincères : « Camarade Staline ! Moi qui n'ai jamais travaillé dans les états-majors, même aux échelons inférieurs, tout de suite l'état-major général ? Âgé de quarante-cinq ans, n'ayant jamais été formé à l'école de guerre, à la conduite des opérations stratégiques, comment un simple et honnête cavalier pourrait-il faire l'affaire à la tête de l'état-major général, étant donné surtout la diversité actuelle du matériel et des corps de l'armée ? »

La peur, en outre : les chefs de l'état-major général, il le savait bien, se succédaient actuellement au rythme de deux par an – Chapochnikov six mois, remplacé par Méretskov qui venait d'être relevé et, disait-on, emprisonné – et, à présent, c'était ton tour ?... (Même valse aussi au Bureau des opérations.)

Non, il fallait accepter le poste ! En outre, il était élu membre suppléant du Comité central. Quelle marque de confiance !

De l'accueil que lui avait réservé Staline il avait conservé une impression de chaleur, d'affabilité.

Et c'était bien en cela que résidait la principale difficulté de ces mémoires. (À en cesser complètement d'y travailler ?...) Comment convient-il que parle du chef du gouvernement, Secrétaire général du Parti et bientôt Commandant suprême, un général qui l'a beaucoup côtoyé pendant cette Grande Guerre, qui l'a connu dans bien des humeurs, qui est même devenu son représentant direct ? Un participant de cette guerre n'arrivera pas à croire comment, depuis lors, le prestige du Commandant suprême a été ruiné, pauvres andouilles qui ont failli le discréditer en répandant des sornettes : « Il commandait les groupes d'armées en s'aidant d'un globe terrestre... » (Oui, il y avait un grand globe dans la pièce attenante à son bureau, mais il y avait aussi des cartes sur les murs, et on en étalait encore d'autres sur la table pour travailler, et le Commandant suprême, marchant sans cesse d'un coin à l'autre, la pipe à la main, s'approchait aussi des cartes pour comprendre plus nettement ce qu'on lui exposait ou bien montrer ce qu'il exigeait.) Aujourd'hui, le galopin jacasseur en chef a été à son tour débarqué[1] – proprement vidé et arrangé. Et peut-être qu'avec le temps sera peu à peu restauré le respect dû au Commandant suprême. Mais un dommage irréparable a tout de même été causé.

Et toi, justement, abstraction faite des membres du Bureau politique, tu L'as côtoyé de près et professionnellement comme personne. Et tu as connu des instants très amers. (Quand il était en colère, Staline ne choisissait pas ses expressions, il était capable d'offenser sans la moindre justification, il fallait avoir une cuirasse en peau de tambour. Et la pipe éteinte dans sa main était un indice sûr d'une humeur impitoyable, qui allait s'abattre sur ta tête.) Mais il avait connu aussi des instants frappants de confiance cordiale.

Comment faire aujourd'hui pour parler de tout cela honnêtement et dignement ?

---

1. Nikita Khrouchtchev, en octobre 1964. *(NdT.)*

À cela s'ajoute que d'avoir été si proches, en ces mois d'immédiate avant-guerre si tendus – et ô combien trompeurs ! –, vous avait tout de même liés d'une proche responsabilité : le Commandant suprême s'est trompé ? a commis une bévue ? une erreur de calcul ? – pourquoi donc ne L'as-tu pas corrigé, averti, fût-ce au prix de ta propre tête ? Tu n'aurais donc pas remarqué, toi, que le dogme impératif, adopté dans les années trente, du « toujours attaquer » avait entraîné aux grandes manœuvres, en 1940 comme en 1941, la mise délibérée en situation avantageuse du côté attaquant ? De fait, on ne s'occupait guère de la défensive, et pas du tout des retraites, des encerclements – idées qui ne venaient à l'esprit de personne, et de toi non plus, n'est-ce pas ? Et tu as permis une p a r e i l l e concentration de forces allemandes ! Car enfin, les avions allemands n'arrêtaient pas de survoler le territoire soviétique, et Staline ajoutait foi aux excuses d'Hitler : c'était le fait de jeunes aviateurs dénués d'expérience. Ou bien, en 1941, les Allemands brûlèrent soudain du désir de rechercher de notre côté l'emplacement des tombes allemandes de la Première Guerre mondiale ? bon, bon, laissez-les chercher... Or, quelle occasion d'espionnage, non ? Mais, à l'époque, il semblait à Joukov ne point exister sur cette terre d'homme mieux informé, plus profond, plus perspicace que Staline. Et si L u i espérait jusqu'au dernier moment réussir à retarder la guerre avec Hitler, ce n'était pas toi qui allais t'écrier : non !, cela dût-il être ton dernier cri avant ta mort.

Q u i n'était pas paralysé, même de loin, par le terrible nom de Staline ? Alors, quand on devait être reçu par lui, on y allait chaque fois comme à une séance d'horreur. (Et pourtant il avait réussi à lui arracher la libération de Rokossovski.) Paralysé, Joukov l'était, de plus, en raison de son manque d'assurance dans les problèmes de stratégie, par l'incongruité de son rôle à la tête de l'état-major général. Et surtout, bien entendu, par ce qu'avait toujours d'inattendu la conduite du Commandant suprême : il n'était jamais possible de prévoir pourquoi on était, à tel ou tel instant, convoqué. Et comment répondre en toute sécurité à des questions du genre de :

« Et qu'est-ce que vous proposez ? Que craignez-vous ? » Il écoutait vos rapports brièvement, comme avec mépris. En revanche, sur de nombreux points où il était renseigné par d'autres, il n'en touchait mot à l'état-major général. Joukov était pour lui comme un corps de soldats du feu, heureux dans ses entreprises, qu'il tirait à lui et envoyait tout à trac en mission.

La guerre éclata, et, en ces premières heures d'un désarroi inouï qu'il ne pouvait masquer – ce ne fut que quatre heures après le début de la guerre qu'on osa donner aux régions militaires l'ordre de résister, mais il était déjà trop tard – il expédia sur-le-champ le chef de l'état-major général... pour y sauver la situation (« ici, nous arriverons à nous passer de vous »). Mais tout le haut commandement était dirigé au petit bonheur. Et, trois jours après, il le rappela à Moscou : en fait, là où il fallait sauver la situation, c'était sur le Front[1] non pas Sud-Ouest, mais Ouest. Et il ouvrit son cœur d'une voix plaintive : « Dans cette situation, que peut-on faire ? » (Joukov s'avisa de prodiguer quelques conseils, entre autres celui de former des divisions avec les Moscovites désarmés : il y en avait des tas qui restaient là à se tourner les pouces, et la procédure de mobilisation par les commissariats militaires était longue. Et Staline proclama aussitôt la Levée en masse du Peuple.)

Ayant remarqué ce flottement chez Staline, Joukov s'enhardit jusqu'à des recommandations importantes. À la fin de juillet, il risqua une proposition : abandonner Kiev et se retirer derrière le Dniepr, sauver ainsi des forces puissantes et leur éviter l'encerclement. Staline et Mekhlis le traitèrent en chœur de capitulard. Et Staline retira aussitôt à Joukov l'état-major général pour l'envoyer repousser les Allemands à Ielnia. (Ç'aurait pu être pire : ces semaines avaient vu fusiller des dizaines de généraux considérables et remarquables qui avaient remporté des succès pendant la guerre civile espagnole ; il avait tout de même fait libérer Méretskov.)

Devant Ielnia, ce furent certes des combats dévastateurs, mais qui, par contre, n'exigeaient pas de profondes réflexions d'état-

1. Front : avec une majuscule = groupe d'armées. *(NdT.)*

major, c'était une opération concrète que Joukov mena à bien en une semaine. (Ce saillant de Ielnia, bien sûr, il aurait été plus raisonnable de le séparer et de l'encercler, mais alors nous n'avions pas encore assez confiance en nous.)

Quant à Kiev, il fallut bien l'abandonner, mais au prix, cette fois, d'une énorme « poche » de prisonniers. (Et combien Vlassov n'en tira-t-il pas de là, sur cinq cents kilomètres, mais, aujourd'hui, impossible de se rappeler jusqu'à son personnage.) Et si Joukov était resté commander le Front Sud-Ouest, peut-être aurait-il été amené à se tirer une balle dans la tête, comme Kirponos.

Extraordinaire : ayant convoqué Joukov au début de septembre, Staline admit que celui-ci avait alors eu raison au sujet de Kiev... Et de lui dicter sur-le-champ un ordre ultra-secret « Zéro deux fois, Dix-neuf » : formation, à partir des régiments du Commissariat du Peuple à l'Intérieur, de *détachements de barrage* chargés d'occuper des lignes à l'arrière de nos troupes et d'ouvrir le feu contre ceux qui reculeraient. (Diantre ! Et que faire si les troupes ne tiennent pas jusqu'à la mort, mais s'enfuient ?) Et de l'envoyer illico sauver Leningrad, coupée du reste du pays, et remettre à d'autres le secteur du front central sauvé par Joukov. Mais, pendant tout ce temps, il conserva à Joukov la qualité de membre du GQG, ce qui lui permit beaucoup de choses auprès des militaires bien formés qu'étaient Chapochnikov, Vassilevski et Vatoutine. (Or d'apprendre il avait envie et besoin, ayant atteint ses limites.) Ils lui transmirent énormément de savoir – mais n'empêche que le principal bouclier ou bélier ou projectile qu'on jetait dans tout secteur ultra-dangereux était toujours Joukov.

Staline, en raison de son total analphabétisme stratégique et opérationnel, de son ignorance crasse de l'interaction des différentes armes (il avait, pour bagage, ce qui lui était resté de la Guerre civile), Staline, pendant les premières semaines de la guerre, avait accumulé les décisions sans appel et entassé fautes sur fautes ; il était devenu maintenant plus circonspect. Seul de tous ses chefs militaires, il appelait par son prénom et le prénom de son père Boris Mikhaïlovitch Chapochnikov, nouvellement nommé à la tête de l'état-major général, le seul également qu'il autorisât à fumer dans son bureau. (Les autres, c'est à peine s'il leur serrait la main.)

Mais Staline, incomparablement plus haut que tous ses chefs militaires, estimait tous les membres du Bureau politique, ainsi que tel ou tel favori comme Mekhlis (jusqu'à ce que ce dernier causât la perte définitive de la tête de pont dans l'est de la Crimée). Plus d'une fois, après avoir écouté le rapport d'un général en présence de quelques membres du Bureau, Staline disait : « Sortez maintenant, nous restons délibérer. » Le général sortait, attendant docilement que se règle le sort de son projet ou même de sa tête, sans s'en offusquer le moins du monde : nous sommes tous des communistes, mais les membres du Bureau politique, y compris même un Chtcherbakov, sont les plus haut placés d'entre nous, et il est normal qu'ils décident sans nous. Et la colère de Staline contre eux ne durait jamais longtemps ni n'était définitive. Vorochilov avait perdu la guerre de Finlande, il est relevé de ses fonctions pour un temps, mais, dès l'agression d'Hitler, il reçoit tout le Nord-Ouest, qu'il perd derechef, et Leningrad : relevé, mais il demeure un maréchal florissant et membre du plus proche cercle de confiance, de même que les deux Sémion – Timochenko et le consternant Boudionny, qui avait mené au désastre aussi bien le Front Sud-Ouest que le Front des armées de réserve, mais qui, tous deux, comme si de rien n'était, demeuraient membres du GQG (où Staline n'avait encore fait entrer ni Vassilevski ni Vatoutine), et, naturellement, restaient toujours maréchaux. Joukov, lui, n'avait été fait maréchal ni pour avoir sauvé Leningrad, ni pour avoir sauvé Moscou, ni pour la victoire de Stalingrad. À quoi rimait alors cette dignité dès lors que Joukov réglait des affaires par-dessus tous les maréchaux ? Ce ne fut qu'après la levée du blocus de Leningrad que, tout soudain, il la lui conféra. Pour ne rien dire de ce que cela avait de blessant, pourquoi ne l'avait-il pas fait avant ? pour que Joukov s'applique à la tâche ? parce qu'il avait peur de se tromper ? on promeut quelqu'un avant le temps, et hop ! il vous échappe des mains ? Bien à tort. Le Commandant suprême ne connaissait pas l'âme de soldat sans complication de son Joukov. D'ailleurs, comment aurait-il pu la connaître, l'âme du soldat ? De toute la guerre il ne passa pas une heure au front ni ne conversa avec un soldat. Il vous convoque, on accourt de loin en avion, et après toutes ces semaines passées sous le grondement du front, c'est une souffrance de se retrouver au Kremlin dans la quiétude du bureau ou à la table privée d'un repas servi dans la datcha de Staline.

Il y avait quelque chose qu'il n'était pas possible de ne pas apprendre de Staline : il écoutait avec intérêt les chiffres des pertes en hommes de l'adversaire, mais *ne posait jamais de question sur les siennes*. Il se contentait d'éluder le problème d'un geste de la main, le pouce replié : « C'est la guerre. » Quant au chiffre de ceux qui s'étaient rendus, il ne voulait même pas le connaître. Pendant presque un mois, il interdit d'annoncer l'abandon de Smolensk, espérant toujours réoccuper la ville, hors de lui, envoyant sans cesse divisions sur divisions à l'abattoir. Et Joukov assimilait la leçon : si on suppute, pour commencer, les pertes éventuelles, si on calcule ensuite les pertes réelles, on ne sera jamais un grand capitaine. Le grand capitaine ne peut se laisser affaiblir par la pitié, et, quant aux pertes, il n'a besoin de savoir que les chiffres des renforts à prélever dans la réserve et leur délai d'acheminement. Et ne pas calculer la proportion des vies sacrifiées par rapport à un petit saillant comme celui de Ielnia.

Et, une fois acquise cette dureté, il faut savoir la communiquer aussi, comme une qualité professionnelle, à tous les généraux qui te sont subordonnés. (Et la renommée aux cent bouches progressait, l'accompagnant : ah, quelle brute ! une volonté de fer ! un coup de menton, de mâchoire lui suffit ! plus sa voix métallique. Mais, autrement, le moyen de mouvoir pareille mécanique ?)

Et c'est a i n s i qu'en septembre 1941, Joukov conserva Leningrad. (Avec un blocus de neuf cents jours...) Et, juste à ce moment, au lendemain de la prise d'Oriol par Guderian, il fut extirpé de nouveau par Staline, cette fois pour sauver la ville même de Moscou.

À ce moment – vingt-quatre heures ne s'étaient pas écoulées –, nos troupes venaient de tomber dans le gigantesque encerclement de Viazma : plus d'un demi-million d'hommes... Une catastrophe. (Pour avoir causé la perte du Front Ouest, Staline avait décidé de traduire Koniev en conseil de guerre, Joukov le défendit et le sauva de sa colère.) Toutes les routes de la capitale étaient ouvertes à l'ennemi. Joukov croyait-il lui-même qu'il était possible de tenir Moscou ? N'espérant plus déjà se maintenir sur un arc Mojaïsk-Maloïaroslavets, il préparait une ligne de défense Kline-Istra-Krasnaïa Pakhra. Mais, rassemblant son indomptable volonté (Staline lui-même n'en avait-il pas à revendre ? et pourtant, il craqua à plusieurs reprises : en octobre, il se mit à évoquer l'utilité de la paix de Brest-Litovsk[1], et de voir s'il n'y aurait pas moyen de conclure maintenant avec Hitler ne fût-ce qu'un armistice...), Joukov se démena (par une sorte de signe du destin, tout près de son village de la province de Kalouga d'où il put arracher à temps sa mère, sa sœur et ses neveux), rameuta des forces qui n'existaient pas, et, en cinq jours de combats près de Ioukhnov, de Medyn et de cette même Kalouga, réussit à bloquer l'avance allemande sur Moscou.

Et, de Moscou, pendant ce temps, étaient déjà parties vers l'ouest les douze divisions de la levée en masse (déjà englouties dans les encerclements, les unes à Smolensk, les autres à Viazma), en dehors de toute mobilisation. Et maintenant, embourbés dans la boue d'automne, un quart de million de femmes et d'adolescents creusaient des tranchées, extrayant trois millions de mètres cubes d'une insoulevable terre humide. Et l'haleine du front qui se rapprochait soufflait déjà le feu de nouvelles paniquardes. À partir du 13 octobre, on commença à évacuer de Moscou les diplomates et les administrations centrales ; du coup, commencèrent à fuir ceux qu'on n'évacuait point, ainsi même, on a honte à le dire, que les communistes des arrondissements moscovites, et on vit se déchaîner la panique irrésistible du 16 octobre à Moscou, alors que tous tenaient déjà la ville pour abandonnée.

---

1. Signée le 3 mars 1918 entre les Empires centraux, conduits par l'Allemagne, et la jeune République soviétique qui, pour « souffler », consentit d'énormes pertes territoriales. *(NdT.)*

Une énigme demeurera toujours : pourquoi, en cette terrible et décisive semaine, le Commandant suprême ne fit aucun geste, ne fit pas entendre sa voix, ne convoqua pas une seule fois Joukov, fût-ce au téléphone, et Joukov lui-même, de son côté, n'osa jamais le faire ? Autre énigme qui demeure : *où* se trouvait Staline pendant toute la mi-octobre ? Il se manifesta à coup sûr à la fin du mois alors que Joukov, Rokossovski (et aussi Vlassov) avaient arrêté les Allemands sur un arc allant de Volokolamsk à Naro-Fominsk. Au début de novembre, Staline se manifesta téléphoniquement, exigeant une contre-attaque immédiate sur tout le cercle afin d'avoir obligatoirement une victoire pour l'anniversaire d'Octobre, et, sans vouloir écouter les objections de Joukov, raccrocha le combiné, comme cela lui était arrivé plus d'une fois, vous laissant l'âme oppressée.

Pourtant, une contre-attaque possible à ce moment était un total non-sens, étant donné notre faiblesse, et Joukov ne fit rien pour l'entreprendre. De leur côté, les Allemands, épuisés, s'étaient arrêtés pour un temps. Et Staline, comme si de rien n'était, appela Joukov pour lui demander : ne serait-il pas possible de distraire du front quelques troupes pour la revue du 7 novembre sur la place Rouge ?

Et te voilà aujourd'hui, assis dans ta véranda avec vue sur la paisible rivière et les prés de son autre rive où clapote la plage municipale de Serebriany Bor, et tu retournes les choses dans ta tête : comment ?? c o m m e n t, o u i, c o m m e n t p a r l e r d e t o u t c e l a ? Et, avant tout : le peut-on ?

Difficile.

Mais accessible – il le faut – à un communiste. Car un communiste voit briller devant lui une vérité qui ne s'éteint jamais. Et tu t'es toujours et en toutes circonstances efforcé d'être un communiste digne de ce nom.

Commençons par le commencement. En ces années, nous peinions à maîtriser la théorie marxiste-léniniste. Son étude n'allait pas sans de grandes difficultés. Ce n'est que plus tard que j'ai plus profondément compris le rôle organisationnel de notre Parti. Et que le cerveau de l'Armée rouge, dès les premiers jours de son existence, a été le Comité central du Parti communiste (bolchevique) de l'Union soviétique. Hélas, la jeunesse d'aujourd'hui ne se plonge pas dans les chiffres ; or, ceux-ci montrent que les rythmes du développement d'avant-guerre étaient déjà un témoignage éclatant du progressisme de notre système. Mais l'industrialisation non plus ne pouvait pas ne pas se faire aux dépens de la grande consommation. (Non, bien avant, déjà dans ma jeunesse : la misère et le dépérissement de la campagne russe sous le tsar ; et les koulaks qui suçaient les pauvres. Est-ce que ça ne serait pas vrai ? C'est vrai.)

Mais cette sinistre année 1937 ? Toi-même, bien sûr, tu le comprends, et il faut le rappeler aux autres : les violations sans fondement de la légalité ne correspondaient pas à l'essence de notre système. Le peuple soviétique croyait en son Parti et le suivait d'un pas ferme. Le mal, lui, découlait de la méfiance sans principe de certains dirigeants. Mais les supériorités du système socialiste et les principes léninistes ont, de toute façon, remporté la victoire. Et le peuple a fait montre d'une incomparable fermeté de caractère.

Et au début de la guerre ? Comme a été décisif pour le renforcement de nos rangs l'envoi de *combattants politiques* : des communistes avec suffisamment de maturité pour faire la propagande. Et l'importante directive de l'Administration politique de l'Armée rouge ouvrière et paysanne : élever le rôle d'avant-garde des communistes. Oui, je m'en souviens, cette directive a joué un rôle énorme. Au milieu, parfois, d'un insuffisant esprit de résistance des troupes… – Et pourquoi notre haut commandement s'est-il révélé plus fort que celui des hitlériens ? Eh bien, toujours pour cette même raison : il s'appuyait sur le marxisme-léninisme. Et les troupes ont fait preuve d'une endurance inouïe. Et elles ont tenu jusqu'à la mort, comme l'attendaient d'elles le Comité central et le Commandement.

D'ailleurs, l'armée allemande était de premier ordre. Personne n'en dit mot chez nous, ou alors avec mépris. Ce qui dévalorise notre victoire.

Quand les Allemands, au début d'octobre, se furent arrêtés par suite de l'étirement du front et de leurs lignes de communication, c'eût été pour nous, à l'intérieur d'un cercle plus étroit, le moment ou jamais d'en faire autant : rameuter des hommes, rassembler des armes, des munitions, renforcer la défense, et nous aurions pu, à la mi-novembre, recevoir la prochaine attaque allemande sans presque devoir reculer. Mais toujours avec cette malencontreuse idée d'avoir au plus vite une victoire pour le 7 novembre, le Commandant suprême se remit à exiger une contre-attaque, et cela sur *chaque* secteur du Front, de la région de Kline à celle de Toula. Et qui aurait pu ne pas exécuter ? À présent, Joukov s'enhardit à objecter, à discuter ; le Commandant suprême ne voulut rien entendre. Et il fallut jeter au combat des divisions totalement impréparées et mal armées. Et nous perdîmes deux semaines précieuses en contre-attaques complètement inutiles, stériles, qui ne nous donnèrent pas le moindre kilomètre, mais nous retirèrent nos dernières forces. Et c'est à ce moment, à partir du 15 novembre, que les Allemands passèrent à la seconde étape de leur offensive sur Moscou et, à partir du 18, sur Toula : Guderian prend Ouzlovaïa, marche sur Kachira, s'approche de Mikhaïlov (prov. de Riazan), part encercler Moscou par l'Est ! C'eût été vraiment la fin.

Le 20 novembre, Staline téléphone à Joukov sans lui cacher ses inquiétudes et, d'une voix brisée, d'un ton inhabituel : « Vous êtes sûr que nous allons garder Moscou ? Je vous le demande, l'âme douloureuse. Parlez en toute honnêteté, en communiste. »

Joukov fut bouleversé de voir Staline incapable de cacher sa peur et sa douleur, incapable même d'essayer. Et de le voir témoigner une telle confiance à son général. Et, rassemblant toute, absolument toute sa volonté de fer, Joukov en fit comme le serment à Staline, à la Patrie, à soi-même : « Nous tiendrons ! »

Et, calculant exactement le nombre de jours, il fixa la date de notre offensive : le 6 décembre. Staline, aussitôt, de marchander : non, le 4. (Non qu'il eût quelque calcul en tête, mais parce que c'était l'anniversaire de la Constitution, ah mais !)

Cependant, chaque jour apportait de nouvelles défaites : perte de Kline, de Solnetchnogorsk ; près de Iakhroma les Allemands ont en outre franchi le canal Moscou-Volga, s'ouvrant là aussi une voie vers l'est de la région de Moscou. Tout n'était que chaos et catastrophe : plus d'unités militaires, mais des groupes de rencontre de soldats et de chars. Et on finissait par n'avoir presque plus la volonté de croire, de se forcer à croire : non, ça ne craquera pas ! Non, nous les arrêterons ! (En ces journées de la bataille de Moscou, il dormait deux heures sur vingt-quatre, pas plus ; Molotov le menaça au téléphone de le faire fusiller : il le rembarra insolemment.)

Sur ce, un appel téléphonique de Staline l'achève :

« Vous savez que Dedovsk est tombé ? »

Dedovsk ? À mi-chemin entre Istra et Moscou. Totalement exclu.

« Non, camarade Staline, je ne le sais pas. »

Staline dans l'appareil – avec une raillerie méchante :

« Eh bien, le commandant doit savoir ce qui se passe au front. Allez-y en personne immédiatement, et reprenez Dedovsk ! »

Abandonner son poste de commandement, le lien entre tous les mouvements, tous les préparatifs, cela en un pareil moment ? Non. L'autre n'avait rien appris, même en six mois de guerre. (Au demeurant, Joukov aussi ne faisait pas plus de cas des généraux, ses subordonnés : c'est la seule manière de vaincre.)

« Mais, camarade Staline, quitter l'état-major du Front dans une situation aussi tendue n'est guère prudent. »

Staline – avec un ricanement irrité :

« Ça ne fait rien, nous arriverons bien à nous passer de vous, ici. »

Autrement dit : tu n'as aucune importance, voilà le cas qu'on fait de toi.

Joukov se précipita pour appeler Rokossovski et apprit qu'aucun Dedovsk n'avait naturellement été abandonné, mais que, à ce que Kostia croyait deviner, il devait s'agir du village de Dédovo, beaucoup plus loin et ailleurs.

Il fallait être bien hardi pour discuter avec Staline. Mais là, Joukov espérait le soulager et même le divertir avec son coup de téléphone. Seulement, Staline entra en fureur : se rendre comme ça, immédiatement, chez Rokossovski, et reprendre en combat ce Dédovo ! Et prendre un troisième avec eux, le commandant de l'armée !

Impossible de continuer à discuter. Il se rendit chez Rokossovski, et, à trois, à l'état-major de la division, précisèrent une fois de plus la situation : oui, quelques maisons du village de Dédovo, de l'autre côté d'un ravin, sont aux mains des Allemands, mais le reste, ici, est à nous. Lesdites maisons ne méritaient même pas un coup de fusil en travers du ravin, mais quatre généraux de haut rang durent mettre au point une opération et y employer une compagnie de tirailleurs avec des chars.

Une journée de perdue pour tous.

Mais Joukov réussit tout de même à rameuter toutes les réserves en temps utile, et, le 5 décembre, passa à la grande contre-offensive tant désirée.

Et, en quelques jours, repoussa l'anneau allemand qui étreignait Moscou. (Vlassov aussi avança bien, avec sa Vingtième armée ; seulement, défense d'en parler. De toute façon, les Allemands, par eux-mêmes, n'avaient déjà pas réussi à prendre Moscou.)

Coup de tonnerre de la victoire. Surprise et liesse dans le monde entier. Mais le plus étonné de tous fut bien le Commandant suprême en personne, qui n'y avait visiblement jamais cru. Et, la tête lui tournant de cette victoire, il ne voulut même plus entendre dire que nos dernières réserves avaient été utilisées, qu'elles étaient maintenant épuisées elles aussi, et que nous avions le plus grand mal à conserver ce que nous avions pris. Non ! Jubilant, dans un accès de courage illimité et désespéré, il ordonna : déclencher immédiatement une grande offensive *générale* avec *toutes* nos troupes du lac Ladoga à la mer Noire, libérer Leningrad, Oriol, Koursk, et tout cela simultanément !

Et de s'écouler les mois – janvier, février, mars – de cette tension impossible et sans objet infligée à nos troupes fourbues, pour réaliser le rêve radieux de Staline. Et on ne fit que faucher, faucher et encore faucher des dizaines et des centaines de milliers d'hommes dans des attaques inutiles. (Dont la Deuxième armée de choc de Vlassov, envoyée pourrir dans les marais du Nord-Ouest et abandonnée sans soutien ; seulement, *cela*, personne n'aura jamais à en parler, et mieux vaut l'oublier soi-même. D'ailleurs, Vlassov se révéla être un traître par la suite.) On en arriva à limiter à un ou deux par jour le nombre de coups par canon.

On n'obtint rien nulle part, ne réussissant qu'à gâter le tableau de la victoire de Moscou. Seul succès notable : précisément sur le Front de l'Ouest, celui de Joukov, et à ce moment Staline lui retira la Première armée de choc. Joukov téléphona, certain de le convaincre par la perspective du succès, mais Staline refusa même d'engager la conversation, eut un gros mot et raccrocha.

Parler avec Staline n'exigeait pas moins d'art que l'art militaire. Plus souvent qu'à son tour il raccrochait ou vous abreuvait d'injures choisies. (Il vous convoquait d'un Front lointain, plus de vingt-quatre heures de trajet, nonobstant votre fièvre, des conditions de vol impossibles : tant pis, file chez le Commandant suprême, et défense d'être en retard, même de dix minutes. Une fois, ils étaient descendus sur Moscou à travers le brouillard pour ne pas risquer de manquer l'heure, et ils avaient failli accrocher d'une aile une cheminée d'usine.)

Mais, de façon plus ou moins incompréhensible, jusqu'aux gaffes de Staline étaient couvertes et rectifiées par l'Histoire.

Signe évident de la supériorité, justement, de notre système et de notre idéologie. À cela, même nos ennemis n'ont rien à répliquer. C'est le moment de le répéter : le Comité central a exigé un plus vaste déploiement du travail politique du Parti, et cela a suscité un héroïsme de masse parmi les communistes et les membres du Komsomol, et le peuple s'est resserré encore plus étroitement autour du Parti communiste.

En tout cas, personnellement, Joukov ne se sentait pas offensé par Staline : Celui-ci n'avait-Il pas la charge non seulement du front, mais aussi de l'industrie, qu'Il tenait dans ses mains de roc ? Et la charge aussi du pays entier ?

Était-ce un défaut ou, au contraire, un mérite de Staline : il détestait modifier ses décisions. Toutes les contre-attaques d'hiver avaient fait fiasco, le débarquement de Mekhlis près de Kertch était noyé dans le sang (mais, comme c'était Staline qui en avait eu l'idée, nul ne fut sanctionné sérieusement) – peu importe : faisant fi des objections des généraux du Grand Quartier, le Commandant suprême entreprit en mai de reprendre Kharkov et y gaspilla sans résultat toutes nos réserves et tous nos efforts. Et lorsque, à l'été, les Allemands, ayant repris des forces, prirent le départ pour leur grande offensive (et non pas sur Moscou, seule chose à laquelle s'attendait Staline), un chouchou de celui-ci (un de plus), Golikov (ce même commissaire politique qui, en 37, avait interrogé Joukov sur ses liens de proximité avec les ennemis du peuple), faillit bien perdre Voronèje, et l'avalanche des Allemands déferla sur le Don et le Nord-Caucase, et quand ils eurent occupé en septembre les cols de la grande chaîne, à ce moment-là seulement, semble-t-il, Staline comprit que la défaite de 1942 était sa faute. Il ne chercha point de coupables parmi ses généraux. À la fin d'août, il nomma Joukov (toujours pas encore maréchal) représentant du Commandant suprême et, de nouveau, il avoua avec une douleur évidente : « Nous risquons de perdre Stalingrad. » Et il l'y envoya. (Mais, ayant appris quelques jours plus tard que la prochaine contre-attaque était prévue pour le 6 septembre, et non pour le 4, de nouveau il envoya promener le combiné. Et il y ajouta un télégramme par trop expressif : « Tout atermoiment équivaut à un *crime.* »)

Mais c'est à Stalingrad que Staline, pour la première fois, accepta de contenir son impatience ; Joukov, en compagnie de l'intelligent Vassilevski, gagna presque deux mois à élaborer dans les moindres détails le plan d'un énorme encerclement (ils firent sentir à Staline aussi la beauté de ce dessein) et à rameuter méthodiquement les forces, à préparer les cellules de commandement, les interactions – instruit par ses erreurs, Staline resta patient, ne les interrompit point. C'est ainsi que fut couronnée de succès la grande bataille de Stalingrad.

Mais il y eut un autre succès dont bien des gens ne se doutèrent pas : toi, Joukov, qui n'avais jamais rien appris de tout cela, il est clair que tu as quelque chose dans la cervelle. C'est seulement *ici*, en surmontant dans la tension les obstacles, que tu es devenu un *stratège*, un autre Joukov que tu ne connaissais pas en toi jusqu'ici. Tu as acquis la perspicacité dans la prévision de l'ennemi et, ne désertant jamais ta tête ni ta poitrine, la perception immédiate de l'ensemble de nos forces : composition, diversité, possibilités, qualités de leurs généraux. Tu as acquis l'assurance dans la hauteur de survol et de tour d'horizon qui t'avait toujours manqué jusqu'alors.

Et il n'en a été que plus désobligeant, par la suite, de lire les élucubrations de Iériomenko, comme quoi ils auraient élaboré l'opération de Stalingrad... à deux : Khrouchtchev et lui. Il lui demanda carrément : « Comment as-tu pu ? – C'est Khrouchtchev qui me l'a demandé. »

Après lui, c'est Tchouïkov, en tout et pour tout commandant de l'une des armées de Stalingrad, qui attribue tout le mérite des trois Fronts... à lui-même, et piétine, dans ses mémoires, Joukov déchu : « Il n'a fait qu'embrouiller. » Son cœur s'enflamme, il n'y coupera pas d'un nouvel infarctus, il téléphone directement à Khrouchtchev : comment est-il possible de tolérer la publication de pareils mensonges ? Le roi du maïs promet d'intervenir. (D'ailleurs, c'est quoi, ces mémoires de Tchouïkov ? il n'a rien à dire qui vienne de lui ! c'est plein d'épisodes piqués dans des journaux d'armées et de Fronts qu'il s'applique à lui-même.)

Après Stalingrad, toujours avec Vassilevski, Joukov s'engagea avec assurance dans le plan de la bataille de Koursk, avec une décision incroyablement risquée : *ne pas* se hâter d'attaquer ! *ne pas* commencer du tout à attaquer, mais laisser d'abord Manstein se battre pendant une semaine et se casser les dents sur notre défense organisée, plusieurs fois échelonnée en profondeur (une décision risque-tout : et s'il perce ??), et, seulement après, assommer les Allemands avec *notre propre* offensive sur Oriol.

Et ce fut encore, par la beauté, la puissance et la réussite destructrice, une création stratégique comparable à Stalingrad. Joukov avait encore grandi, s'était encore renforcé en stratégie, il avait désormais acquis la certitude de n'avoir même pas besoin du second front des Alliés pour battre Hitler. Il était à la fois celui qui dirige l'énorme et impressionnant processus du châtiment, et une pièce de ce dernier : le processus lui-même le dirigeait. (Et il ne cessait de se fortifier dans ses discussions avec Staline ; il réussit même à le déshabituer de lui téléphoner passé minuit : Vous, ensuite, vous dormez jusqu'à deux heures de l'après-midi ; nous autres, nous travaillons dès le matin.)

Toutefois, la maîtrise de soi de Staline ne dura pas. La liquidation de Paulus encerclé traînait en longueur. Il était nerveux, houspillait, lançait de blessantes injures. Et, après Koursk, il cessa de donner le temps d'élaborer des opérations d'encerclement ; il fallait procéder seulement à coups d'attaques frontales, pousser les Allemands droit devant soi, sans rien y gagner, leur permettant de conserver leur force de combat pourvu qu'ils quittent au plus vite la terre soviétique, même en restant intacts. (Mais, désormais, à *chaque* rencontre, il serrait la main de Joukov, plaisantait même ; après la dignité de maréchal, il se mit à lui conférer tantôt l'ordre de Souvorov de première classe, tantôt l'étoile d'or de Héros, une, deux, trois. Il n'arrêtait pas de le jeter à droite et à gauche au premier échec ou retard, et Joukov dut même une fois, non sans satisfaction, relever de son commandement d'un Front le dénommé Golikov.)

Ensuite, ce fut le bond tenace au-delà du Dniepr. Et le dévalement de l'avalanche jusqu'en Roumanie. Puis en Bulgarie. Puis l'opération de Russie blanche et la facile réduction de la poche de Bobrouïsk. Et, de nouveau, l'avalanche, en Pologne. Puis sur l'autre rive de la Vistule. Puis sur l'Oder.

À chaque opération, Joukov grandissait et prenait de l'assurance. Son seul nom emplissait les Allemands de terreur : il venait d'arriver sur *leur* front. À présent, il ne pouvait même pas imaginer un obstacle qu'il ne pût surmonter. Et c'est ainsi que, par ordre de

Staline brûlant de prendre Berlin, ce que n'avait pu faire Hitler avec Moscou, et de le prendre au plus vite ! vite et tout seuls, sans les Alliés ! – Joukov couronna la guerre – et sa vie – par l'opération de Berlin.

Berlin se trouvait à peu près à égale distance de nous et des Alliés. Mais les Allemands avaient concentré toutes leurs forces contre nous et le danger était grand qu'ils se livrent purement et simplement aux Alliés et les laissent passer. Mais c'eût été intolérable ! La Patrie l'exigeait : à nous l'attaque ! et vite, toujours plus vite ! (Il avait emprunté l'idée à Staline et le voulait lui aussi à présent : obligatoirement pour une fête, pour le 1er mai ! Cela ne marcha pas.) Et il ne restait plus rien d'autre à Joukov que d'attaquer à nouveau frontalement, encore et toujours, sans tenir compte des pertes.

Nous payâmes l'opération de Berlin, disons, de trois cent mille hommes tombés (un demi-million ?) Mais n'en était-il pas tombé en grand nombre déjà auparavant ? qui en a tenu le compte ? Inutile aujourd'hui de s'arrêter spécialement sur cette question. Bien sûr, nos gens souffraient de perdre pères, maris, fils, mais ils supportaient stoïquement ces pertes inévitables, car ils comprenaient tous qu'ils traversaient les heures glorieuses de notre peuple. Les survivants les raconteraient à leurs petits-enfants, mais, pour l'instant, en avant !! (Les Alliés, plutôt par envie, se mirent à prétendre après la guerre que non seulement l'opération de Berlin était inutile, mais aussi toute la campagne du printemps 1945 : soi-disant, Hitler se serait rendu, même si elle n'avait pas eu lieu, sans nouveaux combats ; il était déjà condamné. Et eux, alors ? pourquoi réduire en flammes une ville non militaire comme Dresde ?... là aussi, dans les cent cinquante mille carbonisés – des civils, par-dessus le marché.)

Joukov était d'ailleurs prêt à continuer à faire la guerre comme une machine ; sa poigne désormais stratégique, sa volonté d'acier déchaînée réclamaient de la nourriture, du grain à moudre. Mais toute sa vie changea alors d'un coup : comme si son navire, lancé à toute allure, s'était échoué sur un banc moelleux et honorifique.

À présent, il était devenu Commandant en chef des troupes soviétiques d'occupation en Allemagne. Aux nuits sans sommeil passées à élaborer des opérations avaient succédé de longs banquets plantureux et arrosés avec les Alliés (lesquels s'agglutinaient autour du caviar et de la vodka). Une manière d'amitié s'instaura entre lui et Eisenhower. (Lors d'un banquet nocturne, il exécuta pour lui, à titre de démonstration, une « danse populaire russe ».) Il s'ensuivit un flot d'échanges de décorations avec les Alliés. (Des ordres de grands formats qu'il fallut bien laisser pendouiller sur le ventre.) Les soucis économiques prirent la place des préoccupations guerrières : démonter les entreprises allemandes et les expédier en URSS. Et puis, bien sûr, remettre sur pied la vie de la population allemande : nous avons beaucoup fait pour eux, nos sentiments internationalistes ne nous permettaient pas de nous abandonner à l'esprit de vengeance, et Ulbricht et Pieck junior nous expliquèrent bien des choses. (Huit ans plus tard, Joukov fut stupéfié par l'inexplicable soulèvement des ouvriers berlinois : car, enfin, nous avions aboli toutes les lois nazies et donné pleine liberté à tous les partis antifascistes !)

Une fierté, seulement : aller en juin présider le défilé de la Victoire sur la place Rouge, monté sur un blanc coursier. (Staline, visiblement, aurait voulu le faire lui-même, seulement il n'était pas sûr de tenir en selle. Mais on voyait qu'il l'enviait : des plaques bistres apparaissaient sur sa figure. Une fois, à brûle-pourpoint, il fit cet aveu inouï à Joukov : « Je suis l'homme le plus malheureux du monde. J'ai même peur de mon ombre. » Craignait-il un attentat ? Joukov ne pouvait croire à une pareille franchise.)

L'été vit se dérouler la cérémonie de la conférence de Potsdam (on n'avait pas trouvé d'endroit adéquat à Berlin, complètement détruit par notre artillerie et notre aviation). Ensuite il fallut s'occuper de forcer les Alliés à remettre aux organes de sécurité soviétiques nos propres citoyens soviétiques, qui, une fois de plus, de façon incompréhensible, ne désiraient pas regagner leur patrie. (Qu'est-ce que c'était que ça ? comment cela pouvait-il être ? Ou bien ils savaient avoir commis des crimes graves, ou bien ils s'étaient laissé séduire par la vie facile de l'Occident.) Il fallut exiger fermement des Alliés qu'ils acceptent qu'à leurs entrevues avec ces gens assistent de nos représentants professionnels de la Sûreté. (Lesquels se révélèrent gens très capables, il y en avait toujours eu dans notre armée, mais Joukov, des hauteurs où il siégeait, les avait en somme fort peu côtoyés.)

Entre bien d'autres choses du même genre… Joukov exécutait, mais avec une sorte de paresse, comme en s'assoupissant ; plus jamais ne revenaient les vols de l'aigle d'antan : discerner les plans de l'adversaire et élaborer ses propres desseins.

Bon, il était temps de laisser tomber ce poste à Berlin, honorifique et ennuyeux, et de renouveler et renforcer l'armée (non plus rouge, mais soviétique) pour faire face à d'éventuels conflits futurs, et de la mettre au niveau du nouveau matériel militaire. Il serait bien étonnant, après la guerre, que Staline accepte de conserver son poste de Commissaire à (à présent : Ministre de) la Défense nationale. Il le remettrait donc à Joukov. D'ailleurs, même s'il restait son premier adjoint, tous les problèmes militaires passeraient de toute façon par Joukov.

Mais quand, en 1946, Joukov revint de Berlin, il fut très surpris de voir nommer premier adjoint non pas lui-même, mais Boulganine, un pur civil. Et, comme le lui expliqua Staline, éloignant de lui sa pipe fumante en signe d'impuissance à intervenir : Boulganine a déjà si bien constitué les cadres du ministère de la Défense nationale qu'il n'y a pas place parmi eux pour un second adjoint.

Joukov eut l'impression d'être jeté à bas de son cheval en pleine course.

Mais tout de même, voyons !… Mais enfin, je… ?

Et que Lui répliquer ? Mais ça n'était pas Staline qui avait eu cette idée, Il n'aurait pas pu agir ainsi après tout ce qui les avait unis dans ces victoires militaires ! après tant de rencontres dans Sa maison, tant de travail, de repas en tête à tête. C'était, bien sûr, une idée de ce faux-jeton de Boulganine. (Ce genre de dextérité rusée et inattendue, Joukov avait eu l'occasion de la noter aussi chez d'autres « membres du Conseil militaire », autrement dit des dirigeants politiques des armées et des Fronts, *après* la fin des principaux combats ; avant, ils se tenaient peinards. Tel aussi avait toujours été Khrouchtchev, à l'air si bon enfant.)

Au poste de l'état-major général se trouvait déjà Vassilevski, ce qui n'était que justice. On proposa à Joukov le commandement en chef des armées de terre. C'est-à-dire non seulement sans l'aviation ni la flotte, non seulement sans travail stratégique, mais, par-dessus le marché, subordonné au seul Boulganine, sans avoir le droit de s'adresser à Staline (ainsi qu'il était stipulé dans le nouvel organigramme du personnel).

Oui : en pleine course, et tombé par terre. Cela faisait mal.

Comme, alors, dans la province de Tambov, lorsqu'on l'avait désarçonné.

Et Guéorgui Konstantinovitch venait justement d'entrer dans sa cinquantième année. La plénitude des forces et des capacités.

Regret cuisant de son passé révolu de combattant.

Mais d'être désormais réduit à l'inaction se révéla beaucoup plus glissant qu'il ne s'y attendait. Il ne connaissait pas encore tout son malheur.

Quand, en 1945, lors d'une conférence au Kremlin, Staline avait reproché à Joukov de s'attribuer toutes les victoires, celui-ci avait décliné avec bonne volonté : *toutes* les victoires, non, il ne se les était jamais attribuées. Et lorsque, en avril 1946, il avait amèrement vécu le coup bas de Boulganine, là encore il n'avait pas compris son malheur. Commandant en chef des armées de terre, il n'eut à le rester qu'un mois en tout et pour tout : lors d'une séance du Conseil supérieur de la Guerre, on se mit tout d'un coup à donner lecture des dépositions d'un ancien aide de camp (arrêté, comme il apparut !) de Joukov et du grand-maréchal de l'Air Novikov (lui aussi, comme il apparut, arrêté depuis peu !) et encore d'autres officiers arrêtés, aux termes desquelles Joukov, soi-disant, préparait un complot militaire : quel délire !! quel cerveau accueillerait cela !! Mais Rybalko, Rokossovski, Vassilevski se précipitèrent en chœur et entreprirent de défendre Joukov, merci. Et ils convainquirent

Staline, et Staline le sauva des violences de Béria ; on se contenta de l'envoyer commander la région militaire d'Odessa.

Une chute vertigineuse, douloureuse, mais tout de même pas la prison.

Seulement voilà, écrire de sa propre main dans ses souvenirs que pour prix de toutes ses victoires au retentissement mondial, un quadruple Héros de l'Union soviétique – le seul à l'être dans le pays – a été abaissé au rang de commandant de région militaire, eh bien, la plume s'y refuse, c'est une honte devant l'Histoire, il faut se débrouiller pour n'en rien dire.

Mais ce n'était pas encore le bout du malheur. Deux ans ne s'étaient pas écoulés qu'on arrêta le général Téléguine, membre du Conseil militaire de Joukov à la fin de la guerre (et, comme on ne l'apprit que bien plus tard, on lui avait fait sauter toutes ses dents, il avait perdu la raison, d'ailleurs on avait aussi torturé Novikov, pour le relâcher ensuite), et Joukov comprit alors que Béria était entré en campagne contre lui. Et il eut à ce moment son premier infarctus.

Abakoumov et Béria, sans crier gare, firent une descente dans la datcha de Joukov (cadeau de Staline pour avoir sauvé Moscou, celle où, en ce moment même, il était en train d'écrire ses mémoires), prétendument pour vérifier si la documentation était bien gardée ; ils fouillèrent dans ses tiroirs, ouvrirent le coffre-fort, y trouvèrent de vieilles cartes d'opérations qu'il aurait fallu remettre, faire cela au Commandant en chef ! Et ils torchèrent un blâme sévère.

Non, ils ne l'arrêtèrent pas pour l'instant : Staline le sauva, intercéda ! Mais on l'exila dans la région militaire de l'Oural, non frontalière, celle-là. Comme cela ressemblait à l'exil de Toukhatchevski en 1937 dans la région militaire de la Moyenne Volga ; lui, seulement, on l'avait arrêté aussitôt dans le train. C'est à cela qu'il s'attendait, aujourd'hui. Et il tenait toute prête une petite mallette avec du linge et quelques objets.

De la gloire – à revendre. Du pouvoir – en veux-tu, en voilà. Et rejeté dans l'inaction, dans une inaction douloureuse, alors qu'on a conservé toutes ses forces, son intelligence, son talent, toutes les connaissances stratégiques accumulées.

Il lui arrivait de penser : mais enfin, est-il possible que ce soit l'intention de Staline Lui-même ? (Il ne lui aurait pas pardonné ce cheval blanc lors du défilé de la Victoire ?...) Non, c'est Béria qui l'a embobiné, qui a calomnié Joukov.

Mais, d'autre part, il s'était trouvé dans le monde des forces antipopulaires qui avaient avantage à créer une situation de « guerre froide ». Et la guerre froide, Joukov n'y était d'aucune utilité, c'était vrai.

En ces années-là, cependant, il ne lui serait pas venu à l'idée de s'asseoir à une table pour y écrire ses mémoires : c'eût été pour ainsi dire reconnaître que sa vie était finie.

Staline, lui, n'avait pas oublié son capitaine calomnié mais fidèle. En 1952, il l'admit au congrès du Parti et comme membre suppléant du Comité central. Il le ramena à Moscou et lui préparait une fonction importante dans une nouvelle et complexe conjoncture.

Mais, subitement, il mourut...

Mémoire éternelle !

La conjoncture devint de plus en plus complexe. Béria jouait les caïds, mais il n'était pas le seul. Et Joukov redevint Commandant en chef des armées de terre et premier adjoint du ministre de la Défense nationale.

Deux mois encore passèrent, et on eut alors grand besoin de Joukov ! Khrouchtchev et Malenkov le convoquèrent : demain, au Bureau politique (rebaptisé en un moins voyant Présidium), l'ordre du jour portera : la question militaire, tu seras appelé dans la salle, et il faudra arrêter sur-le-champ Béria ! Nous ne sommes que trois à le savoir, pour l'instant. Prends avec toi deux ou trois généraux sûrs, et, bien entendu, des aides de camp et des armes.

Et, à l'heure fixée, ils étaient assis là, dans l'antichambre, attendant qu'on les appelle (les généraux se demandaient pourquoi on les avait fait venir, il ne le leur expliqua que juste avant d'entrer en séance, assignant à certains de rester en faction aux portes avec des pistolets). Il entre, fait quelques pas et hop ! au pas de course jusqu'à Béria ! il le saisit par les coudes avec une force d'ours, l'arrache d'une saccade à la table : des fois qu'il aurait là un bouton pour appeler sa garde ? Et de lui brailler : « Tu es arrêté !! » Fini, ton petit jeu, salaud, Ordure des ordures ! (Le Bureau politique reste assis, personne ne bouge, aucun d'eux n'aurait eu assez de cran.) Il se rappela alors un truc de Tambov, quand on faisait des prisonniers : l'aide de camp enlève à l'arrêté sa ceinture, découpe aussitôt ou arrache les boutons du pantalon, l'autre n'a plus qu'à le retenir à deux mains. Et ils l'emmènent. Le déposent, étroitement enroulé dans un tapis, un bâillon dans la bouche, sur le plancher d'une spacieuse limousine, autrement la garde arrêtera le véhicule à la sortie du Kremlin. Quatre généraux prennent place dans la voiture, le poste de garde n'a plus qu'à rendre les honneurs. Et ils conduisirent le cochon à l'état-major de la Région militaire, dans le blockhaus de la cour intérieure, et ils rameutèrent encore des tanks, canons pointés sur le blockhaus. (Et la présidence de la cour martiale revint à Koniev.)

Seulement voilà : cet instant si doux, pas possible non plus de l'insérer dans les mémoires. Pas rationnel. Ne favorise pas la cause du Parti communiste. Or nous autres, nous sommes avant tout des communistes.

Après cette opération, la Direction collective convia de nouveau Joukov à un travail réel. Lorsqu'il fut devenu ministre de la Défense nationale, le Patron de l'armée, avec toute sa force et sa puissance. Et à quel moment responsable : celui du développement de l'arme atomique ! (Khrouchtchev et lui firent ensemble un voyage amical dans l'Oural, aux camps militaires de Totskoïé, pour procéder à une expérience de survie avec nos troupes, quarante mille hommes dans la nature après une explosion atomique : la mise au point d'un coup tactique préventif contre l'Otan.) Il préparait l'Armée à de grandes missions, fût-ce même contre l'Amérique.

Puis il fit le voyage de Genève pour une rencontre « au sommet » des pays alliés. (Et il y rencontra son collègue Eisenhower : déjà Président, vous vous rendez compte !)

Comme il arrive dans la vie, les bonheurs comme les malheurs se suivent : il se maria pour la seconde fois, avec Galina, plus jeune que lui de trente et un ans. Et une fille de plus naquit, la troisième, d'autant plus chère que c'était une petiote. Comme sa petite-fille...

Il n'avait plus aucune hargne envers Staline, non. Tout ce qu'il avait enduré au cours de ses dernières années, tout cela était rayé de sa mémoire. Staline était un grand homme. Et comme on avait bien collaboré ensemble à la fin de la guerre, que de réflexions, de décisions conjointes...

Seulement, le XXe Congrès a ébranlé les consciences. Que d'abus se sont révélés, tout de même ! Que d'abus ! Rien que d'y songer est impensable.

Au XXe Congrès, il est devenu membre suppléant du Bureau politique.

Et à la suite du Congrès, certains généraux – tantôt tout seuls, tantôt par deux – se sont mis à approcher le tout-puissant ministre de la Guerre : « Guéorgui Konstantinovitch, enfin, nous n'avons plus besoin dans l'armée de sections politiques, de commissaires, ils ne font que nous lier les mains. Délivrez-nous d'eux, aujourd'hui personne ne peut vous mettre de bâtons dans les roues. » – « Et aussi de ces agents du Smersch[1], qui sont autant d'échardes. Des Sections spéciales, aussi ! Ça serait tout à fait dans l'esprit du Congrès. »

Et cela, plus d'une fois, tantôt en catimini, tantôt en petite compagnie arrosée (seul Joukov ne se laissait jamais aller à boire un coup de trop) : c'est bien tout de même l'armée *russe*, n'est-ce pas, qui a vaincu Hitler ; alors, qu'est-ce qu'ils ont de nouveau à nous faire tourner en bourrique ? Alors, le moment ne serait-il pas venu, Guéorgui Konstantinovitch, mon cher... ? Et même, carrément : voyons, aujourd'hui, le ministre des Forces armées est autrement plus fort que tout le Bureau politique pris dans son ensemble. Si bien que, n'est-ce pas... ? peut-être bien que... ?

Joukov se prit même à réfléchir : c'était peut-être vrai ? La force, elle était toute concentrée dans ses mains, il avait conservé son

---

1. Voir *supra* note p. 137.

coup d'œil militaire, et renverser tous *ces gens-là*, du point de vue opérationnel, n'était pas sorcier.

Mais si tu es un communiste ? Mais comment entrer dans ces dispositions d'esprit dès lors que nous sommes redevables de la victoire, si, si, à l'appareil politique aussi, et à celui du Smerch ?

Non, les gars. Ça ne va pas.

Mais il y eut des fuites, le bruit se répandit dans Moscou, si ce n'est dans l'armée. Et déjà, au Bureau politique, on posait des questions inquiètes à Joukov.

Lequel donna des assurances aux camarades : Mais qu'allez-vous chercher là ? Mais je n'ai jamais été contre l'institution que sont les sections politiques dans l'armée. Nous sommes des communistes et le resterons à jamais.

Ainsi fut surmontée la crise dans les esprits en 1956.

Joukov venait d'avoir soixante ans, en pleine verdeur, et, de nouveau, on eut besoin de lui à cause des dissensions au sein de la Direction collective. Tous ses membres ou presque s'étaient dressés contre Khrouchtchev : il joue trop au petit chef, il chausse les bottes de Staline, il va sans doute falloir le déposer. Khrouchtchev se rua chez Joukov : « Sauve-moi ! »

Pour le sauver, il fallait rassembler les voix du Comité central : au Bureau politique, Khrouchtchev était complètement minoritaire, mais ses ennemis avaient refusé de réunir le Comité.

Rien de plus facile ! Sept dizaines d'avions militaires furent envoyés par Joukov et tous les membres du Comité central furent acheminés à Moscou en un rien de temps. Grâce à eux, Khrouchtchev prit le dessus. Et il dénonça et maudit le groupe antiparti de Molotov-Malenkov-Kaganovitch et de leurs ralliés, puis encore d'autres ralliés. (Aussi bien Boulganine que Vorochilov s'étaient joints à eux.)

Ayant sauvé la Patrie du fascisme germanique, du renégat Béria et du groupe antiparti, Guéorgui Joukov, trois fois couronné par ces succès, était maintenant le digne fils, le fils aimé de la Patrie.

Et il n'aurait jamais eu l'idée futile de s'amuser à écrire des Mémoires.

Justement, il fallait se rendre en visite officielle en Yougoslavie et en Albanie. Il partit avec une flotille de bateaux de guerre à travers la mer Noire, la Méditerranée, l'Adriatique – une formidable promenade pour quelqu'un qui n'y était pas habitué.

Et il apprit à Belgrade qu'à Moscou, il était r e l e v é de son poste de ministre des Forces armées.

Qu'est-ce que c'était que ça ??? Un malentendu ? une redénomination, un redéploiement ? il allait avoir un nouveau poste, équivalent ou même plus important ?

Son cœur se serra. Il avait la poitrine vide ; le vide se faisait autour de lui, au cours de ces visites. Il s'en revint en hâte, dans l'espoir de s'expliquer tout de même avec Khrouchtchev : celui-ci ne pouvait tout de même pas ne pas se souvenir de lui en bien, ce Khrouchtchev *deux fois* sauvé par Joukov !

Eh bien, non seulement il ne se souvenait de rien, mais, paraît-il, il avait déjà déclaré au Comité central et dans les cercles du Kremlin : J o u k o v e s t u n e p e r s o n n a l i t é d a n g e r e u s e ! Un bonapartiste ! Joukov veut renverser notre cher pouvoir soviétique ! Et puis, à Moscou, qui était là, juste au pied de l'avion : Koniev ! qui accompagna Joukov au Kremlin où il fut exclu illico du Bureau politique et du Comité central.

Depuis Belgrade, il n'avait rien pu faire. Mais, une fois parvenu à Moscou, il y fut neutralisé, tout était changé et il ne lui restait plus une seule ligne de liaison.

Alors seulement ! oui, ce fut alors, avec l'esprit de l'escalier, que Guéorgui Konstantinovitch comprit ce qui s'était passé : il était une trop grosse pointure pour Khrouchtchev. Une personnalité qu'il était au-dessus de ses forces de tolérer à ses côtés.

Allez donc vous expliquer : dans la *Pravda*, Koniev – toujours lui !!! – publia un article ignoble c o n t r e Joukov. Koniev ! sauvé par Joukov du conseil de guerre de Staline en ce même mois d'octobre, justement, en Quarante-et-un.

De sa vie il n'avait éprouvé pareil affront, pareille humiliation, pareille offense. (Staline, oui, celui-là avait droit au Pouvoir, mais celui-ci, cette pustule de maïs ?) Il était si accablé qu'il se mit à s'abrutir de somnifères : un somnifère pour la nuit, un premier, un second ; au réveil, son cœur se ronge, de nouveau un somnifère. Et encore un pour la nuit. Et, de nouveau, dans la journée. Et il se força ainsi au sommeil pendant plus d'une semaine, pour surmonter.

Et ce n'était pas fini ; on le chassa complètement de l'armée : à la retraite. Et ce n'était toujours pas fini : à la tête de la Direction politique de l'Armée et de la Flotte, Khrouchtchev avait placé encore le dénommé Golikov, l'ennemi juré de Joukov, et c'était justement Golikov qui, en ce moment même, cherchait à mettre un terme à tous les déplacements du maréchal en disgrâce, à toutes les visites que pourraient lui rendre les amis qui ne l'avaient pas abandonné, ici, dans cette datcha au milieu des bois, sa maison à l'absurde colonnade. (Merci tout de même à eux pour ne l'avoir pas reprise, cette datcha.)

Et c'est à ce moment-là que Joukov eut son deuxième infarctus (si ce n'est pire).

Et il s'en sortit, mais n'avait plus rien de l'homme de fer qu'il était auparavant. Tout son corps semblait s'être empâté, affaibli sans retour. Son cou aussi s'était amolli. Et son impitoyable menton, célèbre dans le monde entier, était devenu flasque. Ses joues avaient gonflé et ses lèvres paraissaient remuer plus difficilement, de façon inégale.

Pendant un temps, des infirmières se relayèrent dans la datcha vingt-quatre heures sur vingt-quatre.

Désormais ne restaient plus avec Joukov que sa femme (médecin, elle était le plus souvent à son travail), sa toute petite fille, sa belle-mère et un vieux chauffeur éprouvé depuis l'époque du front. Il suivait avec intérêt et sympathie les notes qu'obtenait Machenka à l'école de musique. (Lui-même avait toujours rêvé de jouer de l'accordéon et, après Stalingrad, il avait trouvé le temps d'apprendre un peu. Et, aujourd'hui qu'il avait des loisirs, il en jouait de temps en temps. Il avait envie de jouer *Les Colporteurs*, *Le Lac Baïkal* et une chanson du front : *Nuit obscure*.) En voiture, il n'allait qu'à son lieu de pêche favori. Autrement, il se promenait à pied, dans son terrain au milieu des bois, s'occupait de ses fleurs, par mauvais temps errait dans sa salle à manger, du gros buffet de chêne à son buste, œuvre de Voutchétitch, et au modèle réduit du char T-34.

La vie extérieure, elle, suivait son cours comme si de rien n'était. Il se publiait une histoire en plusieurs volumes de la Grande Guerre pour la défense de la patrie, mais personne n'était jamais venu demander à Joukov le moindre renseignement... Et son nom même, autant que possible, était passé sous silence, relégué à l'arrière-plan. Et, dit-on, sa photographie avait été retirée du musée des forces armées. (À part Vassilevski et Bagramian, qui lui rendaient visite, tous s'étaient détournés de Joukov. Quant à Rokossovski, on l'avait envoyé commander l'armée polonaise.)

Et justement, en ce moment, il y avait des tas de maréchaux et de généraux qui s'étaient précipités pour écrire leurs mémoires et les publier. Et Joukov était frappé par leur jalousie réciproque, par la façon dont ils se mettaient en avant, s'efforçaient de confisquer l'honneur de leurs voisins et de rejeter sur ces mêmes voisins leurs propres gaffes et erreurs. Ainsi Koniev venait d'aligner ses souvenirs (ou on les lui avait écrits) : il y est toujours net et clair et s'arroge sans vergogne la gloire des succès remportés par le modeste et talentueux Vatoutine (tué par les partisans de Bandéra). Et, bien sûr, sachant qu'il est sans défense, qui n'a pas daubé sur Joukov ! Le maréchal de l'Artillerie Voronov en est venu à s'attribuer et le plan des opérations à Khalkhin Gol, et leur succès.

Et justement, c'est à ce moment que Joukov s'attela lui aussi à la rédaction de ses souvenirs. (Mais sans secrétaires, à la main, en traçant lentement les lettres, tout doucement. Un de ses anciens officiers d'ordonnance, merci à lui, l'aidait à vérifier faits et dates dans les archives militaires : lui-même, à présent, se sentait gêné d'aller aux Archives du ministère, sans compter qu'il risquait de se heurter à un refus.)

D'une façon générale, les mémoires militaires sont une chose à la fois inévitable et nécessaire. Voyez les Allemands, qu'est-ce qu'ils n'ont pas aligné déjà ! Voyez aussi les Américains, alors que, comparée à la nôtre, qu'a été leur guerre ? On publie aussi les souvenirs sans apprêt de nos officiers, même subalternes, de nos sergents et aviateurs : tout cela aura son utilité. Mais quand c'est un général, un maréchal qui prend la plume, il doit montrer son sens des responsabilités.

Il écrivait et ne trouvait en lui ni hargne, ni hâte de polémiquer avec eux tous. (D'ailleurs, Vassilevski avait déjà dit leur fait à un certain nombre de gens de mauvaise foi.) L'intransigeance, elle est nécessaire au combat, pas ici. Il ne trouvait en lui de rancune ni à l'égard de Koniev, ni à l'égard de Voronov. Les mois et les années de disgrâce avaient passé, et son cœur s'était apaisé, réconcilié. Toutefois, dans l'Histoire, il est impossible de laisser subsister des injustices. Avec douceur, oui, mais il faut rectifier les camarades, remettre tout à sa place. Avec douceur, pour ne pas les exciter à se chamailler en partageant le gâteau commun de la Victoire. Et là où il avait lui-même failli à ses obligations, à sa tâche, ne pas le cacher non plus dans ses souvenirs. Car ce n'est que par nos erreurs que peuvent s'instruire les futurs généraux. Il faut écrire la vérité vraie.

Même si la vérité, de façon irrésistible, irréversible, pour ainsi dire, change avec le cours de l'Histoire : sous Staline, il y en avait une, eh bien voyez maintenant, sous Khrouchtchev il y en a une autre. Et il reste de nombreux points desquels, aujourd'hui encore, il est prématuré de parler. Oui… La guerre, et point final. Ce qui a suivi, je n'y tiens pas et je ne peux pas.

Et voici que, soudain, le jaboteur passe à la trappe ! il n'a pas trouvé de Joukov, cette fois, pour le tirer d'affaire.

Mais la situation du maréchal disgracié ne changea pas pour autant ni en une semaine, ni en un mois : la disgrâce continuait de planer sans avoir été reconfirmée par personne (Golikov était décédé), ni non plus annulée par personne : qui allait, le premier, oser prononcer le mot libérateur ?

Il se permit une chose, pourtant : un voyage dans la province de Kalouga, dans son village natal ; il en avait très envie, cela faisait bien un demi-siècle qu'il n'y avait plus séjourné. Il en fut tout marri : il revit celles avec qui il avait dansé dans sa jeunesse, toutes des vieilles femmes, et miséreuses, miséreuses, et le village – d'une misère... « Enfin, voyons, comment cela se fait-il que vous viviez si pauvrement ? – C'est défendu d'être plus riche... »

Mais, à présent, approchait le vingtième anniversaire de la Victoire, et les nouveaux dirigeants ne pouvaient pas ne pas inviter Joukov à la séance solennelle au palais du Kremlin. Sa première apparition en public depuis sept ans. Et, pour suivre et de façon inattendue, un banquet à la Maison des Écrivains. Et la chaleur de l'accueil que lui réservèrent les hommes de lettres toucha et surprit le maréchal. – Et il y fut convié une seconde fois, la même année, pour le jubilé d'un écrivain militaire de ses relations. Il s'y était rendu en civil, on le mit au présidium. Et le jubilé de suivre son train, où il n'était qu'un invité extérieur, mais quand, au cours de la demi-douzaine de discours sans lien direct, le nom de Joukov fut prononcé, la salle remplie d'écrivains applaudit à tout rompre, et par deux fois même tout le monde se leva.

Ah mais !...

Joukov se permit de faire un tour à Podolsk, siège des Archives centrales du ministère de la Défense nationale, et d'y feuilleter certains documents des années de guerre, ainsi que ses propres ordres. Et, à présent, il se trouva même des archivistes pour lui venir en aide. Désormais, sa datcha déchue, oubliée de tous, voyait passer un courant régulier tantôt de correspondants de presse, tantôt de cinéastes, et arriva une dame d'une certaine maison d'édition A.P.N.[1] pour conclure un contrat à propos de ses mémoires, lui demandant de les achever en six mois (il les avait d'ailleurs déjà rédigés jusqu'à Berlin). Le livre pourrait-il sortir pour son soixante-dixième anniversaire et leur céderait-il les droits pour l'étranger ? Bon, bon, je vous en prie.

Encore récemment, personne ne lui posait de questions sur ces feuillets de souvenirs, personne ou presque ne les connaissait, et maintenant on en avait besoin, et le plus vite possible, et d'un seul coup pour le monde entier !

---

1. Dépendant de l'agence Novosti. *(NdT.)*

Maintenant, il faut aller bon train pour tenir les délais ? Mais ce travail de réflexion, d'examen minutieux à une table de travail, il n'est absolument pas fait pour un guerrier professionnel. Il est plus facile, disait-on, de faire avancer une division de cinq kilomètres que de traîner sa plume jusqu'au bout de telle ou telle ligne.

Mais les visites des rédactrices se font de plus en plus fréquentes : une première, puis une autre. Et de proposer en outre un magnétophone ; elles ont leurs mots tout prêts, et des phrases entières, et qui sonnent à merveille. Par exemple : « Le travail politique du Parti a été la condition la plus importante de la préparation de nos rangs au combat. » Au début, cela ne va pas sans susciter en toi une certaine résistance : c'est toi en personne – et que de fois ! – qui l'as constituée, la préparation au combat, c'est toi qui sais de quoi elle est faite. Mais, à y réfléchir en prenant son temps : le travail politique ? Bon, pas la plus importante, mais une des plus importantes. Ou bien : « Les organisations du Parti et du Komsomol ont consacré beaucoup de force morale à élever le niveau combatif des troupes. » À y regarder de plus près, cela aussi est vrai et n'entre pas en contradiction avec les efforts opérationnels du commandement. – Ou encore, elles t'apportent des documents d'archives que tu n'as jamais contrôlés en personne et que tu n'as pas aujourd'hui les moyens de vérifier. Par exemple, noir sur blanc dans les rapports adressés par les sections politiques : « En 1943, nos glorieux partisans ont fait sauter onze mille trains allemands. » C o m m e n t cela a-t-il pu être ?... Mais, en fin de compte, ce n'est pas exclu : peut-être fait partiellement sauter, ici quelques wagons, là une roue, ailleurs une entrée de voiture.

Il demanda à l'A.P.N. de s'informer auprès du KGB : ne serait-il pas possible de voir les rapports que Béria et Abakoumov avaient rédigés contre le maréchal ? La question fut posée : justement, ces chemises ont toutes été détruites comme n'ayant pas de valeur historique.

Voici, en revanche, ce qu'il apprit : avait été publié, et depuis un bon bout de temps, par l'interprète de notre armée à Berlin, qu'elle avait participé en mai 1945, à la Chancellerie du Reich, à l'identification, au moyen des prothèses dentaires, du cadavre d'Hitler qu'on avait trouvé là. Comment ? D'abord, l'a-t-on vraiment retrouvé, le cadavre d'Hitler ? Joukov, Commandant en chef, le vainqueur de Berlin, ni alors, ni plus tard, n'en avait jamais rien su ! On lui avait dit à l'époque que seul le cadavre de Goebbels avait été découvert. C'est même ce qu'il avait déclaré alors à Berlin : non, sur Hitler, on ne sait rien. Il a vraiment l'air d'un imbécile, aujourd'hui ! Ses subordonnés avaient fait un rapport secret sur cette découverte, directement à Staline, en passant par-dessus Joukov : comment avaient-ils eu cette audace ? Et Staline non seulement n'avait rien révélé à Joukov, mais il avait demandé lui-même à Joukov s'il savait ce qu'était devenu Hitler !...

Non, Joukov n'arrivait pas à se représenter une pareille perfidie, et aussi incompréhensible.

Et lui qui pensait, pendant ces années de guerre, avoir vraiment, vraiment connu Staline...

Et comment donc avouer cela aujourd'hui, dans ses mémoires ?... Du reste, ce serait, politiquement aussi, incorrect.

Voilà encore une tromperie qu'il eut du mal à vivre. (Il demanda aussi à cette même interprète de lui procurer des documents que lui-même n'avait pu obtenir.)

Finalement, Joukov ne fut pas réintégré au Comité central. (Souslov était contre, disait-on.)

Mais Koniev vint un jour. S'avouer coupable.

Au prix d'un effort sur lui-même, il lui pardonna.

Tant bien que mal, il remit son manuscrit à la maison d'édition dans les délais promis. Mais qu'on était loin du livre ! À présent, c'était cette A.P.N. qui avait constitué un groupe de consultants « pour vérifier les faits ». Et, mois après mois, ils apportaient des *suggestions*, de nouvelles formulations... cinquante pages dactylographiées de remarques.

Il était bien question, maintenant, de sortir le livre pour ses soixante-dix ans ! Le travail se mit à traîner en longueur à cause de ci, à cause de ça... Il fallut supprimer, remanier bien des choses. Les portraits de Toukhatchevski, Ouborévitch, Iakir, Blücher : à supprimer tous. Et puis, du nouveau apparut encore : ce n'est pas toi qui écris ce que tu as sur le cœur ; tu te demandes : est-ce que ça *passera* ? est-ce qu'on l'*autorisera* ou non ? est-ce que c'est opportun ou bien est-ce que ça ne l'est pas ? (D'ailleurs, tu en tombes toi-même d'accord : oui, c'est juste. Exact.)

Avant, il écrivait tout simplement pour lui-même, tranquillement, tout doucement. Mais maintenant, tu as une telle envie de voir le livre sous presse ! Et il cédait, et il remaniait. Pendant deux ans et demi, ces rédacteurs lui en firent voir de toutes les couleurs, et toujours pas de livre. À ce moment, on apprit que la Direction politique de l'Armée et le nouveau promu maréchal Gretchko, pour une raison ou pour une autre, étaient contre ces mémoires. Brejnev accéda à leurs désirs et se fendit d'une résolution : « Constituer une commission d'autorités pour contrôler le contenu. »

Entre-temps, en son cher mois de décembre (celui de sa naissance et de sa victoire sous les murs de Moscou), Guéorgui Konstantinovitch se rendit avec Galia au sanatorium militaire d'Arkhanghelskoïé. Et là, il eut une grave attaque d'apoplexie.

Il mit longtemps à se rétablir. Il se leva, mais il était encore moins le même. Au début, il était absolument incapable de marcher sans aide extérieure. Massages et gymnastique corrective se mirent à occuper plus de la moitié de ses journées. Pour ne rien dire d'une inflammation du nerf trijumeau.

Et sa tête n'allait pas fort.

Son futur livre lui était devenu, pour ainsi dire, indifférent. Pourtant, il voulait vivre assez longtemps encore pour le voir.

L'été dernier, nos troupes sont entrées en Tchécoslovaquie. Et elles ont bien fait : il était impossible de laisser se déchaîner de tels désordres.

Les inquiétudes de la Patrie avaient toujours plus ému Joukov que les siennes propres.

Du point de vue militaire, en tout cas, c'était une opération menée avec une grande classe. Parfait, parfait, notre école continue.

La troisième année du travail de rédaction venait de s'achever. Et on lui fit savoir ouvertement que Léonid Ilitch[1] désirait être nommé, lui aussi, dans ses souvenirs.

Allons bon… Et de quoi diable pouvait-il *se souvenir* à propos du commissaire politique Brejnev, dès lors que, pendant les années de guerre, il ne l'avait jamais rencontré, pas même dans cette minuscule tête de pont près de Novorossiïsk ?

Mais il fallait sauver l'ouvrage. Il inséra deux ou trois phrases.

Après quoi Brejnev *en personne* autorisa le livre.

De nouveau en décembre, mais pour les soixante-douze ans de Joukov, le bon à tirer fut donné.

Se réjouir ? Ne pas se réjouir ?

Enfoncé dans un fauteuil profond, noyé dans l'inaction, il restait là, assis. Et il se souvint : il se remémora les applaudissements frénétiques à la Maison des Écrivains – trois ans seulement de cela ? Il revit la salle se lever, se lever, martelant dans ses paumes sa gloire immortelle.

Des applaudissements qui étaient comme la répétition insistante des allusions et des espérances des généraux après le XXe Congrès.

Son cœur se serra. Peut-être bien, oui, peut-être bien que c'est *alors* qu'il aurait fallu se décider ?

Oh là là, apparemment, il n'aurait donc été qu'un idiot, un imbécile ?

1994-1995.

---

1. Brejnev. *(NdT.)*

C'EST ÉGAL

traduit par Lucile Nivat

I

Dans leur régiment de réserve, le repas du soir était servi à dix-huit heures, l'extinction des feux n'était pourtant qu'à vingt-deux heures : quelqu'un avait judicieusement calculé qu'avant le sommeil on n'a plus déjà si faim et qu'après tout qui dort dîne.

Les feux s'éteignaient donc à vingt-deux heures, mais pendant les sombres soirées de novembre aucune instruction politique ne suffisait à remplir le temps, de surcroît la lumière dans les casernes était chiche, de sorte qu'on n'empêchait pas les soldats de se coucher plus tôt, pour cela l'appel du soir se faisait également plus tôt.

Le commandant de compagnie lieutenant Pozouchtchane, qui se tenait plus droit qu'un i, moins par l'effet du service militaire – on leur avait fait terminer l'école en vitesse – que parce qu'il était habité par la conscience intime de son devoir et des moments terribles que traversait l'Union soviétique (il avalait amèrement les communiqués radio sur les combats à Stalingrad – il était clair qu'on tenait le coup au prix des plus grandes difficultés – et il aurait même voulu qu'on envoyât là-bas leur régiment) – le lieutenant Pozouchtchane, donc, était la proie d'inquiétudes sans fin pendant ces mornes soirées. Il n'arrivait même pas à s'endormir. Et aujourd'hui, à vingt-trois heures passées, il décida brusquement d'aller inspecter les locaux de sa compagnie.

Dans les chambrées des première et deuxième sections, tout le monde dormait, les petites ampoules bleues de camouflage brûlaient faiblement. Et les poêles étaient déjà sombres et froids (on chauffait avec des poêles en tôle dont les conduits de fumée – provisoires – sortaient à l'extérieur par un trou dans la vitre. La vieille installation « Amos » de ce bâtiment ne fonctionnait plus depuis longtemps).

Mais dans la troisième section non seulement le poêle brûlait encore, mais cinq soldats en vestes et pantalons ouatinés, assis à même le sol, faisaient cercle tout autour.

Et, à l'entrée du lieutenant, ils sursautèrent. Furent d'un bord sur leurs pieds.

Mais sur le moment le lieutenant n'y prêta pas attention et commanda de se rasseoir, se contentant de les engueuler à voix basse – il ne fallait pas réveiller les autres : pourquoi ne dormaient-ils pas, et où avaient-ils trouvé du bois ?

Le deuxième classe Kharlachine répondit aussitôt :

« C'est des copeaux qu'on a ramassés quand on est allés au champ de tir, cam'rade lieut'nant. »

Admettons.

« Et pourquoi vous ne dormez pas ? Vous avez des forces en trop ? Faut les garder pour le front. »

Grognement prolongé en réponse, rien de clair.

Bon – c'est leur affaire, en fin de compte. Ils sont sûrement en train de se raconter quelques histoires de femmes.

Et il va faire demi-tour quand il est pris d'un soupçon. Pourquoi si tard ? (c'est clair qu'ils ne l'attendaient pas !) Et ce feu dans le poêle, il est faiblard, pas du genre qui réchauffe !

« Odiorkov, ouvre la porte du poêle ! »

Odiorkov est tout à côté, mais il n'a pas l'air de comprendre : quelle porte ?

« Et alors, Odiorkov ! »

Assis par terre, distingue le lieutenant, il y a aussi le sergent Timonov, leur chef de groupe.

Les soldats sont comme pétrifiés, personne ne bouge.

« Vous attendez quoi ? Ouvre, j'ai dit. »

Odiorkov lève une main qui semble de plomb. Il attrape le loquet, le tire vers le haut à grand-peine.

C'est chose faite.

Il tire vers soi, maintenant, tout aussi laborieusement.

À l'intérieur du poêle, au milieu de braises rougeoyantes, une gamelle ronde et encrassée.

Et – même au travers des lourdes effluves des bandes molletières qui sèchent çà et là dans la pièce – on sent une odeur de bouillon.

« Qu'est-ce que vous faites cuire ? » demande le lieutenant toujours à voix basse – faut pas réveiller toute la section – mais d'un ton très sévère.

Et les cinq comprennent clairement qu'il ne lâchera pas, va falloir répondre.

Timonov se lève. Chancelant. Esquisse un garde-à-vous, mais ses bras sont flasques. Encore un pas vers le lieutenant pour qu'on entende encore moins :

« Pardon, cam'rade lieut'nant, on était de service aux cuisines aujourd'hui. On a pris deux ou trois patates. »

Ah voilà ! réalise à cet instant précis Pozouchtchane : aujourd'hui et jusqu'à demain leur bataillon est de corvée de régiment et, par conséquent, lui l'avait oublié, l'adjudant-chef de leur compagnie devait envoyer une équipe à la corvée de cuisine. Et c'est ce qu'il a fait…

La vue du lieutenant est près de s'obscurcir… ou plutôt non, c'est dans sa poitrine que tout est devenu noir. Quelque chose de fangeux qui remonte. De la boue.

Et toujours aussi bas, sans franches injures, mais d'une voix douloureuse, il gémit ces mots lancés dans une plainte aux cinq hommes tous levés maintenant :

« Mais vous avez perdu la tête ? Enfin, vous comprenez ce que vous faites ? Les Allemands sont déjà à Stalingrad, le pays est à bout de souffle, chaque grain est compté, et vous, vous êtes occupés à quoi !? »

Quelle bande d'irresponsables, sans mémoire ni conscience… Que peut-on encore faire entrer dans leurs crânes opaques ?

« Timonov, sors cette gamelle. »

Il y a une moufle par terre. Timonov saisit l'anse brûlante en prenant soin de ne pas accrocher les braises, il soulève la gamelle et la sort avec précaution.

Le bas du récipient est encore piqueté de cendres incandescentes. Elles sont en train de s'éteindre. Timonov s'immobilise, la gamelle à la main.

Et les quatre attendent que s'abatte la catastrophe.

« Mais pour un forfait pareil… on passe en jugement ! Rien de plus simple. Suffit de transmettre vos noms au Bureau politique. »

À ce moment remue encore en lui autre chose de désagréable. Voici quoi : Timonov en personne était venu un jour le voir pour lui demander si ça n'était pas possible, de la part du régiment, d'envoyer à son kolkhoze, au Kazakhstan, une lettre de soutien à sa famille, une chicane dont le lieutenant avait oublié le détail, mais, en tout cas, il était clair qu'on ne pouvait pas l'aider, l'état-major ne signerait pas ce genre de papier.

Et le rapprochement des deux faits donne quelque chose de bizarre : soit Timonov n'en devient que plus coupable, à moins qu'au contraire il le soit moins.

Les pommes de terre cuisaient dans leur pelure. Une vingtaine apparemment, pas très grosses.

Et cette odeur irritante…

« Va vider l'eau dans l'évier et reviens, vite ! »

Timomov part, mais en traînant les pieds.

À l'avare lumière, le lieutenant examine les visages de ses soldats muets. Les expressions sont chagrines, difficiles à déchiffrer. Lèvres serrées. Yeux baissés ou qui se détournent. Mais qu'on puisse vraiment lire du repentir sur l'une ou l'autre de ces physionomies, ça non !

Où en est-on ? Où en est-on ?

« Si nous commençons à voler le bien de l'État, vous croyez qu'on réussira à gagner la guerre ? Réfléchissez donc un peu ! »

Visages inexpressifs et impénétrables.

C'est pourtant avec eux qu'on partira. Pour vaincre. Ou pour se faire battre.

Voilà Timonov de retour avec la gamelle. En plus, qui peut dire si les patates sont bien toutes là...

Cuites à moitié.

« Demain on s'expliquera avec le commissaire, dit le lieutenant aux quatre autres. Allez vous coucher. » Et à Timonov : « Viens avec moi. »

Une fois dans le couloir :

« Réveille l'adjudant-chef, remets-les lui », ordonne-t-il.

Il resta longtemps avant de s'endormir : quel cas effroyable, et, qui plus est, dans sa propre compagnie ! Et lui qui avait failli ne rien voir ! En plus, ce n'était peut-être pas la première fois, ni la deuxième ? L'illégalité, le vol, et lui qui ne se doutait de rien et apprend tout par hasard...

Au matin, il soumit l'adjudant chef Gouskov à un interrogatoire serré. Gouskov jura qu'il n'était au courant de rien. Et que rien de semblable ne s'était produit jusqu'ici dans la compagnie

Cependant, tandis qu'il observait le visage sagace et les petits yeux mobiles de l'adjudant, Pozouchtchane, pour la première fois, s'interrogea : dans cela même qui lui plaisait chez Gouskov, son sens pratique, sa perspicacité et sa capacité à dénouer en un tournemain n'importe quelle difficulté – toutes choses qui simplifiaient tellement la vie du commandant de compagnie –, dans tout cela, justement, n'y avait-il pas aussi de la roublardise ?

Tôt le matin, avant même le petit déjeuner, le lieutenant se rendit chez le commissaire politique du bataillon Fatianov. C'était un être limpide, un homme extraordinairement sympathique, spontané, avec de grands yeux ronds très clairs. Il menait remarquablement les réunions d'instruction politique avec les soldats – sans bourrage de crâne, sans braillements mécaniques.

L'état-major du régiment avait à sa disposition deux modestes pièces dans une petite maison, de l'autre côté d'une large place d'armes où, quand il le fallait, on alignait l'ensemble du régiment de réserve, ou alors on défilait.

Pourri, il était pourri, ce maussade matin de novembre, avec son crachin. (Et comment était-ce, là-bas, sous Stalingrad ? Le communiqué du matin n'avait rien dit de clair.)

La première pièce était occupée par deux jeunes sergents-fourriers qui ne bougèrent pas quand le lieutenant entra. Le commissaire est ici ? – de la tête ils indiquèrent l'autre porte.

Il toqua, entrouvrit.

« Je peux entrer ? » fit-il en portant d'un geste irréprochable la main à la tempe (il commençait à bien y arriver, maintenant). « Je peux vous parler, camarade commandant ? »

Le commandant Fatianov était assis à la table du chef de bataillon, plus exactement sur le côté. Le chef de bataillon n'était pas là. L'autre table, près de la fenêtre, un peu plus grande et encombrée de papiers, était occupée par le chef d'état-major, le silencieux et doux capitaine Kraïégorski. Le commandant était sans manteau, mais il avait sa casquette sur la tête ; le capitaine, lui, était en tenue d'intérieur et on voyait ses cheveux strictement coupés et légèrement grisonnants, soigneusement plaqués contre ses tempes.

« Qu'as-tu à me dire, lieutenant ? » Affable et par avance légèrement amusé, comme il était toujours, le commandant s'était rejeté en arrière.

Sans cacher son émotion, Pozouchtchane lui fit un rapport complet des faits. Deux kilogrammes environ de pommes de terre emportés de la cuisine, cachés dans les poches. Et le soupçon n'est pas à écarter que cela a pu se produire aussi lors des autres corvées de cuisine. Et, pourquoi pas, dans les autres compagnies. Le cas relève tout droit du tribunal, mais, en même temps, une telle solution est hors de question. (Ce n'est pas seulement qu'on ait pitié de ces crétins, mais il est parfaitement déraisonnable, si nous allons au front, de dégarnir nous-mêmes les rangs du régiment.) Alors, quelles mesures prendre ? Comment punir ? Faire connaître ces faits à toute la compagnie ? Au bataillon ? Les tenir secrets ?

Les larges yeux clairs du commandant se contractèrent. Le regard qu'il posait sur le lieutenant se fit aigu. Il réfléchissait.

Réfléchissait-il vraiment ?

Il ne répondit pas tout de suite, loin s'en faut. D'abord il soupira. Porta la main à sa nuque – sa casquette glissa légèrement et la visière bascula sur son front. Il soupira une deuxième fois.

« Le cas est édifiant », dit-il avec très grande sévérité.

Puis il garda le silence.

Mûrissait-il une mesure ? un châtiment ?

« Toi que voici, lieutenant, tu n'étais pas là avec nous pendant qu'on reculait, durant tout l'été 41... Tu n'as pas vu tous les dépôts qu'on incendiait. Et avec ça – on raflait tout, tous tant qu'on était. Dans les villes comme à l'armée elle-même. Bon sang ! une vraie razzia généralisée !

– Non, je n'ai pas vu cela, camarade commandant. Mais je le sais aussi par l'école d'officiers : on vole. Et les intendants, et aux cuisines, et jusqu'aux adjudants. Nous, les élèves-officiers, on était toujours comme des chiens affamés, et on nous volait tout. Mais raison de plus pour combattre ces pratiques ! Si tout le monde vole, c'est nous-mêmes qui tordons les jambes à notre propre armée. »

Le commandant bâilla imperceptiblement.

« Bon-bon-bon. Tu vois juste. Et c'est comme ça que tu dois éduquer tes gars, car, pour tout dire, l'instructeur politique de ta compagnie n'est pas très fort. »

Le lieutenant, qui n'avait pas bougé, était un peu découragé. Il s'attendait, de la part du commandant, à une décision ferme et immédiate – et maintenant c'était le flou. Était-il possible que le commissaire dise des choses pareilles aux réunions d'instruction politique ?

À cet instant, la porte s'ouvrit toute grande et le caporal de bataillon en veste ouatinée neuve entra précipitamment. De la main gauche il tenait par l'anse exactement la même gamelle ronde, sans couvercle, seulement celle-ci était parfaitement propre et vert-olive.

« Camarade commissaire ! dit-il en levant vivement la main droite à son bonnet de fourrure, épreuve d'ordinaire ! Veuillez goûter. »

Un échantillon de l'ordinaire devait effectivement être prélevé et goûté par le commissaire de l'unité qui était de corvée de régiment. Mais, ici, l'« échantillon » faisait plus qu'une demi-gamelle de semoule de blé, ça nageait dans le beurre, du jamais-vu à la cantine du régiment.

« Bon-bon-bon », fit pour la deuxième fois le commissaire. Il enleva sa casquette et la posa sur la table, découvrant sa blonde chevelure bouclée qui lui donnait un charme auquel personne ne résistait.

Le caporal posa soigneusement la gamelle sur un coin de table que rien n'encombrait. À côté d'elle, il disposa trois cuillères de bois aux couleurs encore vives.

« Viens t'asseoir, capitaine », dit le commissaire au chef d'état-major. Et Kraïégorski se transporta, en même temps que sa chaise, d'une table à l'autre.

Le caporal salua et sortit.

De la gamelle montait une vapeur légère et une merveilleuse odeur.

« Le chef de bataillon n'est pas là, assieds-toi donc avec nous, lieutenant », proposa gentiment le commissaire, et ses yeux clairs pétillaient, oui, d'un semblant de malice. Pas aux dépens du lieutenant Pozouchtchane, oh non…

Non !!

« Merci », articula Pozouchtchane avec effort. Sa gorge était serrée, presque bloquée.

Et, la main à la visière, avec un sentiment inconnu d'amertume :

« Je peux me retirer ? »

Le commandant Fatianov arborait, lui, un clair regard approbateur, amical et compréhensif.

« La vie va son chemin, dit-il doucement. C'est égal, on a beau faire, on ne l'en détournera pas aussi simplement. La nature humaine ne se transformera pas, même avec le socialisme. »

Il plissa l'œil avec espièglerie :

« Les patates, donne-les-leur à finir de cuire. Ce serait dommage de les perdre. »

Le lieutenant refit son salut impeccable, pivota sur sa jambe gauche et poussa la porte.

II

Vous ne le croiriez pas, mais, à la veille de la guerre, depuis l'embouchure de l'Angara jusqu'à l'embouchure de l'Ilim, les barges chargées de sel étaient encore tirées à la corde par des haleurs qui, par endroits, s'aidaient de chevaux et, à certains bras de fleuve, attendaient que le vent les pousse. Ça ne les empêchait pas de faire trois transports par an.

Ensuite on avait mis en place une petite batellerie tout ce qu'il y avait de réglementaire, et, après son école professionnelle, Anatole (dit Tolik) avait conduit divers bateaux jusqu'à l'Iénissieï pendant douze ans encore. Mais, en 1974, on commença à édifier un barrage près de Bogoutchany, la batellerie disparut, on ne vit cependant pas plus de centrale électrique que de neige en juillet… Encore avant, le cours supérieur du fleuve, lui, avait été barré à Bratsk et à Oust-Ilim : restaient en tout et pour tout quatre centaines de verstes de vrai fleuve (dont, juqu'à Kejma, deux centaines seulement d'eaux vives et pures) et, sur ce fleuve tronqué, Anatole, cinquante ans (il était loin, le « petit Tolik » !) continuait de conduire fidèlement les bateaux qui se présentaient.

Comme aujourd'hui, justement. Capitaine et timonier à la fois, sa veste marine sérieusement élimée, il se tient dans le rouf au gouvernail d'un hors-bord – et dans le salon d'en bas il a pris des passagers. Et son cœur saigne pour ce dernier morceau de fleuve et pour ses berges, de vraies berges que rien n'a encore souillées : va-t-on *les* convaincre ? va-t-on réussir ?

La vitre latérale est poussée, il sent le souffle familier de l'eau...

La Léna, elle, a tout conservé – ses balises, ses alignements ; là-bas, il n'est que de faire le plus de croisières possible et tu peux t'acheter un appartement ! Tandis qu'ici, ces vingt dernières années, les balises ont toutes disparu, pourtant la profondeur de garantie n'est que de 60 centimètres. On pilote de mémoire, en réfléchissant, au coup d'œil : le creux, on le voit d'avance là où l'eau tourbillonne. On navigue en lisant le fleuve : faut deviner tous les quinze ressauts rocheux qu'y a jusqu'à Kejma à leurs petites ruptures de pente. Et surtout faut rien confondre : les collines au long des rives, les rochers, les surplombs, les avancées, les embouchures de ruisseaux ; l'œil novice, lui, il mêle tout, il distingue rien, comme dans un troupeau de moutons ou d'élans.

Justement, élans et ours ne traversent plus l'Angara à la nage : à cause du barrage sur l'Ilim, l'eau s'est considérablement refroidie. La Léna est autrement plus chaude.

Seulement voilà : son Angara, le capitaine l'aimait comme une épouse, il n'en aurait changé pour rien au monde.

Au-dessus du puissant fleuve, la journée de soleil s'embrase lentement et les flaques de lumière posées sur sa surface s'égalisent peu à peu.

Une quenouille de nuage blanc s'allonge, là-bas, loin derrière la rive droite. Mais elle va disparaître.

En juin, les eaux de l'Angara sont toujours calmes. À partir de la mi-août, par contre, le vent du Nord poussera de grosses vagues. En août, les monts Saïan aussi commencent à fondre, la crue dévale.

Le portillon étroit et bas de l'escalier intérieur s'est ouvert, laissant passer le mécanicien Khripkine : tête en forme de bombe, et le tronc de même. Il s'assoit sur la petite banquette latérale. Pas de place pour un troisième, à moins de bloquer la porte avec son dos.

« Alors, Sémion, qu'est-ce qui se passe en bas ? »

Sémion était peut-être un balourd hirsute, noiraud, la figure toute en largeur, mais ses yeux étaient vifs et malins.

« Qui s'intéresse aux choses sérieuses, de nos jours, Anatole Dmitrytch ? Valentina Filipovna vient juste de commencer et voilà Stsépoura qui amène déjà de quoi boire ! dès le milieu de la matinée ! Et puis Monsieur le ministre aussi, que je pense, y lorgne sur les préparatifs... »

Le capitaine oblique lentement vers la rive droite dont la pente oblique et dénudée monte doucement dans le lointain.

L'endroit n'avait pas toujours été nu. Les pins y poussaient dru, fallait voir ça ! Puis on y avait installé un camp d'abattage d'arbres. Ça n'était pas classé comme zone inondable, mais de deuxième catégorie –, du bois de valeur. Et ils avaient tout nettoyé. Et après le pin, le pin ne pousse plus, c'est le tremble qui vient. Le pin ça ne coule pas, on l'avait donc fait flotter.

« Tout le pin d'ici, dit-il en soupirant, est allé s'agglutiner en pagaïe près de Bogoutchany. Et en d'autres endroits, faut voir les forêts de mélèzes qu'ils ont abattues ! Quelle quantité de bouleaux ! Seulement, ces arbres-là, ils coulent, et il n'y avait pas de moyen de transport. Alors ils sont toujours sur place à pourrir. » Après un silence : « Des amoncellements comme ça.

– C'était quand ? demande Khripkine à sa manière brusque.

– Y a dix ans. Pareil il y a sept ans.

– Pendant la *perestroïka* ?

– Oui. On n'arrêtait pas d'amener des détenus. Sur tout le cours du fleuve, d'ici jusqu'à Bogoutchany, y a eu vingt-sept camps de déployés. »

Et il en reste encore, de la bonne et solide forêt, là-bas, plus haut sur les monts.

Il oblique vers la gauche : à droite il a vu un tourbillon plissant l'eau en un endroit peu profond, sur des pierres.

Dans le sens du courant, la proue ne soulève pas l'eau.

Et dans l'eau le bleu n'a pas encore tout à fait disparu.

Les vibrations égales du moteur se répercutent jusque dans le rouf.

« Il m'aurait interrogé, moi, fait valoir Khripkine, que je lui aurais expliqué des tas de choses. »

Le capitaine réfléchit. Et, sans se retourner :

« Eh bien, va un peu les relancer. Seulement, ne gâche pas tout. Parce qu'on les connaît, les gars comme toi...

– Anciens ou nouveaux, les dirigeants, je leur fais plus confiance. »

Le capitaine se retourne : pas du tout d'accord, mais sa voix reste douce :

« Non, dis pas cela, avec les nouveaux on peut parler. »

Le mécanicien s'attarde encore un moment, l'œil rivé sur l'eau.

Puis descend les marches de l'escalier.

Et fait son entrée à l'avant du salon. Plusieurs personnes lui font face, assises dans des fauteuils de cuir vissés au sol. À côté du ministre, pétant de santé dans son costume clair estival – Valentina Filipovna. Elle a des papiers sur ses genoux, mais elle parle sans les consulter, sans la moindre pause, avec véhémence. Derrière, deux de la suite ministérielle : l'un a des épaules de sportif, un taureau ; l'autre tient un grand bloc-notes ouvert. De l'autre côté du passage, Zdiechniev, l'homme du district, et un type sec en costume noir venu d'Irkoutsk.

Et plus au fond encore, derrière les fauteuils, une table également vissée, déjà prête avec sa nappe blanche ; deux serveurs en tablier blanc la garnissent d'assiettes, de bouteilles et de verres – et le gros Stsépoura, ses cheveux grisonnants coupés ras, la veste ouverte sur un tee-shirt américain multicolore, accompagne ses ordres, donnés à voix basse, de gestes de la main pleins d'assurance et de vivacité.

Le mécanicien a bien envie de s'arrêter pour écouter, mais il n'y a pas place pour sa bobine dans cette réunion. Et il aimerait plus encore leur balancer bien fort deux ou trois choses, mais non, mieux vaut ne pas s'en mêler.

Alors, lentement, pesamment, marche après marche, il poursuit sa descente vers la salle des machines.

Valentina Filipovna était la présidente du comité de district de défense du milieu naturel et d'exploitation rationnelle de la nature. Pourtant encore jeunette, personne ne l'appelait Valia. Son visage était ouvert, son regard droit, dépourvu de coquetterie, elle s'adressait à l'hôte éminent de passage en articulant fortement chaque mot :

« La construction de la centrale hydro-électrique de Bogoutchany a même commencé deux ans avant que le projet ne soit prêt, tant on était pressé ! Mais, aujourd'hui, on peut estimer que ce projet lui aussi est depuis longtemps caduc, pour la simple raison que la construction dure depuis vingt ans. Et même au niveau intermédiaire où on a monté aujourd'hui le barrage, tous les jeunes esturgeons meurent. Et des rats musqués, il en crève par dizaines de milliers. Et aux abords du barrage l'eau se couvre de moisissures, l'Angara se transforme en étang. »

C'est peu dire que le ministre écoute attentivement, il semble près de compatir. Il hoche la tête comme s'il refusait de croire. Une ou deux fois il a fait signe à son secrétaire, le maigre avec un long visage intelligent, et celui-ci s'est dépêché de noter.

Elle, elle parle avec feu, les doigts sur la base de sa gorge, comme si son propre destin était en jeu.

« Et maintenant, si on exécute le dernier décret du gouvernement et qu'on achève le complexe hydro-électrique en montant le barrage jusqu'au niveau prévu, ce seront encore un million et demi de kilomètres carrés qui disparaîtront sous l'eau. Et aussi plus de onze millions de mètres cubes de tourbe. Plus le gisement de magnésite, plusieurs centaines de millions de tonnes...

– « Note aussi les minerais ! » lance le ministre par-dessus l'épaule à son secrétaire.

Il était d'âge moyen, naturellement plein de forces et d'allant. La cravate desserrée, à la manière nouvelle, et le col de chemise ouvert. Et une jambe croisée sur l'autre, qu'il balançait parfois.

Derrière les larges vitres claires du salon, des deux côtés on voit couler rapidement, toutes proches, à peine plus bas, les eaux bleu ardoise, tandis qu'un peu plus loin glissent les berges tantôt bossuées, tantôt couvertes de prairies.

Le moteur du bateau ne gêne pas la conversation.

Valentina Filipovna, elle-même ingénieur chimiste, passée par l'académie des techniques du bois avec stage en atelier, parle sans s'interrompre et essaie avec une infinie patience – et un espoir grandissant – de faire comprendre à l'hôte exceptionnel les catastrophes d'ores et déjà accumulées auparavant dans les installations d'épuration des combinats de Bratsk, d'Oust-Ilim et du Baïkal, et le processus par lequel, suite à un dispositif non rationnel d'épuration chimique, sont en train de s'anéantir les résultats de l'épuration, toujours elle, mais biologique.

On sent chez le ministre une assurance tranquille, solidement assise. Un homme comme celui-là, s'il entreprend quelque chose, n'est-ce pas pour aller jusqu'au bout ?

... Ceci encore : le bois abattu à la va-vite, cette masse immergée pourrissante, entraîne un processus de décomposition par le fond, du phénol, de la térébenthine, et, aujourd'hui, l'Angara, dont les eaux naguère étaient si merveilleusement pures, est sur le point de passer de la catégorie 5 à la catégorie 6, la pire, celle du péril écologique. Si toutefois on suspendait l'achèvement du barrage de Bogoutchany, alors on sauverait au moins les deux cents kilomètres de l'Angara dont les eaux sont encore courantes, et la régénération se produirait d'elle-même. Autrement, c'en sera fini de l'Angara, sur tout son cours ce ne sera plus que de l'eau croupie...

En sa pourtant courte carrière, Valentina Filipovna a eu plus d'une fois l'occasion de rencontrer des supérieurs hiérarchiques parfaitement imperturbables alors que, par exemple, tout s'effondre sous leurs yeux. Formant toute une école, tous des gros calibres, choisis différemment de nous. Mais celui-ci n'est pas comme eux, pas du tout. En plus, il est si haut placé ! il n'aura qu'à ouvrir la bouche... Et qu'il ait cet air jeune et presque enjoué a également quelque chose d'encourageant.

L'astucieux Stsépoura, qui a fini de tout régler là-bas derrière, sur la table, s'approche et, soucieux d'atténuer une éventuelle fatigue du ministre, invite les personnes présentes, si elles souhaitent continuer la conversation, à la poursuivre autour de la table. (Il a eu un ou deux regards de biais vers l'« activiste » : qu'est-ce qu'elle a, celle-là, à venir fourrer son nez, elle va tout me flanquer par terre ?)

Mais le ministre décline fermement l'offre, il veut entendre les autres voix.

Le maigre en costume noir – c'est le représentant du gouverneur – n'a pas dit un mot de tout l'entretien et son regard est un brin sarcastique.

Alors le chef de l'administration de ce vaste district fluvial, Ivan Ivanytch Zdiechniev, se hâte d'intervenir. Il a peiné à se hisser au rang d'administrateur plein titre – visage simple, nez rond et retroussé, un petit veston qui n'a rien d'une veste de gala, la couleur de ce veston jurant avec celle du pantalon. Mais il bande toutes ses forces pour ne pas oublier l'importance de son propre poste, la gravité de toute l'actuelle conjonction de malheurs et l'éminente fonction de son interlocuteur :

« Vous comprenez certainement qu'en tant que maire de ce district, je subis un fort *pressing* de la part de la population. Tous, ici, qu'on l'achève ou non, nous devenons otages du barrage de Bogoutchany. Si on l'achève, ce sont nos jours qui vont mal se terminer. »

Surveillant le visage du ministre, il s'assure qu'il n'a pas parlé trop hardiment, pas dépassé la bonne mesure.

Mais les yeux du ministre sont empreints de gravité et de compréhension. Nulle trace de colère.

Et le secrétaire, dans son dos, consigne tout dans son bloc-notes.

Ivan Ivanytch n'est pas sans comprendre qu'il y a une limite aux arguments qu'on présente et qu'il ne faut pas se laisser emporter par la discussion. Mais tout de même…

« Prenez Kéoul-le-vieux, par exemple ; on voulait l'évacuer de la zone à inonder… Eh bien, on ne peut vraiment pas parler de réussite. Le village a trois cents ans. Les gens ne partent pas, voilà tout. Alors on a voulu brûler leurs isbas. Mais ils se défendaient avec leurs fourches et leurs haches. Bon, pour le moment on n'a pas déplacé leur cimetière. Mais eux, on les a tout de même transférés à Kéoul-le Neuf. Là-dessus, on s'est aperçu que c'était sur du terrain mouvant, impossible d'aménager des caves... »

Non, ici non plus le ministre ne se fâche pas. C'est un homme qui comprend les choses. Alors Ivan Ivanytch de citer encore un cas, il n'a que l'embarras du choix :

« Et dans le village de Kata – la rivière Kata coule juste en face de Iodorma, là où nous allons –, une vieille a carrément refusé qu'on touche à son isba : "Tuez-moi plutôt ici, sur place !" On l'a laissée tranquille... Ça fait qu'elle prend des loches pendant l'hiver, elle les accumule dans sa remise. On lui apporte du pain en hélicoptère en échange de ses poissons séchés. »

Toutefois, comprenant qu'il a parlé longtemps et vraiment trop vidé son cœur :

« Veuillez me pardonner. Mais, en tant que maire soucieux de mon image, je ne saurais me taire... »

En réalité, le haut fonctionnaire de passage n'était pas ministre, il n'était qu'adjoint, mais d'un ministre... très, très haut placé. Il était venu ici régler les problèmes de la privatisation de l'énorme et encombrant Lesspromkombinat (Complexe des industries du bois) qu'il avait fallu absolument privatiser, et dans les plus brefs délais. Pourquoi dans les plus brefs délais ? Parce que si la privatisation a beaucoup d'amis, elle a au moins autant d'ennemis. Un pareil monstre n'est pas rachetable, et personne ne s'en chargera. Une solution avait été trouvée, consistant à le partager en quarante-deux entreprises. Les derniers mois avaient été entièrement occupés à la réalisation de cette opération, le ministre-adjoint était venu seulement pour achever les dernières formalités. Et il s'en était très bien tiré, il savait qu'on serait content, en haut lieu. D'autre part, au cours de ces journées, on avait beaucoup insisté pour qu'il fasse un tour en bateau sur l'Angara, d'ailleurs c'était vrai, l'occasion était bonne... Et voici qu'aujourd'hui, son dernier jour ici, ils ont pris le bateau. Mais d'où sort donc cette femme ? Qui l'a introduite ici ? Et quel torrent de paroles ! Elle est en mal de mari, ou quoi ?

Jamais il n'avait eu connaissance jusqu'ici du moindre problème concernant le barrage d'en bas – et maintenant toute cette histoire…

La promenade continue, Iodorma n'est pas encore en vue, et Stsépoura a enfin fini par convaincre la compagnie de rejoindre la table. Il s'affaire de tout cœur, joyeux comme d'une grande fête, alors qu'on est un jour de semaine tout ce qu'il y a d'ordinaire. On commence avec du champagne ?

Les bouchons sautent, le vin pétille dans les verres. Valentina Filipovna, au début, n'a pas même voulu s'asseoir avec les autres ; elle s'est fait longtemps prier, la mine sévère.

Le gros Stsépoura à tête ronde, c'est un « battant » en dépit de ses cinquante ans sonnés, un homme qui n'a pas sa langue dans sa poche, il est connu comme le loup blanc depuis le tout début, à Oust-Ilim, il y a vingt années de ça, du temps qu'il était électricien et que ses pairs et lui « montaient » le barrage, suspendus à des câbles au-dessus de l'Angara. On avait sélectionné pour venir ici les as des as de toute l'Union, et il faisait partie du lot. Ensuite il avait entrepris des études de droit par correspondance, avait été désigné pour un poste au parquet, puis renvoyé au Combinat. Il avait dirigé les services de l'intendance, puis du personnel et même la Première section, c'est lui qui signait les autorisations de ceux qui voulaient repartir d'Oust-Ilim et rentrer en Russie, il allait même être nommé directeur adjoint du Complexe des industries du bois. Et patatras, tout est parti sens dessus dessous, il s'est retrouvé simple directeur d'hôtel. Aujourd'hui, c'est justement lui qui a fourni ici tout le matériel, c'est lui qui verse à boire, qui offre à manger, et ses aides rivalisent de zèle.

Mais, avant que la gaieté devienne générale, le mutique représentant du gouverneur trouve un moment pour dire, l'air sombre, deux-trois choses de plus à son supérieur – de lui, bien sûr, dépendra d'en faire part ou non en haut lieu. On a construit tant et tant de barrages dans sa province d'Irkoutsk que près de cinquante pour cent de la production électrique ne trouve pas à s'exporter : il avait été planifié que cette électricité servirait à la consommation d'usines d'aluminium, mais celles-ci ne seront pas construites avant au moins vingt ans. Maintenant, si on achève le barrage de Bogoutchany, on l'enverra où, cette électricité-là ? Peut-être en Chine, mais la ligne à haute tension qui devra traverser la taïga sur une moitié de Sibérie reviendra plus cher que d'achever Bogoutchany.

Le ministre est stupéfait. Cela semble impossible à croire – mais son interlocuteur est un personnage tout ce qu'il y a d'officiel. La situation se complique encore.

« Oui, bien entendu, répond-il d'une voix empreinte de gravité ; il va de soi que ces arguments raisonnables doivent être pris en considération. »

Alors le représentant du gouverneur explique en outre que pour tous ces achèvements de travaux, ce sont les autorités de Krasnoïarsk qui magouillent le plus : là-bas, à Bogoutchany, elles ont fait venir et logé vingt-cinq mille personnes en réserve… qui sont sans travail.

Le sourcil du ministre se hausse. « Magouillent » ? Ce terme-là, l'État ne le connaît pas, mais – que voulez-vous, ça existe, oui, ça existe, c'est humain…

Les hauteurs reculent, à droite d'abord, maintenant à gauche.

Quelle immensité !

Les hommes ont entamé la vodka.

Les joues du ministre ont délicatement rosi.

Il regarde par les vitres de droite, par les vitres de gauche. Il prononce pensivement :

« L'Angara, Pouchkine en parle quelque part, je crois bien. »

Mais personne ne relève.

Cependant, le bateau accoste sur la rive gauche.

Et tous sans exception quittent la table, vont à terre se dégourdir les jambes.

Le discret capitaine descend de son rouf. Le mécanicien émerge de la salle des machines. Les aides de Stsépoura en tabliers blancs courent en tous sens pour installer tout près de l'eau un grand feu où cuira le chachlyk et la soupe de poisson (le poisson a été apporté tout préparé).

Chacun gravit à tour de rôle le talus rempli de trous.

… Et là-haut apparaît, s'étirant le long du fleuve, une rue de village, les maisons plantées toutes d'un seul côté, et, derrière, une autre ligne de maisons, plus courte. Et la rue, on peut y rouler ?… Pas la moindre charrette ne passerait, l'essieu se briserait dans ces creux et ces ornières de boue durcie !

Et puis elle irait où, cette route ? Nulle part…

Point d'endroit non plus où marcher un peu, se dégourdir : on se casserait la jambe.

Maintenant, plus le moindre bruit de moteur, un silence profond recouvre tout l'Angara, d'une rive à l'autre et au-delà, sur une distance de plusieurs verstes. On entend seulement trompeter les moustiques quand ils rasent l'oreille.

Des maisons joliment alignées et en bon état. L'une d'elles a même la dentelle de bois entourant ses fenêtres fraîchement repeinte en bleu, et les flancs de la barque retournée qu'on aperçoit devant la maison sont du même bleu. Mais, sur toute la rangée d'isbas, pas une seule porte ouverte, pas une seule fenêtre. Sur une façade, une enseigne : « Articles d'utilité courante » ; la barre fermant les volets est rouillée, l'enseigne pas encore.

Aucune présence humaine. Pas une poule ne picore, pas un chat ne passe à pas précautionneux. Seule l'herbe pousse comme bon lui semble, insouciante. Et les arbres verdissent tout à leur aise dans les jardinets fermés de palissades.

Il y a eu de la vie…

Tiens, pourtant, voici un tas de gros billons qui viennent d'être sciés, du calibre qui convient au fendage. La vie est là, aujourd'hui aussi.

Il fait bon maintenant, la journée se réchauffe.

Soudain, les deux notes du coucou. Par-delà l'Angara, de quel lointain peuvent-elles venir ? et si parfaitement nettes…

Merveilleuse immensité. Merveilleuse paix…

Le groupe se tait, immobile.

Mais Zdiechniev s'écrie d'une voix de stentor :

« Za-bo-lot-nov ! Niki-i-forytch ! Zabolotnov ! »

En attendant, il explique à ses supérieurs : c'est le village de Iodorma, vingt-deux fermes ; avant, il comptait aussi un dispensaire et une école de quatre classes ; tout a été vidé, évacué à l'approche de l'inondation. C'est ici que finit la région d'Irkoutsk, ensuite commence celle de Krasnoïarsk. Zabolotnov, 62 ans plus une femme malade, a refusé de partir ; mes père et mère sont enterrés ici, a-t-il dit, je ne m'en irai pas. Alors, pour le moment, on le laisse tranquille. En accord avec les temps nouveaux, sans kolkhoze, il est devenu fermier indépendant. Cet autre côté de l'Angara qu'on voit d'ici, ça n'est pas la rive : il y a deux îles, et derrière il y a encore un bras. Sur la petite, rocheuse, il a mis ses jeunes bêtes ; sur la grande, riche en fourrage, il a mis ses vaches laitières. Le lait est ramassé par bateau. Sa femme n'est plus bonne à rien, alors aux premières heures il traverse à la rame et trait lui-même ses bêtes. En plus, il a des labours ici.

« Et il est seul pour faire tout ça ?

– Non, il a aussi ses deux fils avec lui ; les volets repeints, là-bas, c'est l'un des deux. Les belles-filles sont à Kéoul-le-Neuf, elles viendront pour l'été, elles amèneront les sept petits-enfants. Tenez, le voici. »

Il arrive en effet, tenant à la main une longue rêne pendante. En gros pantalon de toile, tricot bon marché à grands ramages, mais coiffé d'une casquette noire à poil long, presque de la fourrure, un bonhomme ordinaire, peu plaisant à voir, visage grêlé, mais démarche ferme. Un coup d'œil de loin sur la petite bande lui a suffi : les autorités.

Il s'approche.

« Portez-vous bien ! » – la voix n'est pas d'un vieil homme.

Sans barbe, mais le rasage n'est pas négligé. Visage et cou tannés, une grosse verrue sur la joue.

Seul Ivan Ivanytch lui tend la main et serre la sienne.

« Alors, Nikiforytch, dis-nous un peu combien tu as de bêtes ?

– Ben, j'en ai élevé trois cents. À ce jour, si je décompte les bêtes que j'ai livrées, c'est soixante-dix qu'il me reste. Et une vingtaine de chevaux. »

Impossible de croire qu'il puisse abattre seul toute cette besogne.

« Et comment tu t'en sors ?

– Je pourrais me débrouiller encore mieux, mais ça ricane fort du côté des spéculateurs. Les coopératives sont en miettes, le combinat de boucherie il nous berne, le combinat laitier pareil. Il faudrait trouver un bon marchand sérieux, mais où ? Et des moteurs, impossible de s'en procurer. »

Tout en questionnant Nikiforytch, Ivan Ivanytch lance des coups d'œil au ministre.

« Et ton blé, tu le prends où ?

– Mais je fais souvent 30 quintaux à l'hectare, quand je relève les guérets. Ça nous suffit. On le moud et on le cuit nous-mêmes.

– Et tes fils ils sont où ?

– Sur les îles.

– Tu en as deux ?

– J'en avais trois. Il y en a un qui s'est noyé. À seize ans. »

Il soupire. « Sa barque s'est retournée. » Il re-soupire. Ses yeux, qu'il a plutôt petits, se ferment tout à fait. « Dieu a donné, Dieu a repris. »

Il s'est tu – et tous de s'interrompre par politesse.

Puis, comme s'il n'y avait ici aucun visiteur, comme s'il avait cessé de les voir, comme s'il était aveugle, Nikiforytch termine pour lui-même à voix basse, se le mettant bien dans la tête :

« Dieu – je l'aime. »

Et tous se sentent gênés, mal à l'aise. Et le silence redouble.

Tiens, voici sa femme qui clopine vers les nouveaux venus, jupe sombre et chaude, veste marron foncé. Elle apporte, gare à ne pas trébucher, un pot en terre et deux hautes tasses à anse qu'elle pose sur un billot.

Elle s'incline profondément.

« Tenez, du lait sortant du pis, vous le goûterez bien ? »

Valentina Filipovna :

« Mais comment donc ! Merci. »

Elle se verse du lait et boit… en fermant les yeux !

« En ville, aujourd'hui, on n'en trouve plus de pareil ! »

Personne n'allonge la main vers la deuxième tasse ; alors du dernier rang surgit, l'air innocent, le modeste capitaine.

Non sans avoir échangé un regard complice avec Valentina Filipovna.

Il se verse le lait sans rien dire, et boit.

Pendant ce temps, Ivan Ivanytch a trouvé sa prochaine question :

« Dis voir, Vassili Nikiforytch, qu'est-ce que tu peux dire aujourd'hui sur notre nouvelle vie ? »

Vassili Nikiforytch, l'œil vif cette fois :

« Ce que je peux dire ? elle a pris le bon virage. Mon père, on l'a pas dékoulakisé, mais à soixante-quinze ans on l'a mis sous les ordres d'un blanc-bec de chef d'équipe. Et mon père disait : je suis le patron et je dois obéir à un morveux ? Il en est mort de chagrin. »

Mais, tout en répondant, Zabolotnov n'a pas tardé à comprendre que les messieurs-dames ne sont venus ni pour le voir ni pour l'interroger. Pas bien malin de deviner ce qui les amène ! Du coup, il mêle son grain de sel :

« Y avait bien de la gaieté dans notre village, et les gens savaient travailler. Et sur toutes les berges, pas un labour moins bien qu'un autre. Le village est implanté ici depuis toujours. Les seigles montaient à deux mètres de haut. Les îles étaient toutes verdoyantes. Des prés à foin, des emblavures. La patate, chez nous, c'est du 13 pour 1. Et aujourd'hui les gens ont tous tout abandonné. C'est le désespoir. On courbe le dos et on ne sait pas ce que sera demain. »

Le chef, d'ailleurs, est visiblement attentif, il comprend tout, il hoche la tête. Du reste, qu'est-ce qu'il y a de compliqué à comprendre ? Une terre bénie du ciel comme ici – et on l'envoie sous quelques décimètres d'eau stagnante ? Mais la réponse est prudente :

« Le gouvernement a ses propres considérations. D'ici, on ne peut pas voir. »

Zabolotnov ne se démonte pas :

« Parlons-en, de Moscou ! C'est quoi, Moscou ? J'y suis allé, moi, à Moscou, une fois. Son ciel est bas. Et les gens sont en troupeau. »

Et le petit groupe reste à discuter dans cet endroit imprévu, raboteux, les uns plus haut, les autres plus bas, à leurs pieds deux grands trous. Et d'en bas, de la berge où se préparent la soupe de poisson et les brochettes, monte une fumée odorante.

Zabolotnov a cette dernière réflexion :

« Fleuve ou homme, son cours est fixé et tel il doit être. Celui-là et point d'autre. »

Et soudain on voit s'avancer de derrière, contournant les autres, sale, déterminé, le mécanicien Khripkine ; il lance hardiment en regardant le ministre :

« Et nous ? Est-ce qu'on a la parole ? »

Le ministre tourne instantanément sa tête bienveillante :

« Bien sûr. Nous sommes en démocratie, maintenant. Et la campagne électorale est justement faite pour cela. »

Apparemment, les moustiques n'ont pas d'effet sur le massif Khripkine – question d'odeur ? et Nikiforytch aussi, ils l'esquivent, en vieille connaissance. Ils ne font que lui tourner autour.

« Et quand y a pas de campagne électorale ? L'ours déchiquète la vache – mais il mange pas de chair fraîche : il la laisse vieillir un peu pour qu'elle commence à sentir. »

Le ministre n'a pas compris, il lève un sourcil :

« Vous faites allusion à quelle question ? »

Le broussailleux mécanicien, lui-même corpulent, fixe un regard impertinent sur le ministre tout aussi corpulent (mais haut de quelques centimètres de plus), aux cheveux bien lissés :

« C'est que, nos questions, il y en a aussi haut que le seigle qui croissait ici. Le Complexe des industries du bois, par exemple, pourquoi a-t-il fallu qu'on le divise en quarante entreprises ? Maintenant, elles sont toutes stoppées. Pour un seul travailleur, trois chefs de travaux, et tous sans travail. Et celui à qui c'est, bon, il se met des millions plein les poches. Et pas en roubles. Ils volent en grand, ç'est pas comme nous, – et ils savent se couvrir, on les prend jamais. »

Le timide capitaine regarde avec réprobation le mécanicien, mais celui-ci ne remarque rien. C'était sa crainte, justement : qu'il montre sa sale caboche, l'enragé, et fasse tout capoter. Ça prend bonne tournure, ce ministre a l'air accessible – alors, parle-lui donc gentiment. Et pas sur tous les sujets à la fois, pas d'un bloc.

Partant des lèvres du ministre – deux plis marquent volonté et conviction. Et, pour la première fois, dans sa voix, la cuirasse :

« Vous n'avez pas le droit d'émettre ce genre de déclaration sans preuves. »

Mais Khripkine, sans se troubler le moins du monde :

« Des déclarations, qu'on en fasse ou qu'on n'en fasse pas, personne ne nous entend. Maintenant, écoutez : il ne reste de l'Angara qu'une petite partie centrale, elle aussi on va achever de la pourrir ? Quelqu'un aurait eu de la jugeote : on pouvait obtenir de ce fleuve de l'électricité par simple rotation de roues, sans le moindre barrage. Et pourtant, des barrages, on en a dressé là, et puis là... Et il faudrait vraiment mettre à mort maintenant ce qu'il reste ? Déjà l'eau pour le poisson ne se réchauffe plus assez... »

Valentina Filipovna darde son regard sur le visage du ministre. Non, il n'est pas indifférent, alors est-ce qu'il est accroché ? L'élan orgueilleux de ce morceau de fleuve que rien n'enchaîne n'a pas pu ne pas le frapper ? Il ressent bien quelque chose ?

Nul doute que le ministre ressente les piqûres des moustiques, car il leur distribue force tapes – mais la main qui opère ne se crispe pas nerveusement, elle semble sûre d'atteindre et d'écraser.

Et ce trublion mal lavé ? Impossible de tout lui expliquer, et pourquoi précisément à lui ?

Les moustiques ont maintenant eu raison du reste de la bande, mais comme un diable hors de sa boîte surgit l'alerte Stsépoura qui annonce à mi-voix : c'est prêt, mais – pour cause de moustiques, ou pour éviter les gêneurs ? – on se transporte dans le salon.

Tous entreprennent la descente.

Nikiforytch est resté tel quel, planté sur ses jambes écartées. Sans bouger. Et sans s'étonner.

Zdiechniev a juste eu le temps de dire :

« Possible qu'on parviendra à quelque chose, grand-père. »

Et le mécanicien – au capitaine, sur le sentier (ils n'ont pas été conviés au salon) :

« L'amateur de croisières ? non et non ! Anatole Dmitrytch, avec cette race-là, on sait à quoi s'attendre. De toute manière, ils ne feront rien, c'est égal. »

Et le triste capitaine qui espérait !

Valentina Filipovna avance, hésitante, nez baissé, quel ennui si elle se casse en plus un talon...

Sur la berge, le ministre l'a rejointe – et, à voix basse, sans cacher sa sympathie :

« Ne soyez pas trop chagrinée, tous vos arguments ont été notés ; ils seront pris en compte. »

Visage heureux levé vers le ministre :

« Merci ! »

Le bateau a fait demi-tour et remonte maintenant le courant.

De nouveau s'étirent dans le lointain, puis vont se rapprochant les hauteurs bosselant les rives. Plus loin, voici la grande roche aux arêtes vives.

Dans le salon, la soupe de poisson accompagnée de vodka a connu un franc succès.

Et plus haut que tous plastronne Stsépoura :

« Oui, je peux le dire, j'étais ce qui s'appelle un dirigeant plein d'avenir. L'élan est brisé, maintenant. »

Qui n'a pas succombé à la « formule » vodka-soupe-de poisson-*chachlik*[1] ? Le visage du ministre s'adoucit, devient vermeil, rajeunit encore. Ce n'est pas compliqué : quand on a une position élevée, on doit se tenir avec dignité. Mais, ici, pour le coup, il n'y a plus de différences, et il y a de quoi se réchauffer !

1. Viande grillée. *(NdT.)*

« Des désagréments au travail, tonne Stsépoura, j'en ai subi bien plus que mon content, pour mon âge ! Mais je ne me laisse pas abattre. Seulement, ça me blesse d'entendre ce qu'on dit maintenant : tout ça n'était pas nécessaire, la voie choisie était une erreur. Comment ça, une erreur ? Et toutes nos victoires ? Et rien que nos deux barrages d'amont, celui de Bratsk et celui d'Oust-Ilim ? »

... Finalement, ce fut une bonne balade ! Ce soir, l'avion, et retour droit sur Moscou. Et puis, deux jours après, mission à l'étranger. Quant à ces objections, ces doutes, ma foi, oui, ils sont tous fondés. Mais voilà que brusquement quelque chose lui revient, cette femme a bien dit : « le dernier décret du gouvernement » ?

« Il date de quand ? demande-t-il au type d'Irkoutsk.

– Trois mois. En confirmation du précédent. »

Hé ! hé ! hé ! dans ce cas, inutile de te précipiter au sommet et de t'essayer à des démonstrations, tu vas te rompre le cou...

Quoi, les *hautes sphères* et leur atmosphère, n'est-ce pas ce qu'il connaît le mieux ? À décision prise et confirmée, nul ne peut rien changer. Tout ira comme prévu.

1993-1995.

GLOSSAIRE

ABAKOUMOV, Viktor (1908-1954), chef du Smersch pendant la guerre, ministre de la Sécurité d'État (1946), destitué puis emprisonné sous Staline (1951), réemprisonné puis fusillé sous Khrouchtchev.

AKHMATOVA, Anna (1889-1966), grande poétesse russe, rudement condamnée durant les années post-révolutionnaires par les critiques marxistes.

ANTONOV, Alexandre (1885-1922), membre du parti S.-R., chef du soulèvement paysan qui porte son nom (Tambov, 1920-1921), mort au combat.

ASHBY, William Ross (1903-1972), psychiatre et ingénieur anglais, inventeur du concept d'homéostasie et de la « loi de la variété requise » reprise par Edgar Morin et Henri Atlan sous l'appellation « redondance » comme condition de l'« auto-organisation ».

BAGRAMIAN, Ivan (1897-1982), maréchal de l'Union soviétique (1955), importants commandements pendant la guerre.

BANDERA, Stépan (1909-1959), nationaliste ukrainien, chef des « partisans » antisoviétiques, assassiné à Munich.

BÉRIA, Lavrenti (1899-1953), tout-puissant ministre de l'Intérieur de Staline (1938-1953), tombé dans une certaine défaveur. Arrêté, jugé à huis-clos et exécuté sur ordre des successeurs du dictateur.

BESKINE, Ossip (1892-1969), critique littéraire marxiste, personnage important du Gossidzat (les éditions d'État).

BEZYMENSKI, Alexandre (1898-1973), poète, un de premiers promoteurs de la littérature prolétarienne, membre actif de la RAPP et du *Litfront*.

BIEDNY, Démian (Iéfim Pridvorov) (1883-1945), poète célèbre pour ses fables, ses vers de mirliton au contenu politique ; connut la défaveur.

BIÉLINSKI, Vissarion (1811-1848), critique littéraire dont l'approche fut reprise comme une des composantes du réalisme socialiste en littérature.

BLUCHER, Vassili (1889-1938), héros de la guerre civile, maréchal de l'Union soviétique (1935), commandant en chef en Extrême-Orient (1929-1938), fusillé à Moscou.

BOUDIONNY, Sémion (1883-1973), commandant la légendaire Ire Armée de Cavalerie pendant la guerre civile, maréchal de l'Union soviétique (1935), chef incapable pendant la guerre, demeuré une figure emblématique. Il a donné son nom au casque très particulier – en toile renforcée, descendant sur la nuque et les tempes et se terminant en pointe au-dessus de la tête – qu'ont longtemps porté les membres de l'Armée rouge.

BOULGANINE, Nikolaï (1895-1975), officier politique, maréchal de l'Union soviétique (1947-1958), membre de la « Direction collective » aux côtés de Khrouchtchev après la mort de Staline, puis disgracié et peu à peu relevé de toutes ses fonctions et dignités.

BOURBOULIS, Guennadi, premier vice-Premier ministre de Russie sous la présidence de Boris Eltsine.

BROUSSILOV, Alexeï (1853-1926), général, devint commandant en chef des armées russes avant la révolution. Rallia le pouvoir soviétique pendant la guerre civile.

CHAPOCHNIKOV, Boris (1882-1945), colonel de l'armée tsariste, rejoignit l'Armée rouge, dont il fut le meilleur théoricien ; chef de l'état-major général en 1937-1940, 1941-1942 ; maréchal de l'Union soviétique (1940), cessa peu à peu ses activités pour raisons de santé. Le chef militaire le plus respecté par Staline.

CHÉLÉPINE, Alexandre (1918-1994), membre du Politburo, chef du KGB de 1958 à 1961, un des artisans de la chute de Khrouchtchev, mais écarté ensuite par Brejnev.

CHEVTCHENKO, Taras (1814-1861), considéré comme le plus grand poète romantique de langue ukrainienne.

CHTCHERBAKOV, Alexandre (1901-1945), haut fonctionnaire polyvalent du parti.

ESSÉNINE, Sergueï (1895-1925), réputé suicidé en 1925, poète, auteur entre autres de *La Confession d'un voyou.*

FROUNZÉ, Mikhaïl (1895-1925), important chef militaire de la guerre civile, succéda à Trotski au poste de commissaire du peuple à la Défense nationale. Mourut sur une table d'opération dans des conditions restées mystérieuses.

GOLIKOV, Filipp (1900-1980), officier politique, insuffisant directeur des services de renseignement de l'Armée rouge en 1941 ; quelques commandements militaires importants pendant la guerre ; à partir de 1943, retourna à la politique et à la « sécurité » ; maréchal de l'Union soviétique (1961).

GRETCHKO, Andreï (1903-1976), maréchal de l'Union soviétique (1955), ministre de la Guerre de 1967 à sa mort.

GUDERIAN, Heinz (1888-1954), général allemand, créateur des divisions Panzer et partisan du Britzkrieg

IAKIR, Piotr (1896-1937), se hissa aux plus hauts grades pendant et après la guerre civile ; fusillé en même temps que Toukhatchevski.

IÉRIOMENKO, Andreï (1892-1970), s'illustra sur différents Fronts (notamment à Stalingrad), maréchal de l'Union soviétique (1955).

JOUKOV, Guéorgui (1896-1974), maréchal de l'Union soviétique (1943), quatre fois « Héros de l'Union soviétique » (1939, 1944, 1945, 1956).

KÉRENSKI, Alexandre (1871-1970), chef du gouvernement provisoire élu par la Douma après la révolution de Février 1917. Mort en exil aux États-Unis.

KHASBOULATOV, Rouslan (1942), né en Tchétchénie, président du Soviet suprême de la RSFSR en 1987, contesta Eltsine en 1993, arrêté. Libéré en 1994, dirigea le département d'économie internationale de l'Académie russe d'économie Plékhanov.

KIKVIDZÉ, Vassili (1884-1919), commandant de cavalerie rouge, mort au combat.

KIRCHONE, Vladimir (1902-1938), dramaturge. Sa pièce la plus connue, *Le Pain*, traite de la dékoulakisation. Il fut fusillé en 1938.

KIRPONOS, Mikhaïl (1892-1941), colonel-général, succéda à Joukov au commandement de la région militaire de Kiev, reçoit non sans vigueur l'attaque allemande ; victime des ordres de Staline, il fut encerclé à l'ouest de Kiev et se donna la mort.

KOLTSOV, Alexeï (1809-1842), poète de la vie paysanne.

KONIEV, Ivan (1897-1973), malgré un gros échec en 1941, devint un très important chef militaire, maréchal de l'Union soviétique (1944).

KOSSYGUINE, Alexeï (1904-1980), président du Conseil des ministres de l'URSS de 1964 à 1980. Après la chute de Khrouchtchev, fit partie de la « troïka » qui dirigea le pays avec Brejnev et Mikoyan. Marginalisé par Brejnev à cause de ses tendances « réformatrices » dans la sphère économique.

KOTOVSKI, Grigori (1881-1925), célèbre commandant de cavalerie de la guerre civile.

KOVTIOUKH, Iépifan (1890-1938), chef légendaire (célébré par un roman) pendant la guerre civile, victime des purges.

KRYLOV, Ivan (1769-1844), publiciste, dramaturge, auteur fameux de fables satiriques

LERMONTOV, Mikhaïl (1814-1841), haute figure du romantisme, le plus grand poète russe du XIXe siècle avec Pouchkine.

LESKOV, Nikolaï (1831-1895), considéré par certains critiques comme « le plus russe des écrivains russes ».

MALENKOV, Guéorgui (1902-1988), un des dirigeants les plus importants sous Staline auquel il succéda comme Premier ministre. Démissionné en 1955, il mourut complètement oublié.

MANSTEIN, Erich von (1887-1973), maréchal allemand, conçut l'invasion de la France en 1940 et commanda sur le Front russe. Conseiller militaire du gouvernement ouest-allemand après douze ans de détention pour crimes de guerre.

MARMONTOV, Konstantin (1869-1920), général cosaque combattant dans l'armée des Blancs, célèbre pour ses raids sur les arrières soviétiques en août-septembre 1919. Mort du typhus.

MEHLIS, Lev (1889-1953), officier politique, colonel-général, représentant du G.Q.G. en Crimée (fin décembre 1942-mai 1943), ne réussit pas à se maintenir dans la presqu'île de Kertch, fut relevé de ses fonctions mais garda la faveur de Staline.

MÉRETSKOV, Kirill (1897-1968), chef de l'état-major général (1940-1941), importants commandements sur le Front de Leningrad, maréchal de l'Union soviétique (1944).

MOLOTOV, Viatcheslav (1890-1986), diplomate, un des leaders soviétiques d'une remarquable longévité, ministre des Affaires étrangères, se ligua fugacement avec Béria et Malenkov à la mort de Staline.

NÉKRASSOV, Nikolaï (1821-1878), poète et publiciste connu pour ses évocations des heurs et malheurs de la vie paysanne.

NOVIKOV, Alexandre (1900-1976), grand-maréchal de l'Air, arrêté en 1946, torturé, déporté, libéré en 1953.

OSTROVSKI, Alexandre (1823-1886), éminent dramaturge mettant en scène des milieux conservateurs et affairistes de son siècle.

OUBORÉVITCH, Iéronim (1896-1937), sous-lieutenant de l'armée tsariste, importants commandements pendant et après la guerre civile ; fusillé en même temps que Toukhatchevski.

OULAGAÏ, Sergueï (1875-1945), chef de la division de Cosaques du Kouban qui combattit les Rouges durant la guerre civile.

OUSTINOV, Dmitri (1908-1984), commissaire du peuple aux Armements en 1941, ministre des Industries de défense en 1953, ministre de la Défense en 1976, il organisa l'invasion de l'Afghanistan en 1979.

PAULUS, Friedrich (1890-1957), maréchal allemand, commanda les troupes allemandes à Stalingrad où il fut défait.

PÉRÉVERZEV, Valérian (1882-1968), accusé de « sociologisme vulgaire », arrêté en 1938. Partisan d'une rigoureuse application du déterminisme économique à l'étude de la littérature. Accusé de déviationnisme, connut le camp et la relégation.

PIECK, Wilhelm (1876-1960), premier président de la RDA de 1940 à 1960.

PILNIAK, Boris (pseudonyme de Boris Vogau) (1894-1938), romancier et novelliste russe, condamné pour « esthétisme » par les critiques « prolétariens ».

ROKOSSOVSKI, Konstantin (1896-1968), militaire soviétique d'origine polonaise, arrêté et emprisonné pendant les purges staliniennes, libéré en 1941, servit avec grand succès pendant la guerre, maréchal de l'Union soviétique (1944), ministre de la Défense nationale en Pologne (1949-1956).

RYBALKO, Pavel (1894-1948), spécialiste reconnu de l'arme blindée, dont il fut créé maréchal en 1945.

SÉROV, Valentin (1865-1911), peintre russe ; *La Petite Fille aux pêches* est l'un de ses tableaux les plus célèbres (1887).

SOUSLOV, Mikhaïl (1902-1982), figure majeure de la politique soviétique durant la guerre froide. Premier secrétaire à la mort de Brejnev et Tchernenko, favorisa l'ascension de Gorbatchev.

TCHERNYCHESKI, Nikolaï (1828-1889), critique, romancier et publiciste révolutionnaire dont l'influence se fit sentir en art et en littérature à l'époque soviétique.

TCHOUBAÏS, Anatoli (1955), adjoint à Leningrad d'Anatoli Sobtchak, devenu après les privatisations une des plus grosses fortunes de Russie. Dirige depuis 2008 le complexe ROSNANO, chargé du développement des nanotechnologies en Russie.

TCHOUBAR, Vlas (1891-1939), président du Conseil des commissaires du peuple d'Ukraine en 1923-1938. Disparut pendant les purges.

TCHOUÏKOV, Vassili (1900-1982), s'illustra comme commandant de la LXIIe armée, qui défendit Stalingrad, commandant des forces soviétiques d'occupation en Allemagne, maréchal de l'Union soviétique (1955).

TÉLÉGUINE, Konstantin (1899-1981), adjoint de Joukov à la tête des forces d'occupation en Allemagne. Arrêté en 1948, condamné à vingt-cinq ans de prison, libéré à la mort de Staline.

TIMOCHENKO, Sémion (1895-1970), vieux compagnon d'armes de Staline, participa à tous les combats de la guerre civile ; maréchal de l'Union soviétique (1940), ministre de la Défense nationale de mai 1940 au 19 juillet 1941 ; dépassé par la guerre moderne.

TOLSTOÏ, Alexeï Konstantinovitch (1817-1875), cousin éloigné de Léon Tolstoï, connu pour sa trilogie consacrée aux tsars de Russie. Ne pas confondre avec le comte Alexeï Nikolaïévitch Tolstoï (1883-1945), rallié au communisme après un bref exil en Occident.

TOUKHATCHEVSKI, Mikhaïl (1893-1937), d'origine noble, lieutenant de l'armée tsariste, commandant de diverses armées soviétiques pendant la guerre civile, dirigea la guerre contre la Pologne, la répression du soulèvement d'Antonov. Joua un rôle de premier plan dans la réorganisation et la modernisation de l'Armée rouge, maréchal de l'Union soviétique (1935), arrêté en 1937, jugé à huis-clos, condamné à mort pour espionnage au profit de l'Allemagne et visées bonapartistes, fusillé immédiatement.

ULBRICHT, Walter (1893-1973), Premier secrétaire du Parti communiste d'Allemagne de l'Est de 1950 à 1971.

VASSILEVSKI, Alexandre (1895-1977), fils de prêtre, capitaine dans l'armée tsariste, un des meilleurs officiers du Haut-Commandement de l'Armée rouge, chef de l'état-major général (1942-1945), commanda ou coordonna de très importantes opérations, maréchal de l'Union soviétique (1943).

VATOUTINE, Nikolaï (1901-1944), chef d'importants états-majors, puis commandant d'armée et de Front, grièvement blessé lors d'un engagement avec une troupe de partisans nationalistes ukrainiens.

VLASSOV, Andreï (1900-1946), commandant d'armée pendant la guerre, fait prisonnier (1942) ; forma du côté allemand des unités de volontaires antisoviétiques ; livré à Staline par les Alliés et exécuté.

VOROCHILOV, Klément (1881-1969), proche de Staline, commanda les troupes soviétiques lors de la guerre de Finlande (1939-1940). Son échec à défendre Leningrad entraîna son remplacement par Joukov.

VORONOV, Nikolaï (1899-1968), spécialiste de l'artillerie (maréchal de cette arme en 1944).

VORONSKI, Alexandre (1894-1937), critique littéraire et théoricien marxiste, il exprima son scepticisme sur les potentialités d'une littérature prolétarienne distincte.

VOUTCHÉTITCH, Evguéni (1908-1974), sculpteur soviétique, éminent représentant du réalisme socialiste, spécialisé dans les monuments militaires.

WRANGEL, Piotr (1878-1928), ancien officier de l'armée tsariste, chef de l'Armée blanche dans le sud de la Russie vers la fin de la guerre civile.

ZINOVIEV, Grigori (1883-1936), leader bolchevique, opposant à Staline dès 1925, arrêté en 1934.

TABLE

DU MÊME AUTEUR

UNE JOURNÉE D'IVAN DÉNISSOVITCH, Julliard, 1963, Fayard, 2007.
LA MAISON DE MATRIONA,
suivi de l'INCONNU DE KRETCHÉTOVKA
et de POUR LE BIEN DE LA CAUSE, Julliard, 1966.
LA MAISON DE MATRIONA,
suivi de INCIDENT À LA GARE DE KOTCHÉTOVKA, Fayard, 2007.
LE PAVILLON DES CANCÉREUX, Julliard, 1968, Fayard, 2007.
LE PREMIER CERCLE, Laffont, 1968.
LES DROITS DE L'ÉCRIVAIN, Seuil, 1969.
ZACHARIE L'ESCARCELLE ET AUTRES RÉCITS, Julliard, 1970, Fayard, 2007.
LA FILLE D'AMOUR ET L'INNOCENT, théâtre, Laffont, 1971.
AOÛT QUATORZE (première version), Seuil, 1972.
LETTRE AUX DIRIGEANTS DE L'UNION SOVIÉTIQUE, Seuil, 1974.
L'ARCHIPEL DU GOULAG, I et II, Seuil, 1974 ; III, Seuil, 1976.
LE CHÊNE ET LE VEAU, Seuil, 1975.
LÉNINE À ZURICH, Seuil, 1975.
FLAMME AU VENT, Seuil, 1977.
LE DÉCLIN DU COURAGE, Seuil, 1978.
MESSAGE D'EXIL, Seuil, 1979.
L'ERREUR DE L'OCCIDENT, Grasset, 1980.
LES TANKS CONNAISSENT LA VÉRITÉ, Fayard, 1982.
LES PLURALISTES, Fayard, 1983.
COMMENT RÉAMÉNAGER NOTRE RUSSIE ?, Fayard, 1990.
LES INVISIBLES, Fayard, 1992.
LE « PROBLÈME RUSSE » À LA FIN DU XXe SIÈCLE, Fayard, 1994.
RÉFLEXIONS SUR LA RÉVOLUTION DE FÉVRIER, Fayard, 1995.
UNE MINUTE PAR JOUR, Fayard, 1995.
EGO suivi de SUR LE FIL, Fayard, 1995.
NOS JEUNES, récit en deux parties, Fayard, 1997.
LA RUSSIE SOUS L'AVALANCHE, Fayard, 1998.
NOS PLURALISTES, Fayard, 1998.
LE GRAIN TOMBÉ ENTRE LES MEULES, Fayard, 1998.
DEUX RÉCITS DE GUERRE, Fayard, 2000.
DEUX SIÈCLES ENSEMBLE, 2 tomes, Fayard, 2002, 2003.

ESQUISSES D'EXIL, Fayard, 2005.
AIME LA RÉVOLUTION !, Fayard, 2007.

Dans la série des Œuvres en version définitive publiées aux Éditions Fayard :

Tome 1. LE PREMIER CERCLE, 1982.
Tome 2. LE PAVILLON DES CANCÉREUX ET AUTRES RÉCITS, 1983.
Tome 3. ŒUVRES DRAMATIQUES, 1986.
Tome 4. L'ARCHIPEL DU GOULAG, I, 1991, édition nouvelle.
Tome 5. L'ARCHIPEL DU GOULAG, II, 2011, édition nouvelle.
Tome 6. L'ARCHIPEL DU GOULAG, III (à paraître en 2013), édition nouvelle.
LA ROUE ROUGE, *Premier nœud*, AOÛT QUATORZE, 1984.
LA ROUE ROUGE, *Deuxième nœud*, NOVEMBRE SEIZE, 1985.
LA ROUE ROUGE, *Troisième nœud*, MARS DIX-SEPT,
Tome 1, Chapitres 1-170, 1992.
Tome 2, Chapitres 171-353, 1993.
Tome 3, Chapitres 354-531, 1998.
Tome 4, Chapitres 532-656, 2001.
LA ROUE ROUGE, *Quatrième nœud*, AVRIL DIX-SEPT,
Tome 1, Chapitres 1-91, 2009.

Photocomposition Nord Compo
Villeneuve-d'Ascq

CET OUVRAGE
A ÉTÉ ACHEVÉ D'IMPRIMER
SUR ROTO-PAGE
PAR L'IMPRIMERIE FLOCH
À MAYENNE EN JUILLET 2012

Fayard s'engage pour
l'environnement en réduisant
l'empreinte carbone de ses livres.
Celle de cet exemplaire est de :
1,700 kg éq. CO_2
Rendez-vous sur
www.fayard-durable.fr

Dépôt légal : août 2012.
N° d'impression : 82862.
36-67-3229-6/01
Imprimé en France